| 漢字 | Kanji | 汉字 | 한자 |

はじめに

この本は
- ▶「日本語能力試験」N２合格を目指す人
- ▶中級を終えて中級の漢字の復習をしたい人
- ▶日常生活で役立つ漢字を勉強したい人

のための漢字学習書です。

◆この本の特長◆

- よく見る表示や文書などを使って、漢字と漢字で書く言葉を勉強します。
- １日 14 ～ 15 字、8 週間で 739 字、約 2,200 語を学びます。
- 「言語知識（文字・語彙）」だけでなく、「読解」の試験でも役立つ漢字力が身につきます。
- １週間に１回分、テストがついているので、理解の確認ができます。
- 英語・中国語・韓国語の訳がついているので一人でも勉強できます。
- 模擬試験が４回分あるので、より実際のテストに近い形で確認ができます。

この本で覚える漢字は、毎日どこかで見る漢字ばかりです。
楽しく勉強していきましょう。

2022 年 8 月
佐々木仁子・松本紀子

This kanji study book is for:
- those who are seriously studying for the new JLPT Level N2,
- those who have completed the intermediate level and wish to review the kanjis at that level,
- those who wish to learn useful daily kanjis.

◆ The special features of this book ◆
- You will study kanjis and words composed of kanjis through being exposed to many common signs and sentences,
- You will learn 14 or 15 kanjis a day, and a total of 739 kanjis and approximately 2,200 words in 8 weeks,
- You will learn not only “ language knowledge” (kanjis and vocabulary), but kanji skills which will be useful in reading section of the test,
- The inclusion of a weekly test will enable you to regularly check your learning,
- The English, Chinese, and Korean translations will enable you to study alone,
- You can test your ability with the four JLPT practice exams.

The kanjis in this book are all useful and regularly used in daily life.
Let’s enjoy learning!

此书是专为以下学习者设计的汉字辅导书：
· 希望能通过新的“日语能力考试” N2 的人
· 中级已学完，希望复习中级汉字的人
· 希望学习在日常生活中有用汉字的人

◆此书的特长◆
· 运用经常能看到的标志或文书，学习汉字及通过汉字学习书面表达。
· 1 天 14 ～ 15 个字，8 周时间学习 739 个字，2,200 个词汇。
· 不仅能掌握“言语知识（文字、词汇）”，还能通过提高汉字能力，利于“读解”考试。
· 1 周附有 1 回考试，能确认理解程度。
· 因为附有英语、汉语、韩语的翻译，有利于自学。
· 由于有四套模拟考试，可以以更接近实际考试的形式测试水平。

通过此书记住的汉字，全都是每天都会在什么地方看到的汉字。
让我们轻松快乐地学习吧。

이 책은
· 새로운「일본어 능력 시험」N 2 합격을 목표로 하는 사람
· 중급을 마치고 중급의 한자를 복습하고 싶은 사람
· 일상 생활에 도움이 되는 한자를 공부하고 싶은 사람

을 위한 한자 학습서입니다.

◆이 책의 특징◆
· 자주 보는 표시나 문자등을 사용해 한자와 한자로 쓰는 말을 공부합니다.
· 하루 14 ~ 15 자, 8 주 동안에 739 자, 2,200 어를 배웁니다.
·「언어 지식 (문자 · 어휘)」만이 아니라,「독해」시험에서도 도움이 되는 한자력이 몸에 뱁니다.
· 1 주에 1 회분, 시험이 달려 있기 때문에 이해를 확인할 수 있습니다.
· 영어 · 중국어 · 한국어의 번역이 달려 있어 혼자서도 공부할 수 있습니다.
· 모의 테스트가 4 회분 있으므로, 보다 실제 테스트에 가까운 형식으로로 실력을 확인할 수 있습니다.

이 책에서 외운 한자는 매일 어딘가에서 보는 한자뿐입니다.
즐겁게 공부해 갑시다.

目次

「日本語能力試験」N2について

試験日

年2回（7月と12月の初旬の日曜日）

※海外では、試験が年1回の都市があります。

レベルと認定の目安

レベルは5段階（N1 ～ N5）です。

N2の認定の目安は、「日常的な場面で使われる日本語の理解に加え、より幅広い場面で使われる日本語をある程度理解することができる」です。

試験科目と試験時間

N2	言語知識（文字・語彙・文法）・読解	聴解
	（105分）	（50分）

合否の判定

「得点区分別得点」と、それらを合計した「総合得点」の二つで合否判定を行います。得点区分ごとに基準点が設けられており、一つでも基準点に達していない場合は、総合得点が高くても不合格になります。

得点区分

N2	言語知識（文字・語彙・文法）	読解	聴解
0 ～ 180点	0 ～ 60点	0 ～ 60点	0 ～ 60点

総合得点　　得点の範囲

N2「文字」の問題構成と問題形式

大問	小問数	ねらい
漢字読み	5	漢字で書かれた語の読み方を問う
表記	5	ひらがなで書かれた語が、漢字でどのように書かれるかを問う

〈漢字読み〉の問題

＿＿＿の言葉の読み方として最もよいものを、1・2・3・4から一つ選びなさい。

例）貧しい国の子どもたちに、ワクチンを贈る活動をしている。

1　まずしい　　2　きびしい　　3　けわしい　　4　はげしい

● ② ③ ④

〈表記〉の問題

＿＿＿の言葉を漢字で書くとき、最もよいものを1・2・3・4から一つ選びなさい。

例）紙の本が電子書籍よりすぐれているところは何でしょうか。

1　超れて　　2　恵れて　　3　秀れて　　4　優れて

① ② ③ ●

試験日、実施地、出願の手続きのしかたなど、「日本語能力試験」の詳しい情報は、日本語能力試験のホームページ https://www.jlpt.jp をご参照ください。

この本の使い方

◆本書は、第１週～第８週までの８週間で勉強します。日常生活でよく見る表示や看板から始めて、ニュースや新聞まで徐々にレベルアップしていきます。

This book is meant to be used as an eight-week study guide. Your Japanese ability will improve steadily as you study everything, from signs and advertisements found in daily life to TV news and newspapers.

本书从第 1 周到第 8 周共需要 8 周时间学习。从日常生活中常见的标示和招牌开始，再到新闻和报纸，逐渐提升难度。

본서는 , 제 1 주 ~ 제 8 주로 8 주간 공부합니다 . 일상생활에서 자주 보는 표시나 간판을 비롯하여 , 뉴스나 신문까지 서서히 레벨업해 갑니다 .

◆本書は日本語能力試験Ｎ２のレベルより高い語彙でも、実用性の高いものは紹介しています。

This book introduces some practical words beyond JLPT Level N2.

在本书中，也介绍了一些虽超出了日语能力考试 N2 的水平，但实用性强的词汇。

본서는 일본어 능력시험 N 2 의 레벨보다 높은 어휘라도 실용성이 높은 것은 소개하고 있습니다 .

◇まず、ここに書いてある問題を解いてみましょう。

First, try to answer the questions on this page.

首先，解答一下这里写的问题。

먼저 여기에 쓰여 있는 문제를 풀어 봅시다 .

◇次に、ここに書いてある字が読めるかどうか、試してみましょう。

Next, try to see if you can read the kanjis on this page.

其次，试试能否读懂这里写的字符。

다음으로 , 여기에 써 있는 글자를 읽을 수 있을지 시도해 봅시다 .

◇１字１字、読みや漢字語の意味を確認しましょう。

Check the readings and meanings of the kanjis one by one.

请 1 个字 1 个字地确认读法和汉字词的意思。

한 자 한 자 , 읽기나 한자어의 의미를 확인합시다 .

◇前の日の練習の答えです。

These are the answers to the previous day's drills.

前一天的“练习”答案。

전날의 “ 연습 ” 의 답입니다 .

第５週 3日目

つかう②

家庭用品　洗剤②

Household Goods (Cleansers) ②　家庭用品(洗洁剂)②　가정용품 (세제) ②

学習日　月　日(　)

Q. ＿＿＿の読みは？ 磨く

読んでおぼえましょう

用途および使用方法：家具、床、壁、ドアなどにスプレーし、乾いた布でふきとってください。水がしみこみやすい家具や柱などには使用できません。

漢字	画数	読み	語	意味	語	意味
途	10画	ト	用途	a use　用途　용도	途中	on the way / part way　途中　도중
			中途	midway/unfinished　中途　중도	途端	just as (…something happened)　刚—…时　바로 그 순간, 하자마자
具	8画	グ	道具	a tool　道具　도구	具合	condition　情况　형편, 상태
			家具	furniture　家具　가구	雨具	rain gear　雨具　우비
床	7画	ショウ ゆか とこ	起床	getting up　起床　기상	❗床	floor　(室内的)地板　마루
			床屋	a barbershop　理发店　이발소		
			床の間	alcove (a place for traditional pictures and ornaments)　和式房间里为挂画和陈设装饰物品而略将地板加高的地方　일본건축에서 객실인 다다미방의 정면에, 바닥을 한층 높여 만들어 놓은 곳. 벽에는 족자를 걸고, 바닥에 도자기, 꽃병 등을 장식한다.		
壁	16画	かべ	壁	wall　墙壁　벽		
乾	11画	カン かわ-く かわ-かす	乾電池	a dry cell battery　干电池　건전지		
			乾く	dry　干　마르다, 건조하다	乾かす	dry something　弄干、晒干、烤干　말리다
布	5画	フ ぬの	毛布	a blanket　毛毯　모포, 담요	分布	distribution　分布　분포
			❗座布団	zabuton; square Japanese floor cushion　坐垫　방석		
			布	a cloth　布　직물		
柱	9画	チュウ はしら	電柱	a telegraph pole　电线杆子　전신주		
			柱	a pillar/post　柱子　기둥		

88　Week5：Use②

◆各週の１日目から６日目まではテーマ別の漢字・漢字語の学習です。７日目は１日目から６日目までの復習（＋もっと）と「まとめの問題」でその週に勉強したことを確認します。

On day one to six, you will study kanjis and kanji combinations thematically. On day seven, you will check what you have studied during the week using a review of Days 1–6 (+more) and summary questions.
每周的第 1 天到第 6 天学习不同主题的汉字、汉字词。第 7 天是第 1 天到第 6 天的复习（+ 更加）和“综合问题”。目的是确认本周所学过的内容。
각주의 첫째날부터 여섯째날까지는 테마별 한자 · 한자어 연습입니다 . 일곱째날은 1 일째 ~6 일째의 내용을 복습하고 (+ 더), 정리 문제 , 그 주에 공부한 것을 확인합니다 .

◆第８週が終わった後は、「模擬試験」で日本語能力試験と同じ形式の問題を解いてみましょう。

After you finished the 8th week, please try to answer the questions in practice tests which questions are designed in the same format as JLPT exam.
第 8 周结束以后，请尝试解答和日语能力考试一样出题形式的”模拟考试“吧！
8 주 차가 끝난 후에는 “모의고사”에서 일본어능력시험과 같은 형식의 문제를 풀어봅시다 .

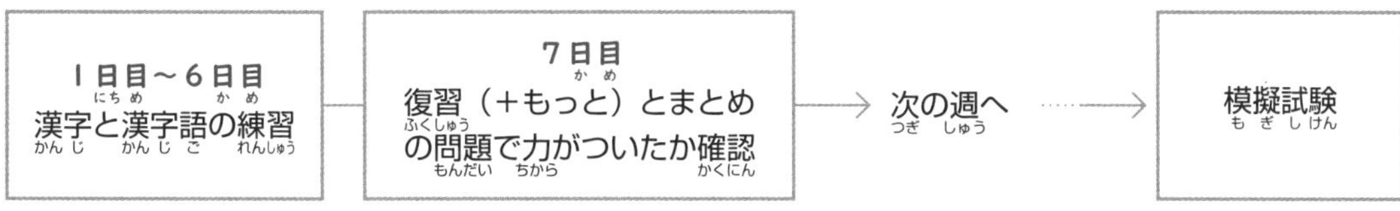

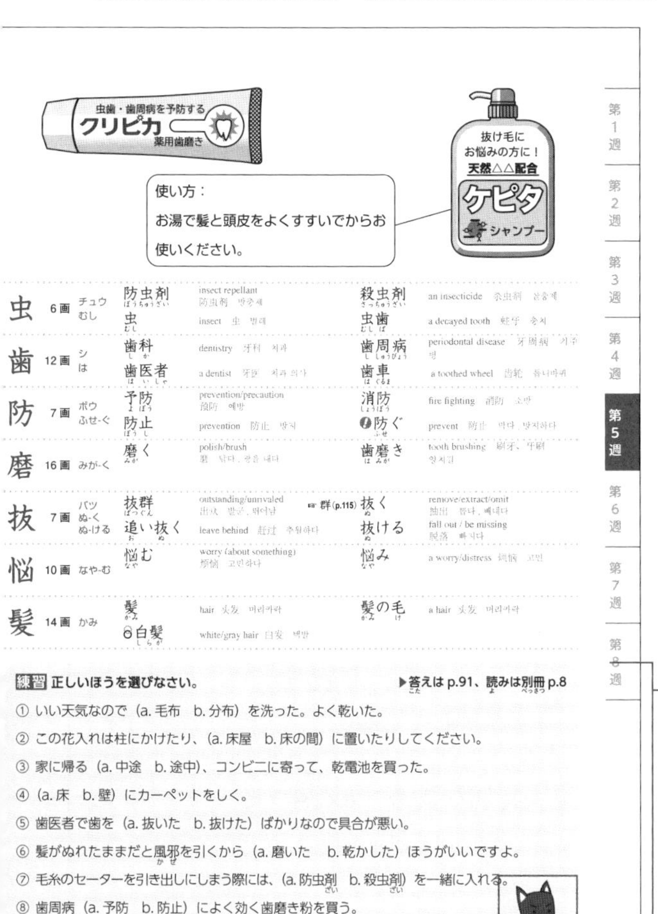

漢字	画数	読み	語	意味	語	意味
虫	6画	チュウ むし	防虫剤	insect repellant 防虫剂 방충제	殺虫剤	an insecticide 杀虫剂 살충제
			虫	insect 虫 벌레	虫歯	a decayed tooth 蛀牙 충치
歯	12画	シ は	歯科	dentistry 牙科 치과	歯周病	periodontal disease 牙周病 치주병
			歯医者	a dentist 牙医 치과 의사	歯車	a toothed wheel 齿轮 톱니바퀴
防	7画	ボウ ふせ-ぐ	予防	prevention/precaution 预防 예방	消防	fire fighting 消防 소방
			防止	prevention 防止 방지	❶防ぐ	prevent 防止 막다, 방지하다
磨	16画	みが-く	磨く	polish/brush 磨 닦다, 광을 내다	歯磨き	tooth brushing 刷牙、牙刷 양치질
抜	7画	バツ ぬ-く ぬ-ける	抜群	outstanding/unrivaled 出众 발군, 뛰어남 ☞群(p.115)	抜く	remove/extract/omit 抽出 뽑다, 빼내다
			追い抜く	leave behind 超过 추월하다	抜ける	fall out / be missing 脱落 빠지다
悩	10画	なや-む	悩む	worry (about something) 烦恼 고민하다	悩み	a worry/distress 烦恼 고민
髪	14画	かみ	髪	hair 头发 머리카락	髪の毛	a hair 头发 머리카락
			⊖白髪	white/gray hair 白发 백발		

練習 正しいほうを選びなさい。　▶答えは p.91、読みは別冊 p.8

① いい天気なので（a. 毛布　b. 分布）を洗った。よく乾いた。
② この花入れは柱にかけたり、（a. 床屋　b. 床の間）に置いたりしてください。
③ 家に帰る（a. 中途　b. 途中）、コンビニに寄って、乾電池を買った。
④（a. 床　b. 壁）にカーペットをしく。
⑤ 歯医者で歯を（a. 抜いた　b. 抜けた）ばかりなので具合が悪い。
⑥ 髪がぬれたままだと風邪を引くから（a. 磨いた　b. 乾かした）ほうがいいですよ。
⑦ 毛糸のセーターを引き出しにしまう際には、（a. 防虫剤　b. 殺虫剤）を一緒に入れる。
⑧ 歯周病（a. 予防　b. 防止）によく効く歯磨き粉を買う。

みがく

p.87 の答え：①b　②a　③a　④b　⑤b　⑥a　⑦a　⑧b

第 5 周：用②／제 5 주 : 사용하다②　89

第1週　第2週　第3週　第4週　第5週　第6週　第7週　第8週

◇左ページと右ページは分けて勉強できるので一度にたくさん覚えるのが難しいときは、１日分を２日に分けて勉強するといいでしょう。

The right and left pages can be studied separately, so if you have difficulty remembering a lot of kanjis at once, you can divide a day's learning into two days.
因为左页和右页可以分开学，所以如果觉得一次学很多东西较难，可以把一天的量分成两天学。
왼쪽 페이지와 오른쪽 페이지는 나누어 공부할 수 있으므로 , 한 번에 많이 기억하는 것이 어려울 때는 , 1 일분을 2 일로 나누어 공부하면 좋을 것입니다 .

◇理解を確認するための練習問題です。答えは次の日の最後にあります。

These are drills to test your understanding. The answers are at the end of the following day's lesson.
练习题来检验是否已理解、掌握。答案在第二天的最后。
이해를 확인하기 위한 연습문제입니다 . 답은 다음 날 마지막에 있습니다 .

◇左ページ上の問題の答えです。

This is the answer to the question at the top of the opposite page.
这是左页上方问题的答案。
이것은 왼쪽 페이지 위에 있는 문제의 답입니다 .

◆問題を解いたら、必ず答え合わせをしましょう。答えは別冊に書いてあります。巻末についていますので、取り外して使ってください。

After you answer the questions, check to see if your answers are correct. Answers can be found in the removable booklet attached at the back of this book.
答题后，一定要对答案。答案在附册的中。附册在本书的最后，请取下来使用。
문제를 풀면 반드시 해답을 맞춰 봅시다 . 답은 별책 에 씌여 있습니다 . 권말에 붙어 있으니 따로 떼어서 사용해 주세요 .

◆「まとめの問題」と「模擬試験」は、時間を計って、テストのつもりで解きましょう。制限時間内に終わらない場合も最後まで続けましょう。

The summary questions and practice tests are timed, and you should try to solve them as if they were real tests. However, answer all the questions even if you are unable to finish within the time limit.
做“综合问题”和“模拟考试”时，请计算时间，当作真正的考试来解答。即使没能在规定的时间内完成，也坚持到最后吧。
'정리 문제' 와 ' 모의고사' 는 시간을 재면서 실제 시험처럼 풀어보세요 . 제한시간 내에 끝내지 못하더라도 끝까지 풀어봅시다 .

◆答えと読みの場所は下の表の通りです。

The location of the answer, reading is as shown in the table below.
解答，读的位置，如下表所示。
정답 및 읽기 이 기재된 곳은 아래 표와 같습니다 .

	答え Answer 解答 정답	読み reading 读 읽기
1～6日目 練習	2ページ先	別冊
7日目 復習と「まとめの問題」	問題3の下	別冊
模擬試験	別冊	別冊

本書で使用しているマーク

初	7画	ショ はじ-め はじ-めて はつ	初診 初恋	the first medical consultation 初诊 초진 one's first love 初恋 첫사랑	☞ 恋(p.71)	初めて 初雪	for the first time 初次 (경험상) 처음으로 the first snow of the season 初雪 첫눈	☞ 雪(p.131)

総画数
Total number of strokes
总笔划数 총획수

漢字のもつ読み（カタカナ＝音読み、ひらがな＝訓読み）
※《 》は常用漢字表にないが慣用的に使われている読み。ex. 等《など》

Kanji readings (Katakana = *On-yomi* (Chinese reading), Hiragana = *Kun-yomi* (Japanese reading))
※《 》mean that the kanjis don't appear in the Joyo Kanji Chart but are frequently used (for example, 等《など》).
汉字所拥有的读法(カタカナ＝音读，ひらがな＝训读)
※《 》，是虽然常用汉字表里没有，但经常惯用的读法。如，ex. 等《など》。
한자가 가지는 의미 (가타카나 = 음독 , 히라가나 = 훈독)
※《 》는 상용한자표에는 없지만 , 관용적으로 사용되는 의미 . ex. 등《など》

❶＝特に注意してほしい読み
reading requiring particular attention
特别需要注意的读法 특히 주의해야할 읽기

㊕＝特別な読み ex. ㊕一日
an unusual reading
特别的读法 특별한 읽기

☞ 恋(p.71) ＝ 71ページを見てください
See page 71.
请看第71页。 71 페이지를 보세요 .

↔＝反対語
antonym
反义词 반대어

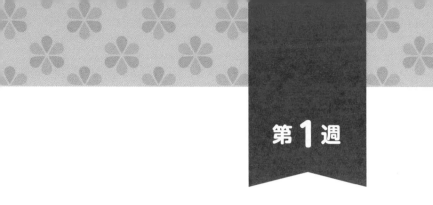

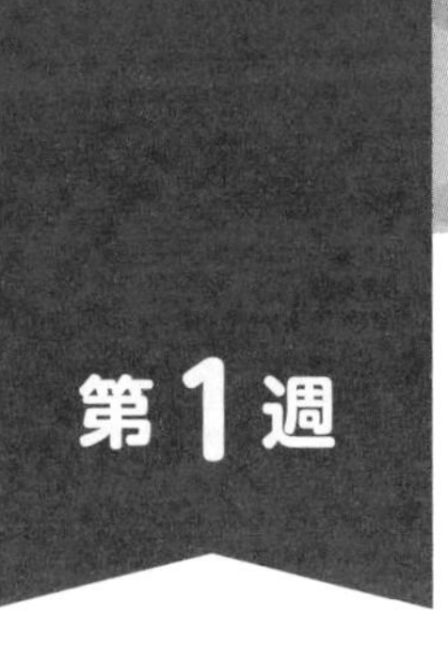

みる①

Look and See ①
看①
보다①

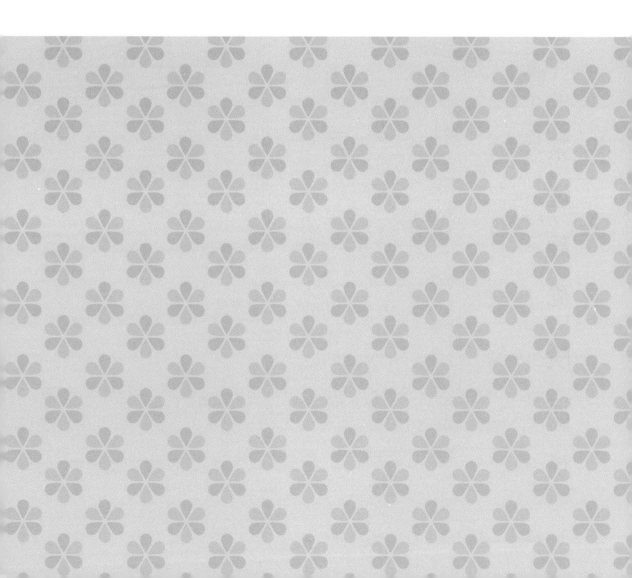

みる ①

立て札・注意書き（たてふだ・ちゅういがき）

Notices and Warnings
告示牌・标示
팻말・주의서

学習日　月　日（　）

Q. ＿＿＿の読みは？
立ち入り禁止

見ておぼえましょう

漢字	画数	読み	語	意味	語	意味
禁	13画	キン	禁止（きんし）	prohibition 禁止 금지		
煙	13画	エン けむり	禁煙（きんえん）	no smoking 禁烟 금연		
			煙（けむり）	smoke 烟 연기		
静	14画	セイ しず-か しず-まる	安静（あんせい）(な)	quietly 安静 안정한		
			静（しず）か(な)	quiet 寂静 조용함	静（しず）まる	become quiet 平静下来 조용해지다
危	6画	キ あぶ-ない あや-うい	危機（きき）	a crisis 危机 위기 ☞ 機 (p.30)		
			危（あぶ）ない	dangerous 危险 위험하다	❗危（あや）うい	dangerous / narrow 危险的 위태롭다
険	11画	ケン けわ-しい	危険（きけん）(な)	danger 危险 위험 ↔ 安全（あんぜん）(な)		
			保険（ほけん）	insurance 保险 보험 ☞ 保 (p.38)		
			❗険（けわ）しい	steep 险峻 험하다，위태롭다		
関	14画	カン かか-わる	関心（かんしん）	an interest 关心 관심	(〜に)関（かん）する	related to 关于…的 관련하다
			関（かか）わる	have to do with 关系到 관계되다		
係	9画	ケイ かかり	関係（かんけい）	a relation / connection 关系 관계		
			係（かかり）	charge / a person in charge 担任者 담당，관계	係員（かかりいん）	a person in charge 工作人员 담당자（계원）

漢字	画数	読み	語	意味	語	意味
落	12画	ラク お-ちる お-とす	転落(てんらく) 落ちる(お)	a fall 滚下 전락 fall 落下 떨어지다	落第(らくだい) 落とす(お)	failing/repeating a course 不及格 낙제 ☞ 第(p.25) drop 使落下 떨어뜨리다
石	5画	セキ シャク いし	落石(らくせき) 石(いし)	falling rocks 落石 낙석 a stone 石头 돌	磁石(じしゃく)	a magnet / compass 磁铁、指南针 자석, 나침반
飛	9画	ヒ と-ぶ と-ばす	飛行場(ひこうじょう) 飛ぶ(と)	an airport 机场 비행장 fly 飞行 날다	飛び出す(と・だ)	run out suddenly 跳出 뛰어나가다
駐	15画	チュウ	駐車場(ちゅうしゃじょう)	a parking lot 停车场 주차장	駐車(ちゅうしゃ)	parking 停车 주차
捨	11画	シャ す-てる	四捨五入(ししゃごにゅう) 捨てる(す)	round to the nearest (e.g. decimal place) 四舍五入 반올림 throw away 抛弃 버리다		
遊	12画	ユウ あそ-ぶ	遊泳(ゆうえい) 遊ぶ(あそ)	swimming 游泳 유영 play 玩 놀다		
泳	8画	エイ およ-ぐ	水泳(すいえい) 泳ぐ(およ)	swimming 游泳 수영 swim 游泳 수영하다		

練習 正しいほうを選びなさい。 ▶答え(こた)は p.15、読み(よ)は別冊(べっさつ) p.2

① 関係者以外立ち入り禁止

　＝ 関係者でない人は（a. 入らなければならない　b. 入ってはいけない）

② お静かに＝（a. 静かにしてください　b. 静かにしてはいけません）

③ 落石注意＝（a. 石が落ちてくるかもしれない　b. 石を落としてはいけない）

④ スピード落とせ＝ スピードを（a. 上げろ　b. おそくしろ）

⑤ 遊泳禁止＝（a. ここで遊ぶべきだ　b. ここで泳いではいけない）

⑥（a. 危うい　b. 危ない）ですから、下がってください。

⑦ 駐車禁止＝（a. 駐車場がない　b. 車を止めてはいけない）

第1週 2日目

みる ①

建物の中でよく見る表示
たてもの なか み ひょうじ

Signs Often Seen Inside Buildings　建筑物内常见的标示　건물 안에서 자주 보는 표시

学習日　月　日(　)

Q. ＿＿＿の読みは？
非常口

いじょうぐち　ひじょうぐち

異常（いじょう）は正常の反対ですよ。

見ておぼえましょう

漢字	画数	読み	語	意味	語	意味
喫	12画	キツ	喫茶店（きっさてん）	a coffee shop 咖啡店 커피숍	喫煙所（きつえんじょ）	a smoking area 吸烟室 흡연실
非	8画	ヒ	非～（ひ）	non-/anti-/dis- 非～ 비～	非常口（ひじょうぐち）	an emergency exit 太平门 비상구
			非常に（ひじょう）	extremely 非常 대단히		
御	12画	ゴ おん 《お》	御～（ご）／御～（お）	(honorific form)（表示尊敬、谦恭）존경, 겸양, 공손, 친애	御手洗い（おてあら）	a toilet 洗手间 화장실
			御中（おんちゅう）	(written on letters addressed to an organization / rather than an individual within the organization) 启、公启 귀중		
常	11画	ジョウ つね	日常（にちじょう）	usual/everyday 日常 일상	常識（じょうしき）	common sense 常识 상식　☞ 識(p.115)
			常に（つね）	always 经常 항상 , 늘		
受	8画	ジュ う-ける	受験（じゅけん）	taking an examination 应试 수험		
			受ける（う）	receive 接受 받다		
付	5画	フ つ-ける つ-く	付近（ふきん）	vicinity 附近 부근	～付き（つ）	attached/with 附带 ～딸림（부）
			受付（うけつけ）	a reception 接待处 접수	❗日付（ひづけ）	date 日期 날짜

◆ **案内図**（あんないず）

Guide Map

指示图 안내도

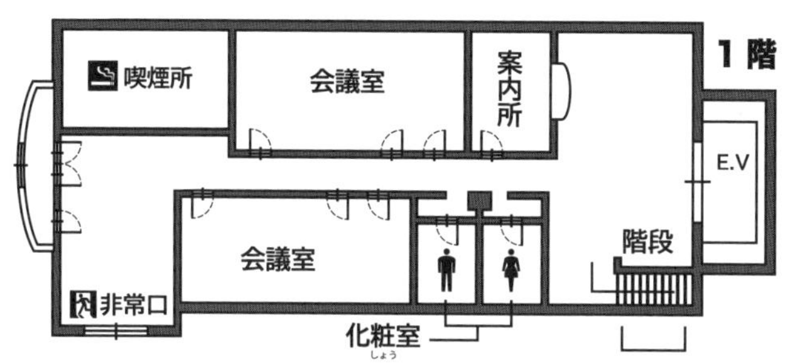

漢字	画数	読み	語	意味	語	意味
案	10画	アン	案内（あんない）	information 指示、向导 안내	案（あん）	a suggestion/proposal/plan 草案 안, 생각
内	4画	ナイ うち	以内（いない）	within 以内 이내	社内（しゃない）	within the company 公司内 사내
			～内（ない）	inside/within ~之内 ~내	内（うち）	the inside 内，里面 안, 내부
議	20画	ギ	会議室（かいぎしつ）	a meeting room 会议室 회의실	不思議(な)（ふしぎ）	wonderful/strange 不可思议 불가사의
			議論（ぎろん）	argument/discussion/debate 争论 의논 ☞ 論(p.127)	議員（ぎいん）	an assembly member 议员 의원
化	4画	カ ケ	文化（ぶんか）	culture 文化 문화	化学（かがく）	chemistry 化学 화학
			～化（か）	-ization (changing something into something else) ~化 ~화	化粧室（けしょうしつ）	a powder room / a toilet 化妆室 화장실
階	12画	カイ	階段（かいだん）	stairs 楼梯 계단	～階（かい）	the ... floor ~楼 ~층
			段階（だんかい）	level 阶段 단계		
段	9画	ダン	段（だん）	a step 楼梯、段落 층계, 계단	手段（しゅだん）	a means/way 手段 수단
			一段と（いちだん）	even more 更加 한층, 더욱	石段（いしだん）	a stone step 石阶 돌계단

練習 正しいほうを選びなさい。 ▶答えは p.17、読みは別冊 p.2

① タバコを吸う所 ＝（a. 禁煙席　b. 喫煙所）

② この（a. 付近　b. 日付）に喫茶店はありませんか。

③ 日本語は（a. 日常　b. 非常）会話ならできます。

④ A「すみません、化粧室はどこですか。」
B「はい、（a. お手洗い　b. 案内所）は、あちらでございます。」

⑤ 会議室は（a. 段階　b. 階段）を上って、すぐ右です。

⑥ このごろ（a. 一段と　b. 石段と）寒くなってきましたね。

⑦ ベストセラーになった小説が映画（a. 化　b. 案）された。

p.13の答え：①b　②a　③a　④b　⑤b　⑥b　⑦b

みる ①

建物(たてもの)の内外(ないがい)でよく見(み)る表示(ひょうじ)

Signs Often Seen Inside and Outside Buildings
建筑物内外常见的标示　건물 내외에서 자주 보는 표시

学習日　　月　　日(　)

Q. ＿＿＿の読みは？
清掃中

てんけんちゅう

えいぎょうちゅう

せいそうちゅう

じゅんびちゅう

見ておぼえましょう

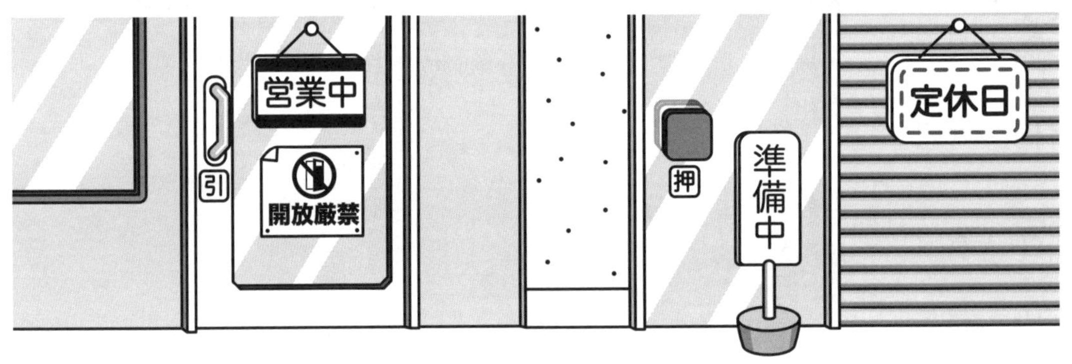

漢字	画数	読み	語彙	意味	語彙	意味
営	12画	エイ	営業(えいぎょう)	business 营业 영업		
放	8画	ホウ はな-す はな-れる	放送(ほうそう)	a broadcast 广播 방송	開放(かいほう)	opening 开放 개방
			開放厳禁(かいほうげんきん)	don't leave ... open(strictly prohibited) 禁止打开 개방엄금	放(はな)す	let go 放开 풀어 놓다
押	8画	お-す お-さえる	押(お)す	push 按 밀다	押(お)し入(い)れ	a closet 日本式的壁橱 벽장
			押(お)さえる	hold down 按压 누르다		
準	13画	ジュン	準備(じゅんび)	preparation 准备 준비	水準(すいじゅん)	a standard 水平 수준
			準急(じゅんきゅう)	a semi-express train 普通快车 준 급행	準決勝(じゅんけっしょう)	semifinals 半决赛 준결승 ☞ 決(p.39) 勝(p.142)
備	12画	ビ そな-える	備品(びひん)	an equipment 备品 비품		
			備(そな)える	prepare 防备、设置、具备 비치하다	備(そな)え付(つ)け(の)	furnished with / built-in 配备的 비치된
定	8画	テイ ジョウ	定員(ていいん)	capacity / allowed number of people 规定的人数 정원	定休日(ていきゅうび)	set/regular holiday 公休日 정기휴일
			定食(ていしょく)	a set meal 客饭 정식	定規(じょうぎ)	a ruler (for measuring) 尺 자 ☞ 規(p.39)

◆ トイレ／エレベーター

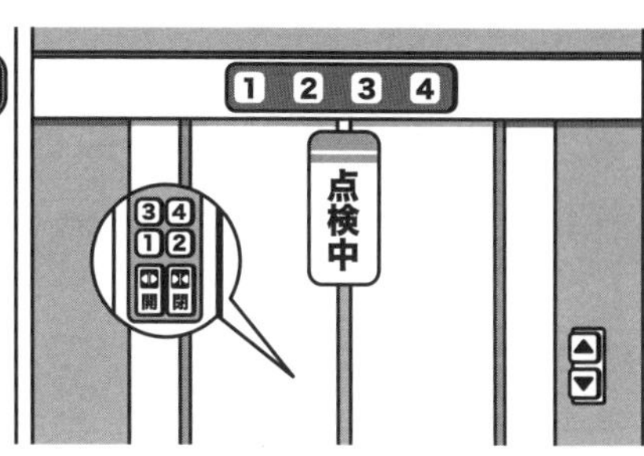

漢字	画数	読み	語	意味	語	意味
流	10画	リュウ なが-れる なが-す	流行(りゅうこう)	fashion　流行　유행		
			流れる(なが)	flow　流　흐르다	流す(なが)	let flow (water, etc.) 使…流动　흘려 버리다
清	11画	セイ きよ-い	清書(せいしょ)	a clean copy　誊写　청서 . 정서	清流(せいりゅう) ＝清い(きよ)流れ(なが)	a clear stream 清溪　맑게 흐르는 물
			清い(きよ)	clean/pure　清　깨끗하다		
掃	11画	ソウ は-く	清掃(せいそう)	cleaning　打扫　청소		
			掃く(は)	sweep　打扫　쓸다		
閉	11画	ヘイ と-じる し-める し-まる	閉会(へいかい)	closing of a meeting 闭会　폐회	閉店(へいてん)	closing of a store 关店　폐점
			閉まる(し)	shut/close　紧闭　닫히다		
			閉める(し)	shut/close ...　关闭　닫다	(口・目・本を) 閉じる(と)	shut/close ... 关闭　다물다・감다・덮다
点	9画	テン	点(てん)	a point　点　점	～点(てん)	... points ～分　～점
			欠点(けってん)	a shortcoming　缺点　결점　☞ 欠 (p.68)		
検	12画	ケン	点検(てんけん)	a check / an inspection　检查　점검	検問(けんもん)	an inspection　盘问　검문

練習 正しいほうを選びなさい。　▶答え(こた)は p.19、読み(よ)は別冊(べっさつ) p.2

① あ、（a. 準備中　b. 定休日）だ、まだ早いんだね。また後で来よう。

② 開放厳禁＝（a. 開けてはいけない　b. 開けておいてはいけない）

③ 安くて早いから（a. 定食　b. 洋食）を注文する。

④ うちのチームは（a. 準急　b. 準決勝）まで勝(か)ち進んだ。

⑤ 備え付けの紙以外、流さないでください。
　＝トイレットペーパー（a. しか　b. だけ）使えない。

⑥ テストをしますから、本を（a. 閉めて　b. 閉じて）ください。

⑦ エレベーターは（a. 点検中　b. 検問中）ですから、階段を使ってください。

⑧（a. 閉店　b. 閉会）セールを行う。

p.15 の答え：①b　②a　③a　④a　⑤b　⑥a　⑦a

みる ①

駅(えき)でよく見(み)る表示(ひょうじ)

Signs Often Seen at the Station　车站常见的标示　역에서 자주 보는 표시

学習日　　月　　日(　)

Q. ＿＿＿の読みは？
改札口

見ておぼえましょう

漢字	画数	読み	語	意味	語	意味
鉄	13画	テツ	地下鉄(ちかてつ)	the subway　地铁　지하철	私鉄(してつ)	a private railway　私营铁路　사철
窓	11画	ソウ まど	同窓会(どうそうかい) 窓(まど)	a school reunion　同学会　동창회 a window　窗户　창문	窓口(まどぐち)	a (service) window　窗口　창구　☞ 神(p.90)
符	11画	フ	切符(きっぷ)	a ticket　票　표		
精	14画	セイ	精算(せいさん)	a (fare) adjustment　清算　정산	精神(せいしん)	spirit/mind　精神、思想　정신
算	14画	サン	計算(けいさん) ❗足し算(たしざん)	calculation　计算　계산 addition　加法　덧셈	引き算(ひきざん)	subtraction　减法　뺄셈
改	7画	カイ あらた-める あらた-まる	改正(かいせい) ❗改める(あらためる)	an amendment　修改　개정 ① change　改正　고치다　② check　检查、查　검사하다		
札	5画	サツ ふだ	改札口(かいさつぐち) 札(ふだ)	a ticket gate　检票口　개찰구 a card　牌子　팻말	1万円札(まんえんさつ)	a 10,000 yen note　1万日元纸币　1 만엔 지폐

漢字	画数	読み	語	意味	語	意味
線	15画	セン	下線（かせん）	an underline 下划线 밑줄	線路（せんろ）	a railway track 线路 선로
			新幹線（しんかんせん）	a bullet train 新干线 신칸센		
刻	8画	コク きざ-む	時刻（じこく）	time 时间 시각		
			❗刻む（きざむ）	engrave 刻上 새기다		
番	12画	バン	番号（ばんごう）	number 号码 번호	～番線（ばんせん）	line (platform) number ... ～号线 ～번선
号	5画	ゴウ	符号（ふごう）	a symbol/sign 符号 부호	～号車（ごうしゃ）	carriage number ... ～号车 ～호차
			信号（しんごう）	a signal 交通信号灯 신호 ☞信(p.39)		
快	7画	カイ こころよ-い	快速（かいそく）	high speed 快速 쾌속		
			❗快い（こころよい）	pleasant 愉快 상쾌하다		
速	10画	ソク はや-い	時速（じそく）	speed (per hour) 时速 시속	早速（さっそく）	at once 马上 곧
			速い（はやい）	fast 快 빠르다		
路	13画	ロ	道路（どうろ）	a road 道路 도로	通路（つうろ）	an aisle 走道 통로

練習 正しいほうを選びなさい。 ▶答え（こたえ）は p.21、読（よ）みは別冊（べっさつ） p.2

① 足りない料金を払（はら）うところ＝（a. 精算所　b. 清算所）

② この切符では（a. 改札口　b. 自動改札）は通れないので、駅員のいるほうへ行く。

③ わからないことは駅の（a. 窓口　b. 受付）で聞いてください。

④ 今度の快速は（a. 3番線　b. 3号車）から発車します。

⑤ 4月から電車の時刻が（a. 改正　b. 改刻）されます。

⑥（a. 線路内　b. 道路内）に物を落としたときは、駅係員にお知らせください。

⑦ ○○君は足が（a. 快い　b. 速い）。

p.17 の答え：①a　②b　③a　④b　⑤a　⑥b　⑦a　⑧a

みる ①

乗り物でよく見る表示

(の もの み ひょうじ)

Signs Often Seen on Buses, Trains, etc.
在交通工具上常见的标示　탈 것에서 자주 보는 표시

学習日
月　　日(　)

Q. ＿＿＿の読みは？
優先席

ようせんせき

ゆうせんせき

見ておぼえましょう

漢字	画数	読み	語	意味	語	意味
港	12画	コウ みなと	空港（くうこう） 港（みなと）	an airport　机场　공항 a port　港口　항구		
由	5画	ユウ ユ	理由（りゆう） 経由（けいゆ）	a reason　理由　이유 via　经由　경유　☞ 経(p.52)	不自由（ふじゆう）(な)	disability / inconvenience (身体某部分)残疾　부자유
深	11画	シン ふか-い	深夜（しんや） 深い（ふかい）	midnight 深夜　심야 deep　深　깊다	深刻（しんこく）(な)	serious　深刻　심각
降	10画	コウ お-りる お-ろす ふ-る	降車口（こうしゃぐち） 降りる（おりる）	an exit (for getting off) 下车的地方　하차구 get off 下来　（차 등에서）내리다	下降（かこう） 降る（ふる）	descent/fall 下降　하강 fall 下、降（눈・비 등이）내리다
両	6画	リョウ	両親（りょうしん） 両～（りょう）	parents　双亲、父母　부모님 both ...　双～　양～	両方（りょうほう） ～両目（りょうめ）	both　双方　양방 first/second ... car (train) 第～节车厢(电车)　～차량째
替	12画	か-える か-わる	両替（りょうがえ） Ⓐ為替（かわせ）	exchange of money　兑换 환전 exchange / a money order　汇兑　환	着替える（きがえる）	change one's clothes 换衣服　갈아 입다
賃	13画	チン	家賃（やちん）	rent　房租　집세	運賃（うんちん）	fare　运费　운임

漢字	画数	読み	語	意味	参照	語	意味
割	12画	カツ わ-る わ-れる わり	分割（ぶんかつ）	a split / separation　分割　분할		割（わ）れる	crack/cleave 裂开　깨지다 , 쪼개지다
			割引（わりびき）	a discount　折扣　할인		時間割（じかんわり）	school timetable 时间表　시간표
増	14画	ゾウ ふ-える ふ-やす ま-す	増加（ぞうか）	an increase　增加　증가	☞ 加（p.56）		
			増（ふ）える	increase　增加　늘다		割増（わりまし）	an extra (proportional increase) 加价　할증
優	17画	ユウ やさ-しい すぐ-れる	優先（ゆうせん）	priority　优先　우선			
			優（やさ）しい	kind　温柔　상냥하다		優（すぐ）れる	excel 出色，卓越，优秀　우수하다
席	10画	セキ	席（せき）	a seat　座位　자리		出席（しゅっせき）	attendance　出席　출석
			指定席（していせき）	a reserved seat 指定座位　지정석	☞ 指（p.31）		
側	11画	ソク がわ	側面（そくめん）	the side/flank 侧面　측면	☞ 面（p.94）		
			両側（りょうがわ）	both sides　两侧　양측		～側（がわ）	the side of ...　～侧　～측
座	10画	ザ すわ-る	座席（ざせき）	a seat　座位　좌석		銀行口座（ぎんこうこうざ）	a bank account 银行账户　은행구좌
			座（すわ）る	sit　坐　앉다			
寄	11画	キ よ-る よ-せる	寄付（きふ）	a donation　捐赠　기부		取（と）り寄（よ）せる	order ...　要来 주문해서 가져오게 하다　☞ 取（p.33）
			立（た）ち寄（よ）る	drop in　顺便到　다가서다		年寄（としよ）り	an old person　年长者　노인

練習 正しいほうを選びなさい。　▶答（こた）えは p.23、読（よ）みは別冊（べっさつ） p.2

① バスなどのおりるほう＝（a. 降車口　b. 乗車口）

② お金を細かくしたいときは（a. 両替　b. 運賃）します。

③ ○町を通って△駅へ行く＝○町（a. 経由　b. 回送）△駅行き

④（a. 深刻　b. 深夜）バスで田舎（いなか）へ帰る。

⑤ ここはお年寄りや体の不自由な方のための（a. 優先席　b. 自由席）です。

⑥ 深夜はタクシーの運賃が（a. 割増　b. 割引）になります。

⑦（a. 窓側　b. 通路側）の座席は出たり入ったりしやすい。

⑧ これは安全性（あんぜんせい）に（a. 優れた　b. 優しい）車です。

p.19 の答え：①a　②b　③a　④a　⑤a　⑥a　⑦b

第1週
6日目

みる①

病院・郵便局で見る表示

Signs Seen at the Hospital or Post Office
在医院、邮局看到的标示　병원・우체국에서 보는 표시

学習日　月　日(　)

Q. ＿＿＿の読みは？ 救急

見ておぼえましょう

◆ 病院（びょういん）
Hospital
医院　병원

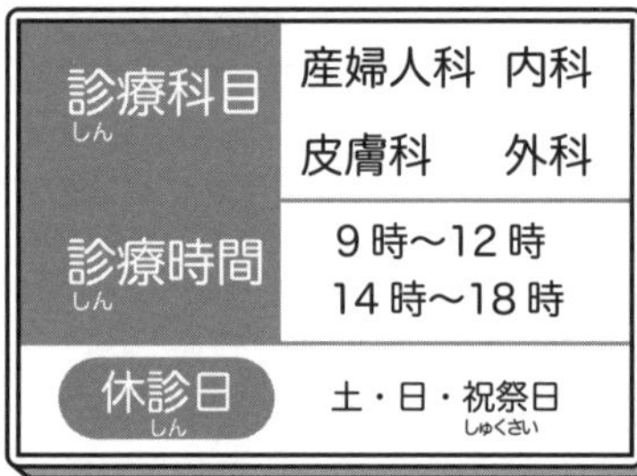

診療科目
産婦人科　内科
皮膚科　外科
診療時間
9時～12時
14時～18時
休診日
土・日・祝祭日

漢字	画数	読み	語	意味	語	意味
初	7画	ショ はじ-め はじ-めて はつ	初診（しょしん） 初恋（はつこい）	the first medical consultation 初诊　초진 one's first love 初恋　첫사랑 ☞恋(p.71)	初めて（はじめて） 初雪（はつゆき）	for the first time 初次　（경험상）처음으로 the first snow of the season 初雪　첫눈 ☞雪(p.131)
再	6画	サイ サ ふたた-び	再診（さいしん） ❗再来年（さらいねん）	a follow-up medical consultation 复诊　재진 the year after next 后年　후년	再生（さいせい） 再び（ふたたび）	regeneration/recycling 再生　재생 again 再次　다시
療	17画	リョウ	診療（しんりょう） 医療（いりょう）	medical examination and treatment 诊疗　진료 medical treatment/service 医疗　의료	治療（ちりょう）	(medical) treatment 治疗　치료 ☞治(p.68)
科	9画	カ	科学（かがく） 内科（ないか）	science 科学　과학 internal medicine department 内科　내과	外科（げか）	a surgery department 外科　외과
婦	11画	フ	産婦人科（さんふじんか） 婦人（ふじん）	obstetrics and gynecology department 妇产科　산부인과 a woman 妇女　부인	主婦（しゅふ）	a housewife 主妇　주부
皮	5画	ヒ かわ	❗皮肉（ひにく）(な) 皮（かわ）	irony/sarcasm 讽刺　빈정거림 skin/peel/bark 皮　가죽		
膚	15画	フ	皮膚（ひふ）	the skin 皮肤　피부		
救	11画	キュウ すく-う	救急（きゅうきゅう） 救う（すくう）	first aid 急救　구급 save 救　구하다		

◆ **郵便局**(ゆうびんきょく)
Post Office
邮局　우체국

漢字	画数	読み	語	意味	語	意味
郵	11画	ユウ	郵便(ゆうびん)	mail (service)　邮件　우편	郵送(ゆうそう)	sending by post　邮寄　우송
局	7画	キョク	郵便局(ゆうびんきょく)	a post office　邮局　우체국	薬局(やっきょく)	a drugstore　药店　약국
			放送局(ほうそうきょく)	a broadcasting station　广播电台　방송국		
貯	12画	チョ	貯金(ちょきん)	savings　储蓄　저금		
包	5画	ホウ つつ-む つつ-み	包帯(ほうたい)	a bandage　绷带　붕대　☞帯(p.38)		
			包む(つつむ)	wrap　包　싸다	小包(こづつみ)	a parcel　邮包　소포
達	12画	タツ	発達(はったつ)	development　发达　발달	速達(そくたつ)	a special delivery　快递　속달
			❻友達(ともだち)	a friend　朋友　친구		
際	14画	サイ	国際(こくさい)	international　国际　국제	～の際(さい)	at the time of ...　～的时候　～때
			実際に(じっさいに)	actually　实际上　실제로　☞実(p.94)		

練習　正しいほうを選びなさい。　▶答(こた)えはp.25、読(よ)みは別冊(べっさつ)p.2

① 急ぎの手紙を（a. 小包　b. 速達）で送る。

② 国際郵便＝（a. 海外　b. 国内）へ送る郵便

③ 郵便局で（a. 預金　b. 貯金）の手続きをする。

④ この紙を（a. 薬局　b. 包帯）に持って行って、薬をもらってください。

⑤ 急病人のために、夜でも開いている入口＝（a. 夜間救急入口　b. 非常口）

⑥ 初めて診察(しんさつ)を受けに来た人は（a. 初診　b. 再診）受付へ行く。

⑦（a. 科学は化学　b. 化学は科学）の一つです。

⑧ 手術(しゅじゅつ)は（a. 内科　b. 外科）で行います。

p.21の答え：①a　②a　③a　④b　⑤a　⑥a　⑦b　⑧a

みる ①

復習＋もっと
ふくしゅう

Review quiz + more
复习＋更加
복습 + 더

学習日
月　日(　)

復習しましょう

Q1．次の漢字の読みを(　)に書いて、同じ意味のカタカナ語を下から選びましょう。

例) 文化（ぶんか） b
れい

① 案内（　　　　）☐　　② 清掃（　　　　）☐

③ 切符（　　　　）☐　　④ 空港（　　　　）☐

⑤ 薬局（　　　　）☐　　⑥ 国際（　　　　）☐

a　インターナショナル　~~b　カルチャー~~　c　ドラッグストア　d　ポスト
e　チケット　f　クリーニング　g　エアポート　h　インフォメーション

Q2．どの漢字を入れると反対語になりますか。下から選んで記号を書きましょう。

① 喫煙 ⇆ ☐煙　　② 初診 ⇆ ☐診　　③開店 ⇆ ☐店

④ 引く ⇆ ☐す　　⑤ 休業 ⇆ ☐業　　⑥社外 ⇆ 社☐

a 閉　b 非　c 全　d 内　e 営　f 押　g 禁　h 再　i 終

Q3．正しい漢字はどれですか。○をつけましょう。

① きけん　（a 危券　b 危検　c 危険）　　② うけつけ（a 受付　b 受符）

③ せき　（a 度　b 席　c 座）　　④ ゆうびん（a 郵便　b 優便）

⑤ ちりょう（a 治料　b 治療　c 治寮）　　⑥ かいそく（a 改速　b 快速）

看板・立て札・表示

かんばん　た　ふだ　ひょうじ

Signboards, Notice Boards　　招牌、标示　　간판·팻말·표시

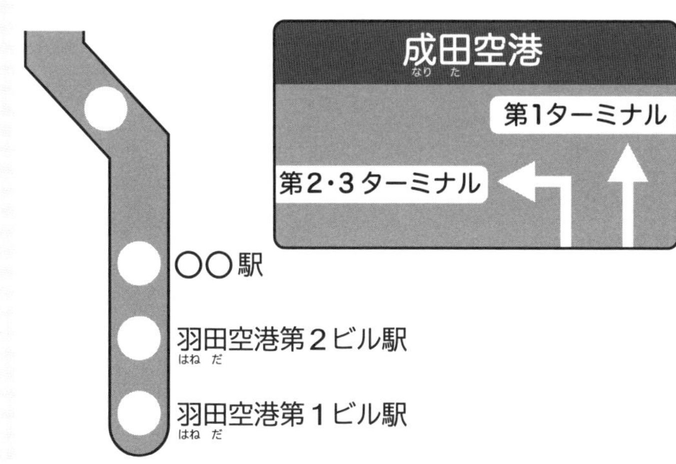

成田空港、羽田空港は空港の名前です。成田には第１ターミナル、第２ターミナルがあります。「総」は「たくさんあるものを集める」という意味があって、「総合病院」「総計」などのように使われます。

私たちのまわりには漢字がいっぱいです。楽しく勉強しましょう。

漢字	画数	読み	語	意味	参照	語	意味	参照
看	9画	カン	看板（かんばん）	a signboard　招牌　간판		看病（かんびょう）	nursing　看护　간병	
			看護師（かんごし）	a nurse　护理师　간호사	☞ 師(p.91)			
板	8画	バン / いた	黒板（こくばん）	a blackboard　黑板　칠판		案内板（あんないばん）	a notice board　通知板　안내판	
			板（いた）	a board　板，木板　판자				
羽	6画	ウ / はね / は	羽毛（うもう）	feathering/down　羽毛　깃털	☞ 毛(p.87)			
			羽（はね）	a feather　羽毛　날개		羽根（はね）	a shuttlecock　板羽球　날개	☞ 根(p.124)
成	6画	セイ / な-る	成分（せいぶん）	an ingredient / a constituent　成分　성분				
			成人式（せいじんしき）	a coming-of-age ceremony　加冠礼　성인식	☞ 式(p.41)			
第	11画	ダイ	第～（だい）	number ...　第～　제～				
総	14画	ソウ	総合病院（そうごうびょういん）	a general hospital　综合医院　종합병원		総計（そうけい）	the total　总计　총합계	

p.23の答え：①b　②a　③b　④a　⑤a　⑥a　⑦b　⑧b

みる ①

月　日（　）

まとめの問題

Summary questions
综合问题
정리 문제

制限時間：20分
1問4点×25問
答えは p.28
読みは別冊 p.3

点数 ／100

問題1 ＿＿＿の言葉の読み方として最もよいものを、1・2・3・4から一つ選びなさい。

1 ここは駐車禁止です。

1 じゅうしゃ　2 ちょうしゃ　3 ちゅうしゃ　4 じょうしゃ

2 チューインガムは紙に包んで捨てましょう。

1 はさんで　2 つつんで　3 たたんで　4 すすんで

3 外国為替の窓口は2階です。

1 きがえ　2 ためせ　3 かわせ　4 りょうがえ

4 喫煙席はあちらです。

1 きんねんせき　2 きんえんせき　3 きっえんせき　4 きつえんせき

5 食堂はまだ準備中です。

1 せいび　2 えいぎょう　3 きゅうぎょう　4 じゅんび

6 デパートの閉店セールに行く。

1 へいてん　2 かいてん　3 さいてん　4 せいてん

7 医療関係の仕事をする。

1 ちりょう　2 いりょう　3 ひりょう　4 しんりょう

8 救急車をよぶときは119に電話します。

1 きゅうきゅう　2 きょうきゅう　3 きゅうきょう　4 きょうきょう

9 富士(ふじ)山に初雪が降りました。

1 はじゆき　2 はつゆき　3 しょゆき　4 しょせつ

10 機械(きかい)でも精算できます。

1 しょうさん　2 かいさん　3 せいさん　4 けいさん

問題2 ＿＿＿の言葉を漢字で書くとき、最もよいものを１・２・３・４から一つ選びなさい。

11 このエレベーターはていいん９名です。

1 係員　2 乗員　3 店員　4 定員

12 御手洗いはせいそう中です。

1 清帰　2 清掃　3 精掃　4 精帰

13 地デジほうそうというのは何ですか。

1 郵送　2 包送　3 放送　4 発送

14 この手紙はそくたつでおねがいします。

1 速達　2 配達　3 発達　4 友達

15 くうこうまでリムジンバスで行きました。

1 空港　2 航空　3 港口　4 高校

16 A「電車のきっぷを買わないんですか。」
B「ええ、電子マネーが使えますから。」

1 寄付　2 寄符　3 切符　4 切付

17 A「トイレを使ったら、ながしてくださいね。」
B「あ、すみません、自動じゃないんですね。」

1 流して　2 掃して　3 清して　4 除して

18 A「何をしてるの？早く行こうよ。」
B「あ、バスのじこくひょうの写真をとっているの。ちょっと、待って。」

1 遅刻表　2 時間表　3 運賃表　4 時刻表

19 A「８時５分発の快速の２りょうめに乗ります。」
B「わかりました。」

1 療目　2 両目　3 料目　4 号目

20 A「風邪を引いたんです。」
B「じゃ、ないかですね。」

1 外科　2 入科　3 内科　4 中科

問題3 （　　）に入れるのに最もよいものを、１・２・３・４から一つ選びなさい。

21 一万円（　　　）を両替してくれませんか。

1　符　　2　札　　3　付　　4　段

22 日本からの海外旅行は1964年に自由（　　　）されました。

1　科　　2　化　　3　案　　4　席

23 （　　　）入国手続きをする。

1　改　　2　際　　3　御　　4　再

24 A「成田空港の（　　　）２ターミナルへ行きたいんですが。」
B「じゃ、次の駅で降りてください。」

1　代　　2　総　　3　第　　4　弟

25 1（　　　）車は禁煙車です。

1　号　　2　両　　3　番　　4　階

復習（p.24）の答え：
Q１ ①あんない h ②せいそう f ③きっぷ e ④くうこう g ⑤やっきょく c ⑥こくさい a
Q２ ①g ②h ③a ④f ⑤e ⑥d
Q３ ①c ②a ③b ④a ⑤b ⑥b

まとめの問題（p.26～28）の答え：
問題１ 1 3　2 2　3 3　4 4　5 4　6 1　7 2　8 1　9 2　10 3
問題２ 11 4　12 2　13 3　14 1　15 1　16 3　17 1　18 4　19 2　20 3
問題３ 21 2　22 2　23 4　24 3　25 1

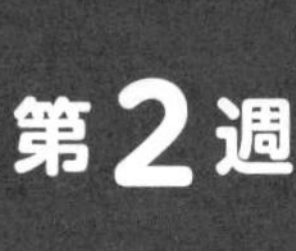

つかう①

Use ①
用①
사용하다①

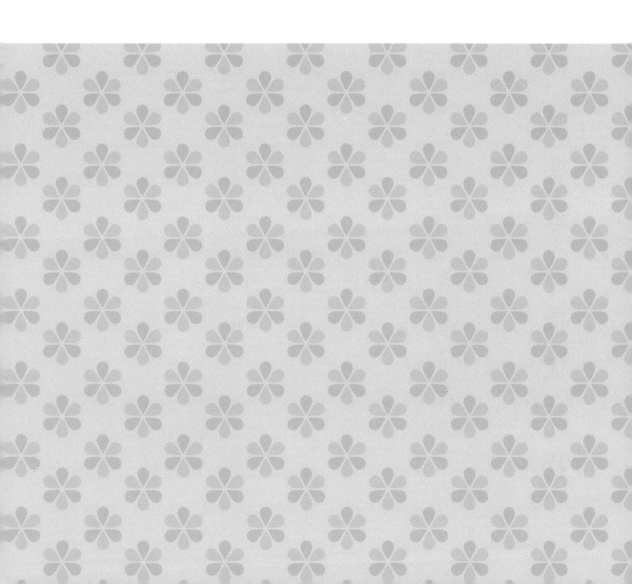

つかう ①

自動券売機（じどうけんばいき）

Automatic Ticket Machine
自动售票机
승차권 자동판매기

学習日　　月　　日（　）

Q. ＿＿＿の読みは？
乗車券

じゅうしゃけん

読んでおぼえましょう

普通乗車券、回数券だけでなく、新幹（かん）線特急券も自動券売機で買うことができます。お金を入れて、行き先、往（おう）復か片道か、枚数などのボタンを押します。

漢字	画数	読み	語	意味	語	意味
普	12画	フ	普通（ふつう）	ordinary　普通　보통	普段（ふだん）(の)	usually　平常　평소
券	8画	ケン	回数券（かいすうけん）	a (book of) commuter ticket(s)　联票　회수권	乗車券（じょうしゃけん）	a (boarding) ticket 车票 승차권
			旅券（りょけん）	a passport　护照　여권	発券（はっけん）	the issue of a ticket　发行（…票等）발권
数	13画	スウ かず かぞ-える	数字（すうじ）	number　数字　숫자	数学（すうがく）	mathematics　数学　수학
			点数（てんすう）	score/points　分数　점수	数（かず）を数（かぞ）える	count numbers　数数　수를 세다
機	16画	キ	飛行機（ひこうき）	an airplane　飞机　비행기	交通機関（こうつうきかん）	a means of transportation　交通机关 교통기관　☞ 交 (p.53)
			自動券売機（じどうけんばいき）	an automatic ticket machine　自动售票机　승차권 자동판매기	危機（きき）	a crisis　危机　위기
復	12画	フク	復習（ふくしゅう）	a review　复习　복습	往復（おうふく）	a round trip 往返、来回 왕복
			回復（かいふく）	recovery/recuperation　恢复　회복		
片	4画	ヘン かた	破片（はへん）	☞ 破 (p.105)	片道切符（かたみちきっぷ）	an one-way ticket　单程票　편도티켓
			片付（かたづ）ける	tidy up　收拾 정리하다	片（かた）〜	one side　一个〜　외〜
枚	8画	マイ	〜枚（まい）	counter for flat objects　〜张　〜장	枚数（まいすう）	number of (flat objects, e.g. tickets)　张数　장수

定期券も特急券（自由席・指定席）も自動券売機で販売しています。回数券や定期券など発券に時間がかかるときは「発券中」という表示が出ます。「調整中」の表示があったら、しばらく使用中止です。

漢字	画数	読み	語	意味	語	意味
期	12画	キ	期間（きかん）	a period of time 期间 기간	定期（ていき）	a fixed period of time 定期 정기
			定期券（ていきけん）	a commuter pass 月票 정기권		
販	11画	ハン	販売（はんばい）	selling 贩卖 판매	自動販売機（じどうはんばいき）	a vending machine 自动贩卖机 자동판매기
指	9画	シ ゆび さ-す	指定席（していせき）	a reserved seat 指定座位 지정석 ↔ 自由席 unreserved seat 自由席，普通座 자유석		
			指（ゆび）	a finger 指 손가락	❗指す（さ）	point 指 가리키다
調	15画	チョウ しら-べる	調整（ちょうせい）	an adjustment 调整 조정	調子（ちょうし）	condition 状况 （몸）상태
			調べる（しら）	look up something / investigate 调查 조사하다		
整	16画	セイ ととの-う	整理券（せいりけん）	numbered ticket (issued at cinemas, etc. indicate the order in which people may enter) 号码单 정리권		
			整備（せいび）	maintenance/overhaul 配备、调整 정비	整う（ととの）	be tidy 齐全 준비되다
表	8画	ヒョウ おもて あらわ-す あらわ-れる	表（ひょう）	table (in written documents) 表 표	時刻表（じこくひょう）	a timetable 时刻表 시각표
			発表（はっぴょう）	an announcement 发表 발표		
			❗表（おもて）	surface/face 表面 앞면，길	表す（あらわ）	show/express 表现 나타내다
示	5画	ジ しめ-す	表示（ひょうじ）	indication/expression 表示 표시	指示（しじ）	an instruction 指示 지시
			掲示（けいじ）	a notice 揭示 게시	❗示す（しめ）	show / point out 表示；指示 보이다，가리키다

練習 正しいほうを選びなさい。 ▶答え（こた）はp.33、読み（よ）は別冊（べっさつ）p.3

① 勉強したところを、もう一度（a. 準備　b. 復習）しましょう。

② 手袋（てぶくろ）が（a. 片方　b. 両方）しかない。どこで落としたのだろう。

③ 飛行機や電車などを交通（a. 機関　b. 関係）という。

④ 私は通学に（a. 回復　b. 往復）３時間かかります。

⑤ ここでは係員の（a. 指示　b. 指定）通りに駐車してください。

⑥ この時刻（a. 表　b. 図）に電車の発車時刻が書いてあります。

⑦ 銀行員「（a. 回数券　b. 整理券）をお取（と）りになってお待ちください。」

⑧ 朝からおなかの（a. 整備　b. 調子）がよくない。

第2週 2日目

つかう ①

現金自動支払機（げんきんじどうしはらいき）

ATM
提款机
현금자동지불기

学習日　　月　　日（　）

読んでおぼえましょう

銀行や郵便局で窓口を使わずに、現金自動支払機でお金を引き出したり、預けたりすることができます。「引き出し」「預け入れ」を「払い戻し」「預金」とも言います。また、「残高照会」で、いくらお金が残っているか調べることができます。

漢字	画数	読み	語	意味	語	意味
現	11画	ゲン あらわ-れる あらわ-す	現金（げんきん） 現れる（あらわ）	cash 現金 현금 appear 出现 나타나다	表現（ひょうげん）	an expression 表现 표현
支	4画	シ ささ-える	支店（してん） (!) 支える（ささ）	a branch shop/office 分店 지점 support 支撑 떠받치다 , 지탱하다	支持（しじ） 支出（ししゅつ）	support 支持 지지 Expenditure 支出 지출
払	5画	はら-う	払う（はら） 支払機（しはらいき）	pay / sweep away 支付 지불하다 a machine for dispensing cash 付款机 지불기	支払う（しはら）	pay 付款 지불하다
預	13画	ヨ あず-ける あず-かる	預金（よきん） 預ける（あず）	a deposit 存款 예금 entrust 寄存 맡기다	預かる（あず）	keep / take charge of 保管 맡다
戻	7画	もど-す もど-る	払い戻し（はらもど） 早戻し（はやもど）	a refund 找还 환불 fast rewind 倒带 되감기	戻る（もど）	return 返回 돌아가다
残	10画	ザン のこ-る のこ-す	残高照会（ざんだかしょうかい） 残る（のこ）	an account balance inquiry 余额查询 잔고 조회 remain 剩余 남다	残す（のこ）	leave / leave behind 留下 남기다
照	13画	ショウ て-る て-らす	照明（しょうめい） 照らす（て）	illumination/light 照明 조명 light up 照耀 비추다	対照的（たいしょうてき）	being contrastive 对照的 대조적 ☞ 対（p.74）

「硬貨はこちらにお入れください」「よろしければ確認ボタンを押してください」などという指示にしたがってお金を預けたり、引き出したりしますが、間違えてしまった場合は、「取り消し」ボタンを押します。

漢字	画数	読み	語	意味	語	意味
硬	12画	コウ かた-い	硬貨（こうか） 硬い（かた）	a coin　硬币　동전 hard　硬的　단단하다		
貨	11画	カ	貨物（かもつ）	freight　货物　화물	通貨（つうか）	currency　流通的货币　통화
確	15画	カク たし-か たし-かめる	確定（かくてい） 確か（な）（たし）	determination　确定　확정 certain　确实　확실함	明確（な）（めいかく） 確かめる（たし）	clear 明确(的)　명확(한) confirm/verify　弄清　확인하다
認	14画	ニン みと-める	確認（かくにん） 認める（みと）	a confirmation　确认　확인 admit/approve　认可　인정하다		
違	13画	イ ちが-う ちが-える	違法（いほう） 間違える（まちが）	illegal 违法　위법　☞法(p.58) make a mistake 弄错　잘못하다	違い（ちが） 間違い（まちが）	a difference　差异　틀림, 차이 a mistake　错误　틀림, 실수
取	8画	シュ と-る	取材（しゅざい） 取る（と） 書き取り（か・と）	collection of data 采访　취재　☞材(p.125) take　得到　취하다 a dictation　听写　받아쓰기	 取り消し（と・け） 聞き取り（き・と）	 a cancellation　取消　취소 listening ability　听取　청취
消	10画	ショウ き-える け-す	消去（しょうきょ） 消す（け）	elimination　消去　소거 extinguish　揍掉　지우다	消える（き） 消しゴム（け）	be extinguished / disappear 消失　사라지다 an eraser　橡皮擦　지우개

練習 正しいほうを選びなさい。　▶答え（こた）はp.35、読み（よ）は別冊（べっさつ）p.3

① この店は（a. 照明　b. 調整）が明るくて気持ちがいい。

② 私は家族や友人に（a. 数え　b. 支え）られて生きています。

③ この日本語の（a. 言語　b. 表現）は英語で何と言いますか。

④ 銀行にお金を（a. 預ける　b. 預かる）。

⑤ 漢字の（a. 聞き取り　b. 書き取り）のテストで100点を取った。

⑥ 五百円（a. 通貨　b. 硬貨）はお使いになれません。

⑦（a. 違い　b. 間違い）を消しゴムで消して書き直（なお）す。

⑧ 電話番号を（a. お確かめ　b. お認め）ください。

p.31 の答え：①b　②a　③a　④b　⑤a　⑥a　⑦b　⑧b

つかう ①

自動券売機（じどうけんばいき）・自動販売機（じどうはんばいき）

Ticket Machines, Vending Machines
自动售票机 · 自动贩卖机　승차권 자동판매기 · 자동판매기

学習日　月　日(　)

Q. ＿＿＿の読みは？
小児科

読んでおぼえましょう

入場券などの券売機には、団体、一般、学生、小中学生、幼児（3歳以上7歳未満）などのボタンがあって、それぞれ料金が違ったり、また、老人割引があるところもあります。

最近では「老人」と言わずに、「高齢（れい）者」とか「シニア」「シルバー」などと言います。

漢字	画数	読み	語	意味	語	意味
団	6画	ダン トン	団体（だんたい） 団地（だんち）	a group/organization　团体　단체 a large housing / apartment complex　住宅区　단지	集団（しゅうだん） ❗布団（ふとん）	a group　集团　집단 futon (Japanese mattress)　棉被　이불　☞ 布 (p.88)
般	10画	ハン	一般（いっぱん）	the general　普通　일반	全般（ぜんぱん）	the whole　全面　전반　☞ 全 (p.52)
幼	5画	ヨウ おさな-い	幼児（ようじ） ❗幼い（おさない）	baby　幼儿　유아 very young / childish　年幼　어리다		
児	7画	ニ ジ	小児科（しょうにか） 児童（じどう）	pediatrics department　小儿科　소아과 ☞ 童 (p.139)		
歳	13画	サイ	～歳（さい）	... years old　~岁　~세	二十歳（にじゅっさい） ❗二十歳（はたち）	20 years old　스무살　二十岁
未	5画	ミ	未定（みてい） 未知（みち）	undecided/indefinite　未决定　미정 unknown　未知　미지	未来（みらい） 未～（み）	future　未来　미래 not yet　未～　미～
満	12画	マン み-ちる み-たす	未満（みまん） 満足（まんぞく）	less than　未满　미만 satisfaction　满足　만족	満員（まんいん） 満ちる（み）	full (of people)　满员　만원 be filled with　充满　차다
老	6画	ロウ お-いる	老人（ろうじん） 年老いた（としお）	an old person　老人　노인 aged　上了年纪了　나이 든		

A：何にする？　温かいお茶？

B：冷たいのがいい。えーっと、緑茶、紅茶……ウーロン茶にしよう。

A：あれ、この自販機、電子マネー使えないんだ。あ、五百円玉も使えないんだって……千円札は使えるね。

あれ？　おつりは？

B：その返却(きゃく)レバーを引けば出てくるよ。

漢字	画数	読み	語	意味	語	意味
温	12画	オン あたた-かい あたた-まる あたた-める	温度(おんど)	temperature　温度　온도	体温計(たいおんけい)	a thermometer 体温计　체온계
			温室(おんしつ)	a greenhouse　温室　온실	温(あたた)かい	warm　暖和的　따뜻하다
冷	7画	レイ つめ-たい ひ-える ひ-やす さ-める さ-ます	冷静(れいせい)(な)	calm　冷静　냉정	冷(つめ)たい	cold　冷　차갑다
			冷(ひ)える	become cold　变冷　식다	冷(ひ)やす	cool　弄凉　차게 하다
			❗冷(さ)める	cool down 变冷、变冷淡　식다	❗冷(さ)ます	cool something 弄凉　식히다
緑	14画	リョク みどり	緑茶(りょくちゃ)	green tea　绿茶　녹차	新緑(しんりょく)	fresh greenery　新绿　신록
			緑(色)(みどりいろ)	green　绿色　녹색		
紅	9画	コウ べに	紅茶(こうちゃ)	tea　红茶　홍차		
			口紅(くちべに)	lipstick　口红　립스틱		
玉	5画	たま	水玉(みずたま)	a drop of water　水珠　물방울	玉(たま)	a ball/sphere　球　동전
			十円玉(じゅうえんだま)	a 10-yen coin 十日元的硬币　10 엔짜리 동전		
返	7画	ヘン かえ-す かえ-る	返事(へんじ)	a reply　回答　대답	返却(へんきゃく)	returning (something) 归还　반환
			返金(へんきん)	a refund　还债　돈을 갚음	返(かえ)す	return (something) 归还　돌려주다

練習 正しいほうを選びなさい。　▶答え(こた)はp.37、読み(よ)は別冊(べっさつ)p.3

① このデザートは（a. 冷やして　b. 冷えて）食べるとおいしい。

② この辺(へん)は（a. 緑　b. 紅）が多くて静かできれいですね。

③ キャッシュバックというのは（a. 返事　b. 返金）のことです。

④ この自動販売機は硬貨だけでなく千円（a. 玉　b. 札）も使える。

⑤ 18歳（a. 以下　b. 未満）には18歳は入りません。

⑥（a. 小児　b. 幼児）科の医者の数が足りないそうです。

⑦（a. 集団　b. 団体）旅行は安いが、自由に行動できない。

⑧ 冬の登山(とざん)は危険に（a. 老いている　b. 満ちている）。

p.33の答え：①a　②b　③b　④a　⑤b　⑥b　⑦b　⑧a

つかう ①

家電（かでん）のリモコン

Remote Control Devices
家电的遥控器
가전 리모컨

学習日 月 日( )

Q. ＿＿＿ の読みは？
風向

自然の風の向きを言う場合は、「風向き（かざむ）」と言います。

見ておぼえましょう

◆ エアコンのリモコン

Remote Control for an Air Conditioner
空调的遥控器 에어컨 리모컨

漢字	画数	読み	言葉	意味
設	11画	セツ	設定（せってい）	setting 设定 설정
			設計（せっけい）	design/plan 设计 설계
			設備（せつび）	equipment 设备 설비
換	12画	カン か-える か-わる	換気（かんき）	ventilation 通风换气 환기
			運転切換（うんてんきりかえ）	change of mode of operation 运转切换 운전모드를 바꿈
			乗り換え（のりかえ）	changing trains 换乘 환승
向	6画	コウ む-く む-ける む-かう む-こう	風向（ふうこう） ＝風の向き（かぜのむき）	wind direction 风向 풍향
			向かい（むかい）	the opposite side 对面 맞은편
			向こう（むこう）	over there / beyond 对面、另一侧 건너편
停	11画	テイ	停止（ていし）	stopping of 停止 정지
			停電（ていでん）	electricity blackout 停电 정전
			停車（ていしゃ）	stop a vehicle 停车 정차
暖	13画	ダン あたた-かい あたた-まる あたた-める	暖房（だんぼう）	heating 暖气 난방
			温暖（おんだん）(な)	temperate 温暖 따뜻하다
			暖かい（あたたかい）	warm 暖和的 온난
除	10画	ジョ ジ のぞ-く	除湿（じょしつ）	dehumidification 除湿 제습
			❶掃除（そうじ）	cleaning 扫除 청소
			❶除く（のぞく）	remove/exclude 除去 없애다
湿	12画	シツ しめ-る	湿度（しつど）	humidity 湿度 습도
			湿気（しっけ）	humidity / moisture 湿气 습기
			湿る（しめる）	become damp/moist 潮湿 습기차다

◆ ビデオのリモコン

Remote Control for a Video Machine
录影机的遥控器 비디오 리모컨

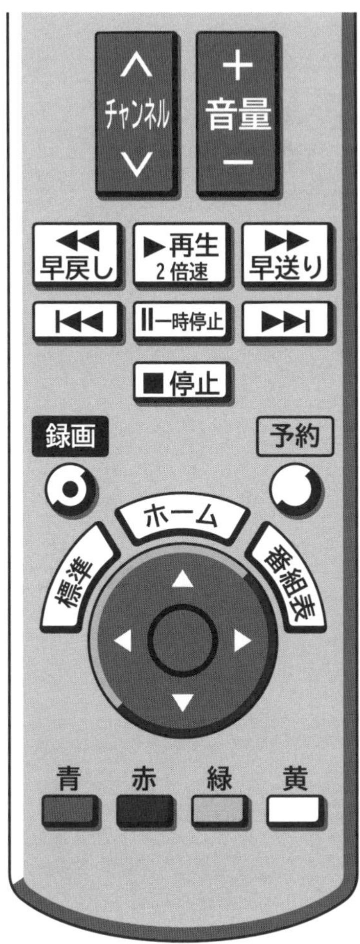

漢字	画数	読み	語	意味
標	15画	ヒョウ	標準（ひょうじゅん）	a standard 标准 표준
			目標（もくひょう）	an aim/objective 目标 목표
			標本（ひょうほん）	a specimen/sample 标本 표본
倍	10画	バイ	倍（ばい）	double 倍 배
			～倍（ばい）	times (quantity - e.g. two times as many) ~倍 ~배
録	16画	ロク	録画（ろくが）	recording (video) 录制影像 녹화
			録音（ろくおん）	recording (sound) 录音 녹음
量	12画	リョウ はか-る	音量（おんりょう）	sound volume 音量 음량
			風量（ふうりょう）	air strength 风量 풍량
			分量（ぶんりょう）	quantity 分量 분량
			数量（すうりょう）	amount 数量 수량
			❗量る（はかる）	measure 测量 （무게를）달다
予	4画	ヨ	予定（よてい）	a plan/schedule 预定的事情 예정
			予習（よしゅう）	preparation (of lessons) 预习 예습
			予備（よび）	a reserve/spare 预备 예비
			予算（よさん）	budget/estimate 预算 예산
約	9画	ヤク	予約（よやく）	an appointment/reservation 预约 예약
			約～（やく）	approximately 大约~ 약~
			約束（やくそく）	a promise/appointment 约定 약속 ☞ 束 (p.112)

練習 正しいほうを選びなさい。 ▶答え（こた）は p.39、読み（よ）は別冊（べっさつ） p.4

① 梅雨（つゆ）の時期はエアコンを（a. 除湿　b. 停電）にすると快適（かいてき）だ。

② 次（つぎ）の駅で地下鉄に（a. 乗り換え　b. 切り換え）ましょう。

③ 室内の温度が高くなりすぎたら、（a. 設定　b. 指定）温度を下げましょう。

④ 年中無休（むきゅう）。ただし、年末年始（ねんまつねんし）を（a. 包む　b. 除く）。

⑤ テレビの音声（a. 切換　b. 換気）をして英語で聞く。

⑥（a. 標準　b. 水準）モードで予約録画する。

⑦ 聞こえないから、少し（a. 風量　b. 音量）を上げてください。

⑧ 中国の人口は日本の約 10（a. 倍　b. 量）です。

p.35 の答え：①a　②a　③b　④b　⑤b　⑥a　⑦b　⑧b

第2週 5日目

つかう①

電話・携帯電話（でんわ・けいたいでんわ）

Telephones, Cell Phones
电话・手机
전화・휴대폰

学習日 月 日（ ）

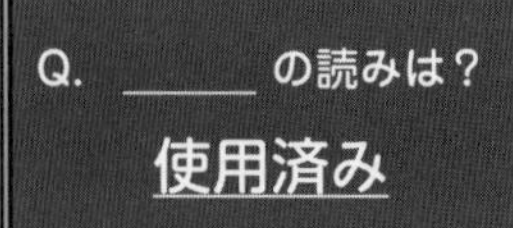

読んでおぼえましょう

私は家に帰るとすぐ留守番電話の伝言を聞き、再生済みの用件を消去する。携帯（けい）電話は電車の中や仕事中など、普段はマナーモードに設定している。

漢字	画数	読み	語	意味	語	意味
帯	10画	タイ おび	地帯（ちたい）	a region/area 地帯 지대	携帯電話（けいたいでんわ）	a cell phone / mobile phone 手机 휴대폰
			温帯（おんたい）	Temperate Zone 温带 온대	❗帯（おび）	a belt/sash (和服的)腰带 허리에 두르는 띠
保	9画	ホ たも-つ	保温（ほおん）	retention of warmth 保温 보온	保湿（ほしつ）	retention of moisture 保湿 보습
			保険（ほけん）	insurance 保险 보험	❗保つ（たもつ）	keep/maintain 保持 유지하다
留	10画	リュウ ル と-める	保留（ほりゅう）	a reservation/suspension 保留 보류	留学（りゅうがく）	studying abroad 留学 유학
			停留所（ていりゅうじょ）	a (bus) stop/station 公交车站 정류소	❗書留（かきとめ）	registration (registered mail) 挂号邮件 등기우편
守	6画	シュ ス まも-る	保守的（ほしゅてき）(な)	conservative 保守的 보수적인 ☞ 的(p.91)	❗留守（るす）	absence (from home) 不在家 부재
			守る（まもる）	protect 保卫 지키다	お守り（おまもり）	a (good luck) charm 护身符 부적
伝	6画	デン つた-わる つた-える	伝言（でんごん）	a message 留言 전언	伝える（つたえる）	convey/communicate 传达 전하다
			❺手伝う（てつだう）	help 帮助 돕다		
済	11画	サイ す-む す-ます	返済（へんさい）	repayment 还 갚음		
			済む（すむ）	be finished/over 终结 끝나다	～済み（ずみ）	completed …完了 ~필, ~끝남
件	6画	ケン	用件（ようけん）	a business/matter 事情 용건	件名（けんめい）	subject (分类的)单项名称 건명
			事件（じけん）	an incident/crime 事件 사건		

「着信履歴(り)」やメールの「受信箱」を確認して、用件があれば返信する。新しくアドレスを作成する場合は、「新規」で入力する。文字は自分で変換したり並(なら)んでいる言葉(ば)の中から「選択(たく)」したりして、「決定」あるいは「確定」する。

漢字	画数	読み	語	意味	語	意味
信	9画	シン	通信(つうしん)	correspondence 通讯联络 통신		
			自信(じしん)	confidence 自信 자신	信(しん)じる	believe 相信 믿다
歴	14画	レキ	着信履歴(ちゃくしんりれき)	record of calls received 已接电话记录 통화기록	履歴書(りれきしょ)	a resume / curriculum vitae 履历表 이력서
			歴史(れきし)	history 历史 역사 ☞ 史 (p.76)		
箱	15画	はこ	受信箱(じゅしんばこ)	inbox 收件箱 수신함	送信箱(そうしんばこ)	outbox 发件箱 송신함
			ごみ箱(ばこ)	a recycle bin 垃圾(邮件)箱 쓰레기통		
規	11画	キ	新規(しんき)	new/fresh (e.g. a new business project) 新的、新规定 신규	規定(きてい)	regulation 规定 규정
変	9画	ヘン か-わる か-える	変換(へんかん)	conversion 变换 변환	大変(たいへん)(な)	very/serious 不容易 큰일
			変(か)わる	change 变化 변하다	変(か)える	change (something) 变更 바꾸다
選	15画	セン えら-ぶ	選択(せんたく)	a choice 选 선택	選手(せんしゅ)	a player / an athlete 选手 선수
			選考(せんこう)	a selection 选拔 전형	選(えら)ぶ	choose 选择 선택하다
決	7画	ケツ き-める き-まる	決定(けってい)	a decision 决定 결정		
			決(き)める	decide (something) 做…决定 정하다	決(き)まる	be decided 决定 정해지다

練習 正しいほうを選びなさい。 ▶答(こた)えは p.41、読(よ)みは別冊(べっさつ) p.4

① この件は(a. 保留　b. 停留)にしておいて、また後で考えます。

② 大事な手紙やお金を郵便(a. 書留　b. 貯金)で送る。

③ 家を買ったので毎月のローン※の(a. 温帯　b. 返済)がたいへんだ。　※ローン：loan 贷款 대부금

④ もうすぐ受験なので、神社(じんじゃ)で(a. お守り　b. お伝え)を買った。

⑤ 車も人も、信号を(a. 保ち　b. 守り)ましょう。

⑥ 携帯(けいたい)電話の電話番号が(a. 変え　b. 変わり)ましたのでお知らせします。

⑦ 選考の結果(けっか)、オリンピックに出場する選手が(a. 選んだ　b. 決まった)。

⑧ メールを(a. 規定　b. 新規)作成する。

p.37 の答え：①a　②a　③a　④b　⑤a　⑥a　⑦b　⑧a

第2週 6日目

つかう ①

携帯電話（けいたいでんわ）・パソコン

Cell Phones, Personal Computers　휴대폰・컴퓨터　手机・个人电脑

学習日　月　日(　)

Q. ＿＿＿の読みは？
目印

読んでおぼえましょう

A：アドレスはどうやって登録するんでしたっけ。

B：新しく作成する場合は「新規」、編集する場合は「機能」を押して「修正」し、作業が終わったら「完了」を押します。

A：わかりました。えっと、それから、画像はどうやって送るんですか。

漢字	画数	読み	語	意味	語	意味
登	12画	トウ ト のぼ-る	登録（とうろく） 登場（とうじょう）	registration　登记　등록 appearance　登场　등장	❗登山（とざん） ＝山登り（やまのぼ）	mountain climbing　爬山　등산
編	15画	ヘン あ-む	編集（へんしゅう） 短編（たんぺん）	editing　编辑　편집 short work　短篇　단편	長編（ちょうへん） 編み物（あもの）	long work　长篇　장편 knitting　针织品　뜨개질
能	10画	ノウ	機能（きのう） 能力（のうりょく）	a function　功能　기능 ability　能力　능력	可能（かのう）(な)	possible　可能　가능　☞ 可 (p.92)
修	10画	シュウ	修正（しゅうせい） 修士（しゅうし）	amendment/modification　修正　수정 master (holder of a masters degree)　硕士　석사	修理（しゅうり）	repairs/fixing　修理　수리
完	7画	カン	完了（かんりょう） 完備（かんび）	finishing/completion　完了　완료 being fully equipped　完备　완비	完成（かんせい）	completion/accomplishment　完成　완성
了	2画	リョウ	終了（しゅうりょう）	end/expiration　完了　종료	修了（しゅうりょう）	completion (of a course)　修完　수료
像	14画	ゾウ	画像（がぞう） 現像（げんぞう）	a picture/image　影像　화상 developing (a photograph)　冲洗(照片)　현상	映像（えいぞう）	a reflection/image/video　映象　영상

ワープロソフトで書類を作成するときは「書式」でフォントやサイズを設定する。文字は中央にそろえたり、右寄せ、左寄せもできる。作成したら「名前を付けて保存」する。その後は「上書き（うわが）き保存」できる。印刷は「用紙設定」をして「印刷プレビュー」で確認するとよい。文字が小さくて見づらいときは、「拡大」表示する。

漢字	画数	読み	語	意味	語	意味
類	18画	ルイ	書類（しょるい）	a document　文书　서류	分類（ぶんるい）	classification　分类　분류
			人類（じんるい）	the human race　人类　인류		
式	6画	シキ	書式（しょしき）	prescribed form　公文格式　서식	入学式（にゅうがくしき）	entrance ceremony　入学典礼　입학식
			日本式（にほんしき）	Japanese style　日式　일본식	正式（せいしき）(な)	formal/official　正式　정식
央	5画	オウ	中央（ちゅうおう）	center　中央　중앙		
存	6画	ゾン ソン	保存（ほぞん）	preservation　保存　보존	生存（せいぞん）	survival　生存　생존
			ご存（ぞん）じ	knowing (humble form)　知道（尊敬语）　잘 아심	存在（そんざい）	existence　存在　존재　☞ 在 (p.48)
印	6画	イン しるし	認（みと）め印（いん）	a private seal　（常用的）图章、便章　막도장		
			印（しるし）	a mark/token　记号　표, 기호	目印（めじるし）	a sign/landmark　记号、标记　표지, 표시
刷	8画	サツ	印刷（いんさつ）	printing　印刷　인쇄		
拡	8画	カク	拡大（かくだい）	enlargement　확대　扩大 ↔	縮小（しゅくしょう）	reduction　缩小　축소

練習 正しいほうを選びなさい。　▶答（こた）えは p.43、読（よ）みは別冊（べっさつ） p.4

① このフィルムを（a. 現像　b. 映像）してください。

② コピー機の調子が悪いので（a. 修理　b. 編集）に来てください。

③ ここにある書類を（a. 書式　b. 分類）してファイルして※ください。

※ファイルする：file
文件归档파일 한다

④ アドレスを（a. 登録　b. 登場）する。

⑤ ここに受け取りの（a. 認め印　b. 目印）をお願（ねが）いします。

⑥ タイトルは（a. 中央　b. 拡大）に、日付と名前は右に書きます。

⑦ この部屋（へや）はエアコン（a. 機能　b. 完備）です。

⑧ 作成したファイルを（a. 保存　b. 生存）する。

p.39 の答え：①a　②a　③b　④a　⑤b　⑥b　⑦b　⑧b

第2週 7日目

つかう ①

復習＋もっと

ふくしゅう

Review quiz + more
复习＋更加
복습＋더

学習日 月 日( )

復習しましょう

Q1. どの漢字を入れると、反対語になりますか。漢字の読みも書きましょう。

例(れい)) [h]い (さむい) ⇆ 暖かい (あたたかい)

① 和式 ( ) ⇆ [ ]式 ( )

② 冷める ( ) ⇆ [ ]める ( )

③ [ ]定席 ( ) ⇆ 自由席 ( )

④ 片道 ( ) ⇆ 往[ ] ( )

⑤ 引き出し ( ) ⇆ [ ]け入れ ( )

a 服　b 湿　c 復　d 温　e 預　f 指　g 洋　~~h 寒~~

Q2. 正しい読みはどちらですか。○をつけましょう。

① 拡大（a こうだい　b かくだい）
② 書類（a しょるい　b しゅるい）
③ 表示（a ひょうし　b ひょうじ）
④ 画像（a がぞう　b がじょう）
⑤ 消去（a しょうきょ　b とりけし）
⑥ 登山（a とざん　b とうざん）
⑦ 保留（a ほるう　b ほりゅう）
⑧ 完了（a かんろう　b かんりょう）
⑨ 布団（a ふだん　b ふとん）
⑩ 認める（a もとめる　b みとめる）

Q3. 正しい漢字はどちらですか。○をつけましょう。

① まもる（a 戻る　b 守る）
② あらわす（a 表す　b 返す）
③ そうじ（a 清掃　b 掃除）
④ おさない（a 児い　b 幼い）
⑤ しめす（a 示す　b 指す）
⑥ ささえる（a 伝える　b 支える）

反対語(はんたいご)　小人⇔大人

「小人」はなんと読むのでしょう？「大人」は「おとな」です。「小人」は子どもという意味のサインです。料金表などに書いてありますね。ただし、『白雪姫(しらゆきひめ)と七人の小人』のような場合は「こびと」と読みます。

- 片道(かたみち) ⇔ 往復(おうふく)
- 暖房(だんぼう) ⇔ 冷房(れいぼう)
- 温水(おんすい) ⇔ 冷水(れいすい)
- 老人(ろうじん) ⇔ 若者(わかもの)
- 나이 든　上了年纪的　aged　年老(としお)いた ⇔ 若(わか)い　young　年轻　젊다
- 반대　反对　opposition　反対(はんたい) ⇔ 賛成(さんせい)　approval　赞成　찬성　☞対(p.74)
- 捨(す)てる ⇔ 拾(ひろ)う
- 날카롭다　尖锐　sharp　鋭(するど)い ⇔ 鈍(にぶ)い　blunt/dull　钝的　둔하다
- 긍정　肯定　affirmation　肯定(こうてい) ⇔ 否定(ひてい)　negation　否定　부정
- 뜨다　浮　float　浮(う)く ⇔ 沈(しず)む　sink　沉　가라앉다
- be happily excited　들떠 있다　兴高采烈　浮(う)かれている ⇔ 沈(しず)んでいる　feel depressed　郁闷　침울해져 있다

若　8画　わか-い	反　4画　ハン	賛　15画　サン
拾　9画　ひろ-う	鋭　15画　するど-い	鈍　12画　にぶ-い
肯　8画　コウ	否　7画　ヒ	
浮　10画　う-く う-かぶ う-かべる	沈　7画　しず-む	

予習・復習をしようね！

p.41 の答え：① a　② a　③ b　④ a　⑤ a　⑥ a　⑦ b　⑧ a

つかう ①　　月　日（　）

まとめの問題(もんだい)

Summary questions
综合问题
정리 문제

制限時間(せいげんじかん)：20分(ぷん)
1問(もん)4点(てん)×25問(もん)
答(こた)えはp.46
読(よ)みは別冊(べっさつ)p.4

点数(てんすう)　／100

問題1　＿＿＿の言葉の読み方として最もよいものを、1・2・3・4から一つ選びなさい。

1　この天気で登山は<u>可能</u>でしょうか。

1　かの　　2　くのん　　3　きのう　　4　かのう

2　切符の<u>払い戻し</u>をする。

1　はらいもどし　　2　はらいがえし　　3　はらいおろし　　4　はらいのこし

3　この<u>印</u>は取り消しを表しています。

1　はんこ　　2　しるし　　3　おもて　　4　いんさつ

4　部屋の<u>中央</u>にテーブルがあります。

1　ちゅうおう　　2　ちゅうしん　　3　ちゅうえい　　4　まんなか

5　このごろ、<u>幼い</u>子どもの事故(じこ)が増えている。

1　せつない　　2　なおさい　　3　おさない　　4　ようさい

6　印刷して<u>拡大</u>コピーしてください。

1　かくだい　　2　こうだい　　3　とくだい　　4　そうだい

7　文字を選択して<u>変換</u>する。

1　へんしゅう　　2　へんこう　　3　へんさい　　4　へんかん

8　この時期は<u>湿度</u>が高い。

1　ちつど　　2　しつど　　3　ひつど　　4　いつど

9　団地のベランダに<u>布団</u>がほしてある。

1　もうふ　　2　じゅうたん　　3　ふとん　　4　まくら

10　コピー用紙の枚数を<u>数える</u>。

1　そろえる　　2　かずえる　　3　そらえる　　4　かぞえる

問題2　＿＿＿の言葉を漢字で書くとき、最もよいものを１・２・３・４から一つ選びなさい。

11 本日の営業はしゅうりょうしました。

1　終了　　2　修了　　3　完了　　4　未了

12 その件はまだ話し合いが済んでいないのでほりゅうです。

1　保留　　2　保存　　3　保湿　　4　保温

13 日本では年末に大そうじをします。

1　清掃　　2　除湿　　3　掃除　　4　洗濯

14 このへんもずいぶん道路がせいびされてきました。

1　常備　　2　設備　　3　準備　　4　整備

15 今年のもくひょうをたてる。

1　目標　　2　目表　　3　木標　　4　木表

16 A「この ATM は使えないみたい。」
B「ああ、ちょうせいちゅうですね。」

1　調整中　　2　修理中　　3　整備中　　4　発券中

17 A「お二人は顔がそっくりですね。」
B「ええ、でも、性格はたいしょうてきなんですよ。」

1　対象的　　2　他正的　　3　対照的　　4　他所的

18 A「それで、お仕事の内容は？」
B「ようじ向けの商品開発です。」

1　用事　　2　要事　　3　有事　　4　幼児

19 A「だんたい割引は何人からですか。」
B「８名様からです。」

1　団体　　2　集団　　3　大体　　4　団地

20 A「どうしたの、それ。」
B「川にぷかぷか浮いてたから、ひろってきたの。」

1　捨って　　2　拾って　　3　保って　　4　取って

問題3 （　　）に入れるのに最もよいものを、１・２・３・４から一つ選びなさい。

21 カップで米の分（　　）を量る。

1　能　　2　計　　3　類　　4　量

22 日本（　　）のあいさつやマナーを覚える。

1　修　　2　帯　　3　玉　　4　式

23 メールといっしょに画（　　）を送信する。

1　歴　　2　機　　3　像　　4　表

24 短（　　）小説を読む。

1　編　　2　片　　3　期　　4　数

25 今朝、地震で（　　）電になりました。

1　止　　2　停　　3　不　　4　満

復習（p.42）の答え：

Q１　①g　わしき・ようしき　②d　さめる・あたためる　③f　していせき・じゆうせき
④c　かたみち・おうふく　⑤e　ひきだし・あずけいれ

Q２　①b　②a　③b　④a　⑤a　⑥a　⑦b　⑧b　⑨b　⑩b

Q３　①b　②a　③b　④b　⑤a　⑥b

まとめの問題（p.44～46）の答え：

問題１　1 4　2 1　3 2　4 1　5 3　6 1　7 4　8 2　9 3　10 4

問題２　11 1　12 1　13 3　14 4　15 1　16 1　17 3　18 4　19 1　20 2

問題３　21 4　22 4　23 3　24 1　25 2

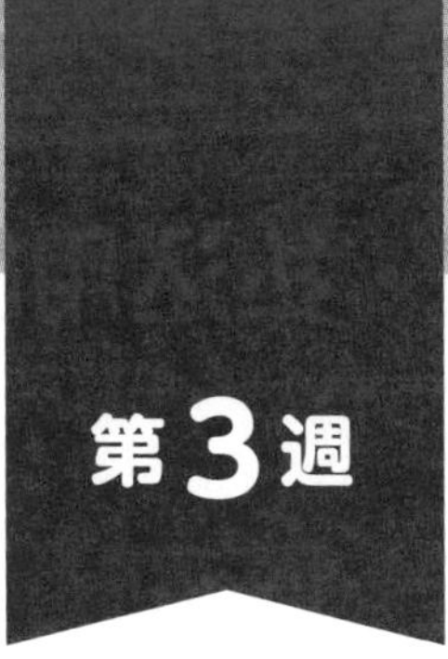

第3週

よむ①

Read ①

读①

읽다①

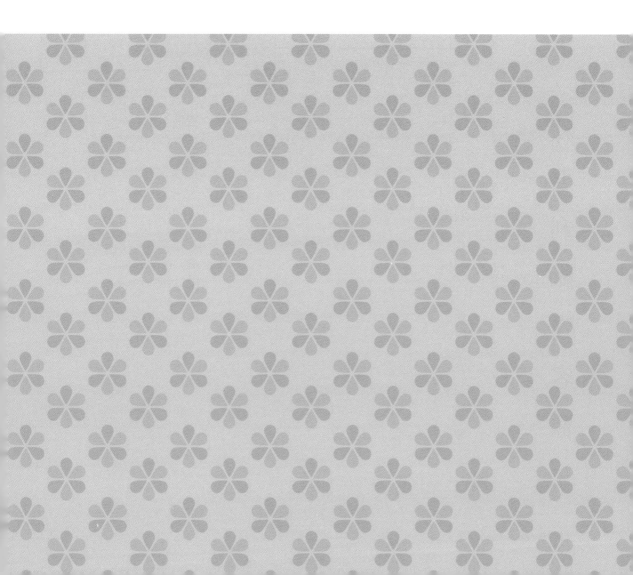

よむ ①

料金通知・払込用紙

りょうきんつうち　はらいこみようし

Notices and Forms for Payment of Fees　缴费通知・缴款单　요금통지・납입용지

学習日　月　日(　)

Q. ＿＿ の読みは？
汚い

読んでおぼえましょう

◆ **料金通知**(りょうきんつうち)

Notice Regarding Fees
缴费通知　요금통지

〒989-45XX
○○県 △△市 □□町 1-2-43
石川 静 様
料金後納郵便
重要
ご利用明細書在中

ご利用代金明細書

お客様番号　2123018488

お支払い期限(げん)	○○年12月10日
お支払い合計金額	12,340円

漢字	画数	読み	語彙	意味	語彙	意味
様	14画	ヨウ / さま	❗様子(ようす)	an appearance/situation　样子　모습	同様(どうよう)	the same　同样　같음
			～様(さま)	an honorific added to people's names / particularly in letters　接在人名、身份等后面表示敬意　~님	様々(さまざま)(な)	various　各式各样　갖가지
要	9画	ヨウ / い-る	重要(じゅうよう)(な)	important　重要　중요	要点(ようてん)	an essential point　要点　요점
			要約(ようやく)	a summary　概要　요약	要(い)る	need　需要　필요하다
利	7画	リ	利用(りよう)	use　利用　이용	便利(べんり)(な)	convenient　方便　편리
			金利(きんり)	interest (rate)　利息　금리	有利(ゆうり)(な)	advantageous　有利的　유리한
細	11画	サイ / ほそ-い / こま-かい	明細(めいさい)	details　清单　명세	細(ほそ)い	fine/thin　细　가늘다
			心細(こころぼそ)い	lonely/helpless　不安　불안하다	細(こま)かい	fine/small　零碎的　상세하다
在	6画	ザイ	在中(ざいちゅう)	containing　(写在信封上)内附…　재중	在学(ざいがく)	attending school　在学　재학
			現在(げんざい)	the present (time)　现在　현재	不在(ふざい)	absence　不在家　부재
客	9画	キャク	客席(きゃくせき)	a seat (in auditorium)　客人的座位　객석	乗客(じょうきゃく)	a passenger　乘客　승객
			お客様(きゃくさま)	customer (honorific form)　客人　손님		
額	18画	ガク / ひたい	額(がく)	a frame　额　액수	金額(きんがく)	an amount/sum (of money)　金额　금액
			額(ひたい)	forehead　额头　이마		

◆ **払込受領証** はらいこみじゅりょうしょう
Receipt of Payment
缴费收据　납입수령증

払込受領証	
払込人氏名	中山 満 様
領収金額	10,479 円

機械で使用しますので、折り曲げたり汚したりしないようにしてください。

漢字	画数	読み	語	意味	語	意味	参照
込	5画	こ-む こ-める	込む	be congested/crowded　拥挤、进入、加深…　들어차다, 몰리다 ←「混む」と書くときもある。			
			払い込む	pay in　缴纳　납부하다	申し込む	apply　申请　신청하다	☞ 申(p.67)
			飛び込む	dive / jump into　跳入　뛰어들다	思い込む	imagine/assume　深信　굳게 믿다	
領	14画	リョウ	領収書	a receipt　收据　영수증	～領	…territory　～领地、领土　～령	
			領事館	a consulate　领事馆　영사관	大統領	a president　总统　대통령	
収	4画	シュウ おさ-める おさ-まる	収入	income　收入　수입 ↔ 支出	収集	a collection/gathering　收集　수집	
			回収	a collection / recovery　回收　회수	吸収	absorption　吸收　흡수	☞ 吸(p.79)
			収める	pay/deliver　装进　넣다, 기계			
械	11画	カイ	機械	a machine　机器　기계			
			器械体操	gymnastics (using equipment)　器械体操　기계체조			☞ 器(p.55) ☞ 操(p.94)
曲	6画	キョク ま-がる ま-げる	曲	piece of music　(音)歌曲　곡	曲線	a curved line　曲线　곡선	
			曲がる	bend / turn a corner　弯曲　구부러지다	折り曲げる	bend/twist ...　折弯, 弄弯　꺾어 구부리다	☞ 折(p.91)
汚	6画	オ きたな-い よご-す よご-れる	汚染	pollution　污染　오염	汚い	dirty　肮脏　더럽다	
			汚す	become dirty　脏　더러워지다	汚れる	make dirty / pollute　弄脏　더럽히다	
殿	13画	との どの	殿様	a feudal lord　老爷、大人　영주, 귀인에 대한 존칭			
			～殿	Mr./Mrs./Esquire　先生、小姐、女士　～님 ＊役所などから出す公式な手紙によく使われる。			

練習 正しいほうを選びなさい。　　▶答えは p.51、読みは別冊 p.5

① お客様のおかけになった番号は（a. 現在　b. 現代）使われておりません。

② （a. 細かい　b. 細い）お金が要るんですが、両替してくれませんか。

③ （a. 金額　b. 金利）が低いときに、お金を借りたほうがいいですね。

④ 読んだ本の内容を（a. 要約　b. 要点）する。

⑤ 手紙のあて名にはふつう（a. 様　b. 殿）を使います。

⑥ その信号を右に（a. 曲げて　b. 曲がって）ください。

⑦ コンビニでも（a. 払い込み　b. 飛び込み）ができるので便利だ。

⑧ ごみの（a. 収集　b. 吸収）は月・水・金です。

第3週 2日目

よむ ①

学習日　月　日(　)

不在通知(ふざいつうち)

Notices of Absence
领收邮件通知单
부재통지

Q. ＿＿の読みは？ 凍る

読んでおぼえましょう

ご不在連絡票(ひょう)

お届け先氏名	南田 様
お届けのお荷物は	中山　優子 様から
配達日時	8月 11日 10 時ごろ

☑生もの　□食品
□衣類　□書類　□その他

お荷物をお届けに参りましたが、ご不在でした。

漢字	画数	読み	語	意味	語	意味
連	10画	レン / つ-れる	関連(かんれん)	a relation(ship) 关联 관련	連続(れんぞく)	a series 连续 연속 ☞ 続(p.94)
			連休(れんきゅう)	consecutive holidays 连续休假 연휴	連れる(つ)	accompany 带着 데리고 가다
絡	12画	ラク	連絡(れんらく)	a contact/connection 联络 연락		
荷	10画	カ / に	入荷(にゅうか)	a receipt (of goods) 进货 입하	出荷(しゅっか)	a shipment 上市 출하
			荷物(にもつ)	luggage 行李 짐		
届	8画	とど-ける / とど-く	届ける(とど)	deliver 送到 보내다	届け出(とどで)	a report/registration 申报 신고
			届く(とど)	arrive (mail) 送到 닿다, 미치다		
参	8画	サン / まい-る	参考書(さんこうしょ)	a reference book 参考书 참고서	持参(じさん)	bringing something with one 带来(去) 지참
			参る(まい)	go/come 来、去 가다, 오다	お参り(まい)	visiting a shrine 去神社、寺院参拜 신불을 참배하러 감
衣	6画	イ	衣類(いるい)	clothing/garments 衣服之总称 의류	衣料品(いりょうひん)	clothing items 衣服 의료품
			衣服(いふく)	clothes/dress 衣服 의복	衣食住(いしょくじゅう)	food / clothing and shelter 衣食住 의식주
他	5画	タ / ほか	その他(た/ほか)	besides / the others 其他 그 외	他人(たにん)	a stranger / other people 别人 타인
			他方(たほう)	(on) the other hand 另一方 다른 방향		

☑冷蔵　□冷凍　□着払い　□代金引換　□クレジットカード等

再配達受付連絡先

● 再配達自動受付センター　☎ 0120-XXXX-XXXX　（24時間）

● 担当ドライバー直通　携帯（けい）電話　☎ 090-XXXX-XXXX

ご連絡を頂きました時間によっては、当日の再配達ができない場合がございます。

漢字	画数	読み	語	意味	語	意味
蔵	15画	ゾウ	冷蔵（れいぞう）	refrigeration　冷藏　냉장	貯蔵（ちょぞう）	storage　储藏　저장
			内蔵（ないぞう）	contained within　内含（～装置）　내장		
凍	10画	トウ こお-る こご-える	冷凍（れいとう）	freezing (refrigeration)　冷冻　냉동		
			凍る（こお）	freeze　结冰　얼다	凍える（こご）	be numb with cold　冻僵　추워 몸에 감각이 없어지다
等	12画	トウ ひと-しい 《など》	～等（とう／など）	et cetera　～等　～등	高等学校（こうとうがっこう）	a (senior) high school　高中　고등학교
			上等（じょうとう）	good/superior　高级　상등	❗等しい（ひと）	equal　相等　같다
配	10画	ハイ くば-る	配達（はいたつ）	a delivery　配送到家　배달	❗気配（けはい）	a sign/indication　情形、苗头　기미
			心配（しんぱい）（な）	anxious/uneasy　担心　걱정	配る（くば）	distribute　分配　나누어 주다
担	8画	タン	担当（たんとう）	taking charge of　担任　담당	分担（ぶんたん）	share (workload)　分担　분담
当	6画	トウ あ-たる あ-てる	当日（とうじつ）	that day　当天　당일	弁当（べんとう）	a packed lunch　便当　도시락
			当～（とう）	this ...　本～　당~	当たる（あ）	hit　（光线）照射　맞다，적중하다
頂	11画	チョウ いただ-く	頂点（ちょうてん）	the apex/summit　顶点　정점	頂上（ちょうじょう）	a summit/top　顶峰　정상
			頂く（いただ）	receive　领受　받들어 들다		

練習 正しいほうを選びなさい。　▶答（こた）えは p.53、読（よ）みは別冊（べっさつ） p.5

① 5月の（a. 週休　b. 連休）に両親を旅行に連れていく。

② 会議に使いますから、この（a. 衣類　b. 書類）をコピーしてください。

③ 教科書※や参考書、（a. その他　b. 他方）必要（ひつよう）な本を買う。　※教科書：textbook 教科书 교과서

④ 品物が入荷しましたら、電話で（a. ご連絡　b. お届け）します。

⑤ 山の（a. 頂上　b. 頂点）でお弁（べん）当にしましょう。

⑥ 今お配りしたプリントに作業の（a. 分担　b. 復習）が書いてあります。

⑦ アイスクリームは冷蔵庫（こ）の（a. 冷蔵室　b. 冷凍室）に入れます。

⑧ A＝Bとは、AはBと（a. 等しい　b. 当たる）という意味です。

p.49 の答え：①a　②a　③b　④a　⑤a　⑥b　⑦a　⑧a

よむ ①

商品券（しょうひんけん）・ポイントカード

Gift certificates, Point Cards,　礼券・积分卡　상품권・포인트카드

学習日　月　日（　）

Q. ＿＿＿の読みは？
相手

よみの多い漢字は言葉でおぼえましょう。

読んでおぼえましょう

全国共通○○券
¥500
全国のお店で共通してご使用になれます。
現金とのお引き換えはいたしません。

クリーニングお預かり票（ひょう）

＿＿＿＿＿＿様　受付 6月 1日　仕上がり予定日 6月 7日

品名	数量	単価

代金	済・未	合計	

お願い
・ポケットの中に忘れ物がないか点検してからお出しください。
・お引き取りがなく、１ヶ月以上経過した品物は責任を負いかねます。

漢字	画数	読み	言葉	意味	言葉	意味
全	6画	ゼン まった-く すべ-て	全国（ぜんこく）	the whole country　全国　전국	全～（ぜん）	the whole ...　全～　전～
			完全（かんぜん）（な）	perfect/complete　完全　완전(한)		
			❗全く（まった）	quite/completely　完全、全然　전혀	全て（すべ）	all/whole　全部　전부
共	6画	キョウ とも	共通（きょうつう）	common/mutual　共通　공통		
			～と共（とも）に	together with ...　同时～　~와 함께		
忘	7画	ボウ わす-れる	忘年会（ぼうねんかい）	an end-of-year party　年终大会　망년회		
			忘（わす）れる	forget　忘记　잊다	忘（わす）れ物（もの）	thing left behind (lost property)　忘了的东西　잊은 물건
経	11画	ケイ	経過（けいか）	a process/course　经过　경과	経験（けいけん）	experience　经验　경험
			経済（けいざい）	economy　经济　경제	経理（けいり）	accounting　会计　경리
過	12画	カ す-ぎる す-ごす	過去（かこ）	the past　过去　과거	通過（つうか）	passage/transit　通过　통과
			過（す）ぎる	pass　超过　지나다	過（す）ごす	spend (time)　度过　지내다
責	11画	セキ せ-める	責任（せきにん）	responsibility　责任　책임		
			❗責（せ）める	blame/accuse　责备　책망하다		
任	6画	ニン まか-せる まか-す	担任（たんにん）	teacher in charge (e.g. homeroom teacher)　担任　담임		
			任（まか）せる	entrust　委托　맡기다		
負	9画	フ ま-ける お-う	負担（ふたん）	a burden　负担　부담		
			負（ま）ける	lose　输　패배하다 ↔ 勝（か）つ	☞ 勝（p.142）	
			❗負（お）う	bear　背　짊어지다		

〇×商店街 ポイントカード

★ 商品お買い上げ500円ごとに1個スタンプを押します。
★ スタンプが50個になりましたら、500円相当のお買い物券と交換いたします。
★ 有効期限は発行日より1年間とさせていただきます。
★ このカードは精算前にご提示ください。

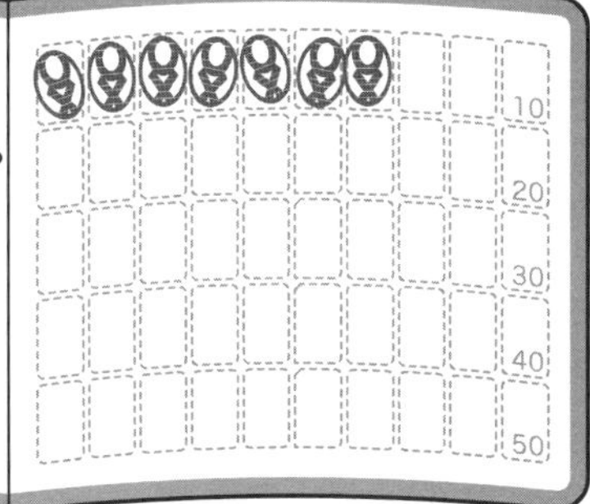

漢字	画数	読み	語	意味	語	意味
商	11画	ショウ	商品（しょうひん）	goods 商品 상품	商店（しょうてん）	a shop 商店 상점
			商業（しょうぎょう）	commerce 商业 상업	商売（しょうばい）	a business 作买卖 장사
個	10画	コ	～個（こ）	counter for general objects ～个 ～개	個人（こじん）	an individual (person) 个人 개인
			個々（ここ）	individuals 各个 각각	個別（こべつ）	individual/separate 个别 개별
相	9画	ソウ ショウ あい	～相当（そうとう）	corresponding to ... 相当于 ～상당	首相（しゅしょう）	a prime minister 首相 수상
			外相（がいしょう）	a foreign minister 外交部长 외상	相変わらず（あいか）	still / as ever 仍旧 변함없이
			❗相手（あいて）	an opponent/competitor 对方 상대	ⓑ相撲（すもう）	sumo wrestling 相扑 스모（일본씨름）
交	6画	コウ	交換（こうかん）	exchange 交换 교환	交通機関（こうつうきかん）	means of transportation 交通机关 교통기관
			交際（こうさい）	association/company 交际 교제	交流（こうりゅう）	an exchange 交流 교류
効	8画	コウ き-く	有効（ゆうこう）（な）	valid 有效 유효	効果（こうか）	an effect 效果 효과 ☞果（p.58）
			❗効く（き）	be effective 有效 효과가 있다	効き目（きめ）	an effect 效果 효과，효능
限	9画	ゲン かぎ-る	期限（きげん）	a time limit 期限 기한	限度額（げんどがく）	a price limit 限度额 한도액
			限界（げんかい）	a limit 界限 한계	❗～限り（かぎ）	limit of ... / insofar ... 只限于～ ～한

練習 正しいほうを選びなさい。 ▶答え（こた）はp.55、読み（よ）は別冊（べっさつ）p.5

① この薬は風邪（かぜ）によく（a. 効く　b. 聞く）。
② 外国の人たちと（a. 交流　b. 交換）するのは楽しいです。
③ 今までに一度も負けたことのない（a. 相手　b. 相当）に負けてしまった。
④ 卵（たまご）10個入りパック百円！　お一人様1パック（a. 参り　b. 限り）！
⑤ 子どもの勉強のことは（a. 担任　b. 責任）の先生にお任せしています。
⑥ この薬を飲んでください。1週間（a. 経験　b. 経過）をみましょう。
⑦ 仕事の量が多過ぎる。社員の（a. 負担　b. 担当）を軽くしなければならない。
⑧ このカードは全店（a. 共通　b. 通過）でお使いになれます。

p.51 の答え：①b　②b　③a　④a　⑤a　⑥a　⑦b　⑧a

よむ ①

ゴミの分別

Rubbish Classification and Separation
垃圾分类
쓰레기 분리

学習日　月　日(　)

Q. ＿＿の読みは？
袋

読んでおぼえましょう

ゴミの分け方・出し方

必ず、〇〇市指定のゴミ袋に入れて指定の曜日に集積所に出してください。

毎週　**月・水・金曜日**　燃やせるゴミ（紙くず、生ゴミ、木の葉や枝 等）
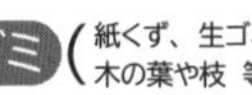

第２・４　**木曜日**　埋め立てゴミ（茶わん、皿、貝がら 等）

第１・３・５　**火曜日**　カン類

第２・４　**火曜日**　ビン類

毎週**火曜日**　その他紙製容器・包装

毎週**木曜日**　その他プラスチック製容器・包装

資源ゴミの出し方：新聞、雑誌、ダンボール等はひもでしばって、お出しください。紙パックは洗って、開いて平らにしてしばってください。

漢字	画数	読み	語	意味	語	意味	参照
必	5画	ヒツ かなら-ず	必要(な)（ひつよう）	necessary　必要　필요	必死（ひっし）	desperate(ly)　拼命地　필사	
			必ず（かなら）	always/certainly　一定　반드시			
袋	11画	ふくろ	袋（ふくろ）	a bag　袋子　주머니	手袋（てぶくろ）	a glove　手套　장갑	
			レジ袋（ぶくろ）	a plastic bag (received at the checkout counter) 塑料袋(在交款台领到的)　비닐봉지 (편의점이나 슈퍼에서 담아주는 비닐봉지)			
			⊖足袋（たび）	tabi (traditional Japanese socks worn with a kimono) 日本式布袜子　일본식 버선			
積	16画	セキ つ-もる つ-む	ゴミ集積所（しゅうせきじょ）	a rubbish collection point 垃圾堆放处　쓰레기 집적소	面積（めんせき）	an (surface) area 面积　면적	☞ 面(p.94)
			積もる（つ）	pile up　堆积　쌓이다	積む（つ）	load　堆　쌓다	
燃	16画	ネン も-える も-やす	燃料（ねんりょう）	fuel　燃料　연료	可燃（かねん）	burnable 可燃	☞ 可(p.92)
			不燃（ふねん）	nonflammable/incombustible 不可燃　불연	燃やせる（も）	가연 , 태울 수 있다	
枝	8画	えだ	枝（えだ）	a branch 枝、分支　(나뭇) 가지	小枝（こえだ）	a twig/stick 小树枝　작은 가지	

葉	12画	ヨウ は	紅葉(こうよう)	autumn leaves 红叶、枫叶 단풍	⊖紅葉(もみじ)	a maple 枫叶 단풍
			葉(は)	a leaf 叶 잎	落ち葉(おちば)	fallen leaves 落叶 낙엽
			言葉(ことば)	word / language 语言 말		
埋	10画	う-める う-まる	埋(う)める	bury 埋 묻다	埋(う)め立(た)てる	reclaim (land) / fill in 填平 메우다
			埋(う)まる	be buried 埋上 묻히다		
製	14画	セイ	製品(せいひん)	a product 制品 제품	～製(せい)	made in/of ... ～制 ～제
容	10画	ヨウ	内容(ないよう)	contents/substance 内容 내용	容器(ようき)	a container 容器 용기
			美容(びよう)	beauty treatment 美容 미용 ☞ 美(p.108)		
器	15画	キ うつわ	食器(しょっき)	tableware 餐具 식기	楽器(がっき)	a musical instrument 乐器 악기
			受話器(じゅわき)	telephone receiver 电话听筒	❗器(うつわ)	a container/caliber 容器 그릇
装	12画	ソウ ショウ	包装(ほうそう)	wrapping 包装 포장	新装開店(しんそうかいてん)	renovated and open 装修后开店 신장개업
			服装(ふくそう)	the style of dress / costume 服装 복장	❗衣装(いしょう)	dress / costume 服装 의상
雑	14画	ザツ	雑音(ざつおん)	a noise 杂音 잡음	雑用(ざつよう)	odd jobs 各种用途 잡무
			雑(ざつ)な	miscellaneous 混杂 잡다한	雑貨(ざっか)	sundry goods 杂货 잡화
誌	14画	シ	雑誌(ざっし)	a magazine 杂志 잡지	日誌(にっし)	a journal/diary 日志 일지
資	13画	シ	資源(しげん)	resource(s) 资源 자원	資料(しりょう)	material(s)/data 资料 자료
			資金(しきん)	fund(s) 资金 자금		
平	5画	ヘイ ビョウ たい-ら ひら	平成(へいせい)	(name of an era 年号 연호)	平日(へいじつ)	week days 平日 평일
			平気(へいき)(な)	calm/indifferent 不在乎 태연함	❗平等(びょうどう)	equality 平等 평등
			❗平(たい)ら(な)	flat/even 平坦 평평함	平仮名(ひらがな)	hiragana 平假名 히라가나 ☞ 仮(p.127)

練習 正しいほうを選びなさい。 ▶答(こた)えは p.57、読(よ)みは別冊(べっさつ) p.5

① 雪(ゆき)が（a. 保って　b. 積もって）花だん※が埋まってしまった。　※花だん：flower bed 花坛 화단

② 落ち葉や木の枝は（a. 燃やせる　b. 埋め立て）ゴミになります。

③ この洗剤(せんざい)※を使うときは必ずゴム（a. 手袋　b. 足袋）をしてください。　※洗剤(ざい)：cleansers 洗洁剂 세제

④ 植(しょく)物から自動車の（a. 原料　b. 燃料）を作る。☞ 植（p.125）

⑤（a. 衣　b. 器）がきれいだと、料理もおいしく見える。

⑥ この時計はスイス（a. 製　b. 作）です。

⑦（a. 雑用　b. 雑音）がひどくて電話がよく聞こえません。

⑧ リサイクルのため、古新聞・古雑誌などを（a. 回収　b. 包装）します。

p.53 の答え：①a　②a　③a　④b　⑤a　⑥b　⑦a　⑧a

第3週
5日目

よむ ①

いろいろな通知（つうち）①

Various Notices ①
各种各样的通知①
여러 통지①

学習日
月　日(　)

Q. ＿＿＿の読みは？
断る

読んでおぼえましょう

◆ 避難訓練（ひなんくんれん）のお知（し）らせ

Notification of Evacuation Drills
避难训练通知　피난 훈련 통지

避難（ひ）訓練のお知らせ

地震に備えて避（ひ）難訓練を行います。できるだけご参加ください。なお、雨天（うてん）の場合は延期となります。

漢字	画数	読み	語	意味	語	意味
難	18画	ナン かた-い むずか-しい	避難（ひなん）	an evacuation　避难　피난	困難（な）（こんなん）	difficult　困难　곤란 ☞ 困 (p.115)
			❶～し難（がた）い	difficult to ... 很难～　～하기 어렵다		
			難（むずか）しい	difficult/delicate　难 办 的 어렵다 ↔ 易（やさ）しい ☞ 易 (p.140)		
訓	10画	クン	教訓（きょうくん）	a lesson　教训　교훈	訓読み（くんよ）	Japanese reading of Kanji 训读　훈독
練	14画	レン	訓練（くんれん）	training/a drill　训练　훈련	練習（れんしゅう）	a practice　练习　연습
震	15画	シン ふる-える	地震（じしん）	an earthquake　地震　지진		
			震（ふる）える	shake/tremble　震动　흔들리다		
加	5画	カ くわ-える くわ-わる	参加（さんか）	participation　参加　참가	加速（かそく）	acceleration　加速　가속
			❶加（くわ）える	add to　加　더하다	❶加（くわ）わる	join/participate 增加　늘다, 많아지다
延	8画	エン の-びる の-ばす	延期（えんき）	postponement　延期　연기	延長（えんちょう）	an extension　延长　연장
			❶延（の）びる	be extended / lengthen 延长　연장되다	❶延（の）ばす	extend/delay　伸展　연장하다

◆ 断水のお知らせ

Suspension of Water Supply
停水通知 단수 통지

断水のお知らせ

配水管工事のため、下記の日時に断水となります。

大変ご迷惑をおかけしますが、ご理解とご協力をお願いいたします。

日時　20XX年11月20日午後11時～21日午前5時

漢字	画数	読み	語	意味	語	意味
断	11画	ダン ことわ-る	断水（だんすい）	suspension of the water supply 停水 단수	断定（だんてい）	a decision/assertion 断定 단정
			横断（おうだん）	crossing 横跨 횡단 ☞横(p.84)	❗断る（ことわ）	refuse 拒绝 거절하다
管	14画	カン くだ	水道管（すいどうかん）	water pipes 自来水管 수도관	管理（かんり）	management/supervision/control 管理 관리
			保管（ほかん）	custody/safekeeping 保管 보관	❗管（くだ）	a pipe 管 관, 대롱
記	10画	キ しる-す	日記（にっき）	a diary/journal 日记 일기	記入（きにゅう）	entry / filling out 记入 기입
			記号（きごう）	a mark/symbol 符号 기호	下記（かき）	the below/following 下列 하기
			記者（きしゃ）	a reporter 记者 기자	記事（きじ）	an article 报道 기사
			❗記す（しる）	write down 记述 기록하다		
迷	9画	メイ まよ-う	迷惑（めいわく）	a nuisance 麻烦 폐	迷信（めいしん）	a superstition 迷信 미신
			迷う（まよ）	become lost 迷惑 헤매다	🔒迷子（まいご）	lost child 走失的孩子 미아
協	8画	キョウ	協力（きょうりょく）	cooperation 共同努力 협력	協定（きょうてい）	an agreement 协定 협정
			協会（きょうかい）	an association 协会 협회		
願	19画	ガン ねが-う	願書（がんしょ）	an (written) application 志愿书 원서		
			願う（ねが）	wish/desire/hope 愿望 바라다		

練習 正しいほうを選びなさい。　▶答えはp.59、読みは別冊p.5

① この（a. 練習　b. 訓練）問題はあまり難しくない。

② 届かないので（a. 延期　b. 延長）コード※を持ってきてください。　※コード：cord 软线 코드

③ あ！（a. 火事　b. 地震）だ！ 揺れてる※！　※揺れる：shake 摇动，摇摆 흔들리다

④ 材料がやわらかくなったら、さとうを（a. 加えます　b. 凍えます）。

⑤（a. 迷信　b. 迷惑）メールが何通も届いて困っている。

⑥（a. 平日　b. 平成）のこの時間は道路が混んでいる。

⑦ 重要な書類を引き出しに（a. 保管　b. 記入）する。

⑧ 大学に入学（a. 願書　b. 明細）を郵送する。

p.55の答え：①b　②a　③a　④b　⑤b　⑥a　⑦b　⑧a

よむ①

いろいろな通知(つうち)②

Various Notices②
各种各样的通知②
여러 통지②

学習日　月　日(　)

Q. ＿＿＿の読みは？
果たす

読んでおぼえましょう

◆ **検診結果(けんしんけっか)** Results of Health Checkups 健康检查结果 검진결과

受診者各位　20XX年X月X日　〇×病院

・・・・・
・・・・以下について、ご理解とご協力をお願いします。

◆マスクの準備と着用

◆手や指のアルコール消毒(しょうどく)

☞ 毒(p.61)

検診結果は内側(しん)にあります。

開封方法

判定基準	異常なし	今回の検査では異常はありませんでした。

来年も必ず受診してください。

漢字	画数	読み	語	意味	語	意味
結	12画	ケツ むす-ぶ	結果(けっか)	a result　结果　결과	結局(けっきょく)	after all 最终　결국
			結ぶ(むすぶ)	tie/connect/conclude 系，连结，建立关系　매다, 묶다		
果	8画	カ は-たす	効果(こうか)	effect　效果　효과	果実(かじつ)	a fruit　果实　과실　☞ 実(p.94)
			㊀果物(くだもの)	a fruit　水果　과일	果たす(はたす)	carry out / fulfill　实现　완수하다
封	9画	フウ	開封(かいふう)	unsealing / opening a letter 拆封　개봉	封書(ふうしょ)	a (sealed) letter 封口的书信　봉서
			同封(どうふう)	enclosing (with a letter) 附在信内　동봉		
法	8画	ホウ	方法(ほうほう)	a method/way　方法　방법	文法(ぶんぽう)	grammar　文法 문법
			❗作法(さほう)	a manner　礼节　예절	法人(ほうじん)	a corporate body　法人　법인
各	6画	カク	各～(かく)	each/every　各～　각～	各自(かくじ)	respective / each person 各自 각자
			各地(かくち)	everywhere / many places 各地　각지		
位	7画	イ くらい	～各位(かくい)	every one of you / whom it may concern ～各位　～각위	地位(ちい)	status　地位　지위
			～位(い)	... place(used for ranking things) ～位(助数词)　～위	位(くらい)	rank　地位，职位　정도
異	11画	イ こと	異常(な)(いじょう)	abnormal　异常　이상	同音異義語(どうおんいぎご)	a homonym 同音异义字 동음이의어
			異変(いへん)	an accident / unusual thing 异常变化 이변	❗異なる(ことなる)	differ　不同　다르다

◆ 移転(いてん)のお知(し)らせ　Relocation Notices　搬迁通知　이사 통지

《事務所移転のお知らせ》

事務所が下記に移転しました。

【移転住所】

〒186-XXX ○○県○○市 XX 町 XXX

※電話番号の変更はございません。

引っ越しました！

郊外で周りは畑しかありませんが、空気がきれいです。お近くにお越しの際は是非(ぜ)お立ち寄りください。

漢字	画数	読み	語	意味	語	意味
移	11画	イ / うつ-る / うつ-す	移転(いてん)	a move/transfer 移动、搬家 이전	移動(いどう)	a move/transfer 转移 이동
			移る(うつ)	move/shift 迁 바뀌다	移す(うつ)	move/shift (something) 移 옮기다
務	11画	ム / つと-める	事務(じむ)	office work 事务 사무	事務所(じむしょ)	an office 办公室 사무소
			任務(にんむ)	a duty/task 任务 임무	❶務める(つと)	work/serve 任 근무하다
更	7画	コウ	変更(へんこう)	a change/alteration 变更 변경	更新(こうしん)	a renewal 更新 갱신
			更衣室(こういしつ)	a change room 更衣室 탈의실		
越	12画	こ-す / こ-える	引っ越す(ひ こ)	move house 搬家 이사하다	乗り越す(の こ)	go past (the correct station) 坐过站 하차역을 지나치다
			お越しの際(こ さい)	(＝来(き)たとき) when you come 您来的时候 오셨을 때		
郊	9画	コウ	郊外(こうがい)	the suburbs 郊外 교외	近郊(きんこう)	environs 近郊 근교
周	8画	シュウ / まわ-り	円周(えんしゅう)	the circumference (of a circle) 圆周 원주		
			周り(まわ)	around/neighborhood 周围 둘레		
畑	9画	はたけ	畑(はたけ)	a (vegetable) field 旱田、田地 밭	花畑(はなばたけ)	a (flower) field 花田、花圃 꽃밭

練習 正しいほうを選びなさい。　▶答(こた)えは p.61、読(よ)みは別冊(べっさつ) p.5～6

① 手紙に写真を（a. 開封　b. 同封）する。

② 最近(さいきん)、全国（a. 各位　b. 各地）で異常な事件が起こっている。

③ 朝、（a. 果物　b. 貨物）を食べると体にいいそうだ。

④ 運動靴(ぐつ)のひもがほどけそうですよ。しっかり（a. 結んで　b. 積んで）。

⑤ 会社の経理（a. 事務　b. 任務）を担当しています。

⑥ 旅券事務所でパスポートの（a. 延期　b. 更新）をする。

⑦ 女子更衣室は２階に（a. 移り　b. 写り）ました。

⑧ 引っ越した家の（a. 周り　b. 配り）は緑が多い。

p.57 の答え：①a　②b　③b　④a　⑤b　⑥a　⑦a　⑧a

第3週 7日目

よむ ①

復習 + もっと

Review quiz + more
复习＋更加
복습 + 더

学習日 月 日（ ）

復習しましょう

Q1．どの漢字を入れると、反対語になりますか。漢字の読みも書きましょう。

例）	易しい	（ やさしい ）	⇆	[g]しい	（ むずかしい ）
①	有効	（ ）	⇆	[ ]効	（ ）
②	太い	（ ）	⇆	[ ]い	（ ）
③	[ ]入	（ ）	⇆	支出	（ ）
④	[ ]去	（ ）	⇆	未来	（ ）
⑤	勝つ	（ ）	⇆	[ ]ける	（ ）

a 優　b 収　c 無　d 細　e 敗　f 負　~~g 難~~　h 過

Q2．正しい読みはどちらですか。○をつけましょう。

① 全て（a すべて　b まって）
② 相手（a そうて　b あいて）
③ 延びる（a のびる　b こびる）
④ 移転（a いてん　b いでん）
⑤ 様子（a ようし　b ようす）
⑥ 分担（a ぶんたん　b ぶんだん）
⑦ 埋める（a うめる　b まとめる）
⑧ 商売（a しょうべい　b しょうばい）
⑨ 燃料（a ねんりょう　b れんりょう）
⑩ 交流（a こうりゅう　b こうるう）

Q3．正しい漢字はどちらですか。○をつけましょう。

① ひたい（a 顔　b 額）
② わすれる（a 忘れる　b 忙れる）
③ うつわ（a 器　b 容）
④ せめる（a 負める　b 責める）
⑤ えだ（a 技　b 枝）
⑥ まかせる（a 担せる　b 任せる）

もっと勉強しましょう

記号的な漢字（きごうてきかんじ）　未⇔済

Ideographic Kanji　符号式的汉字　기호적인 한자

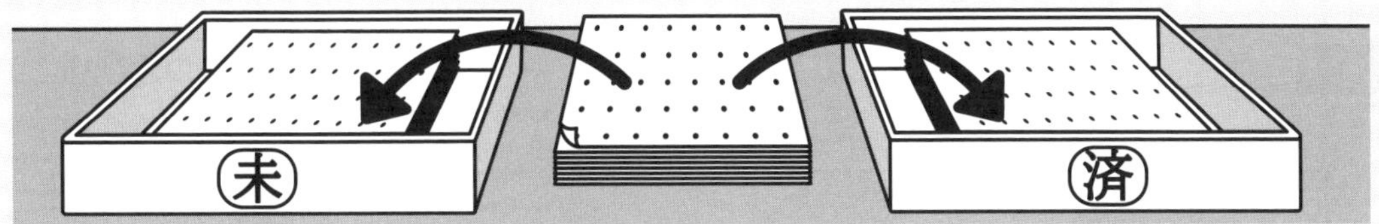

「未」は「未読」、「済」は「送信済み」などと使われますが、「㊏」「㊐」と書いて「まだ」か「済んだ」かを表す記号のようなものとしても使われます。

接頭語（せっとうご）のようなものもあります。

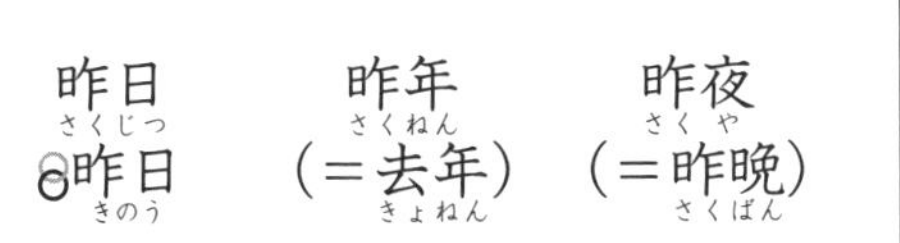

昨日（さくじつ） ◎昨日（きのう）	昨年（さくねん） （＝去年（きょねん））	昨夜（さくや） （＝昨晩（さくばん））	⇔	明日（みょうにち） ◎明日（あした） ◎明日（あす）	来年（らいねん）	明晩（みょうばん）
翌日（よくじつ）	翌年（よくねん）／翌年（よくとし）	翌朝（よくあさ）	⇔	前日（ぜんじつ）	前年（ぜんねん）	前夜（ぜんや）

（☞晩（p.122））

数を数えるときに使うものもあります。

ノートが～冊（さつ）（☞冊（p.127））　ペンが～本　リンゴが～個

カードが～枚　スーツが～着（ちゃく）　テレビが～台　家や店が～軒（けん）

１字でとても意味がはっきりしている漢字があります。

「毒」と書いてあったら、危険を知らせています！

毒

メールでは、涙や笑いなどの気持ちを表す絵文字や顔文字がよく使われます。

絵文字は😢😊、顔文字は (T_T)(^_^) など。（涙）（笑）というふうに、漢字で表すこともできます。

漢字	画数	読み	語	意味
昨	9画	サク	昨～（さく）	last ... / 前一个～　지난～
翌	11画	ヨク	翌～（よく）	the following ... / 翌～　다음～
軒	10画	ケン	～軒（けん）	counter for buildings / ～家　～채
巻	9画	カン ま-く	～巻（かん） 巻く（ま）	volume ... (used for books with several volumes)　～卷　～권 wind / roll up　卷　감다
毒	8画	ドク	中毒（ちゅうどく） 気の毒（きのどく）(な) 消毒（しょうどく）	addiction / poisoning　中毒　중독 pity (pitiful)　感到可怜　딱함，가엾음 disinfection/sterilization　消毒　소독
涙	10画	なみだ	涙（なみだ）	tear(s)　泪　눈물
笑	10画	わら-う え-む	笑う（わら） 笑顔（えがお）	laugh/smile　笑　웃다 a smile / smiling face　笑脸　웃는 얼굴

p.59の答え：①b　②b　③a　④a　⑤a　⑥b　⑦a　⑧a

第3週 7日目

よむ ①

月　日（　）

まとめの問題（もんだい）

Summary questions
综合问题
정리 문제

制限時間（せいげんじかん）：20分（ぷん）
1問（もん）4点（てん）× 25問（もん）
答（こた）えは p.64
読（よ）みは別冊（べっさつ） p.6

点数（てんすう）　／100

問題1A　＿＿＿の言葉の読み方として最もよいものを、１・２・３・４から一つ選びなさい。

領収書 [1]

東西大学病院

（フリガナ）	ウチダ　キヨシ	処方せん引換券番号[3]　注１
患者氏名（かんじゃしめい）　注２	内田　清　殿[2]	520

合計金額[4]　4,200円

注１：処方せん prescription　处方签　처방전　　注２：患者 patient　患者　환자

1	領収	1 りょしゅ	2 りょしゅう	3 りょうしゅ	4 りょうしゅう
2	殿	1 さま	2 どの	3 くん	4 でん
3	番号	1 ばんご	2 ばごう	3 ぼんご	4 ばんごう
4	金額	1 ねだん	2 きんがく	3 かかく	4 りょうきん

問題1B　＿＿＿の言葉の読み方として最もよいものを、１・２・３・４から一つ選びなさい。

5　千葉から<u>お越し</u>の田畑様、お連れ様がお待ちです。

1　おたし　　2　おかし　　3　おとし　　4　おこし

6　海を<u>埋め立てて</u>空港を建てる。

1　おめたてて　　2　ゆめたてて　　3　うめたてて　　4　ぬめたてて

7　この資料は<u>必ず</u>ご持参ください。

1　かねらず　　2　かならず　　3　からなず　　4　かれなず

8　写真は実物とは少し<u>異なります</u>。

1　かさなります　　2　ともなります　　3　ことなります　　4　いなります

9　男女<u>平等</u>に仕事の機会があたえられる。

1　びょうどう　　2　へいとう　　3　ひょうとう　　4　べいどう

10　<u>迷子</u>のお知らせをいたします。

1　めいし　　2　めいご　　3　まいご　　4　まいこ

問題2 ＿＿＿の言葉を漢字で書くとき、最もよいものを1・2・3・4から一つ選びなさい。

11 関係者かくい　サーバー停止のお知らせです。

1　客位　　2　各位　　3　名位　　4　角位

12 アンケートにごきょうりょくお願いします。

1　共力　　2　強力　　3　協力　　4　助力

13 正月は多くの人々がお寺や神社におまいりする。

1　お参り　　2　お迷り　　3　お断り　　4　お周り

14 このカードのゆうこう期限は1年です。

1　発行　　2　流行　　3　用効　　4　有効

15 訓練は雨で来週にのびた。

1　延びた　　2　震びた　　3　平びた　　4　結びた

16 A「あ、また新しいコンビニができたね。」
B「そう、これでうちの近くには4けんもあるの。」

1　店　　2　屋　　3　建　　4　軒

17 A「もう届いたの？」
B「うん、注文したよくじつには来るね。」

1　即日　　2　翌日　　3　両日　　4　次日

18 A「あの家は火事で焼けたそうですよ。」
B「おきのどくに。」

1　気の毎　　2　気の独　　3　気の毒　　4　気の苺

19 A「これ人数分コピーして。」
B「はい、会議で配るしりょうですね。」

1　書類　　2　資料　　3　書類　　4　賃料

20 A「何のお知らせ？」
B「年末年始のゴミのしゅうしゅう日よ。」

1　収集　　2　収入　　3　回収　　4　吸収

問題3　（　　）に入れるのに最もよいものを、１・２・３・４から一つ選びなさい。

21 手紙を開（　　）する。

1 記　　2 頂　　3 封　　4 葉

22 試験（　　）日は駅が込むので、帰りの切符も買っておいたほうがいい。

1 当　　2 平　　3 本　　4 現

23 今朝は寒さで水道（　　）が凍っている。

1 断　　2 枝　　3 管　　4 蔵

24 電話の受話（　　）を取る。

1 機　　2 器　　3 記　　4 気

25 お客様のクレジットのご利用限度（　　）は80万円です。

1 額　　2 料　　3 代　　4 金

復習（p.60）の答え：

Q１　①c　**ゆうこう・むこう**　②d　**ふとい・ほそい**　③b　**しゅうにゅう・ししゅつ**
　　　④h　**かこ・みらい**　⑤f　**かつ・まける**

Q２　①a　②b　③a　④a　⑤b　⑥a　⑦a　⑧b　⑨a　⑩a

Q３　①b　②a　③a　④b　⑤b　⑥b

まとめの問題（p.62～64）の答え：

問題１Ａ　1 4　2 2　3 4　4 2

問題１Ｂ　5 4　6 3　7 2　8 3　9 1　10 3

問題２　11 2　12 3　13 1　14 4　15 1　16 4　17 2　18 3　19 2　20 1

問題３　21 3　22 1　23 3　24 2　25 1

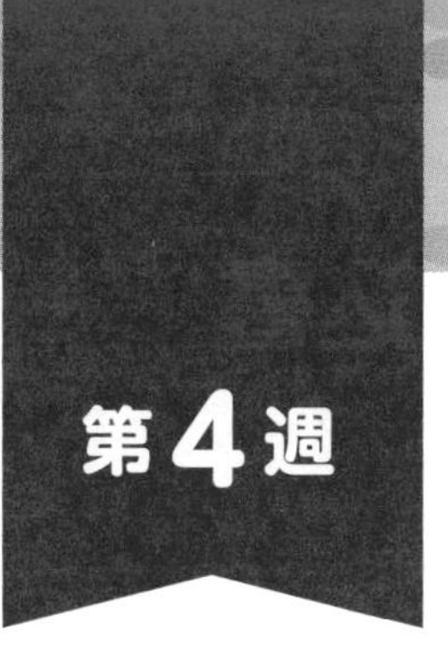

第4週

かく

Write
写
쓰다

第4週 1日目

かく

伝票・申込書（でんぴょう・もうしこみしょ）

Checks, Slips, Application Forms
传票・申请书
전표・신청서

学習日
月　日（　）

Q. ＿＿＿の読みは？
頼る

読んでおぼえましょう

［クレジットカードご利用伝票（でんぴょう）］

ご利用金額	15,000円
支払回数	(1回払い) リボ払い
ご署名	菅野　葉子

配送伝票

お届け先	大阪（おおさか）都道(府)県 ○○2-1-1	ご依頼主（ぬし）	菅野　葉子 様 (0298)23-XXXX
	片山　リエ 様 (06)6721-XXXX	到着希望時間	(午前中) 12～18時・18～12時

店員：お支払い回数は1回ですね。では、こちらにご署名をお願いします。それから、こちらにご配送先とお客様のご住所とお名前、お電話番号をお書きください。

漢字	画数	読み	語彙	意味	語彙	意味
署	13画	ショ	署名（しょめい）	a signature　签名　서명	部署（ぶしょ）	post/station　工作岗位　부서
			消防署（しょうぼうしょ）	a fire station　消防队　소방서　☞防(p.89)	税務署（ぜいむしょ）	tax office　税务所　세무서　☞税(p.102)
依	8画	イ	依頼（いらい）	request/commission　委托　의뢰		
頼	16画	ライ たの-む たの-もしい たよ-る	信頼（しんらい）	trust　信赖　신뢰		
			頼む（たの）	request　恳求　부탁하다，의뢰하다	❗頼もしい（たの）	reliable　可靠的　믿음직하다
			❗頼る（たよ）	depend upon　依靠　의지하다	❗頼りない（たよ）	powerless/unreliable　不可靠、无依无靠　의지할 데가 없다
府	8画	フ	都道府県（とどうふけん）	prefectures　都道府县　일본 지방 공공 단체의 총칭	京都府（きょうとふ）	Kyoto Prefecture　京都府　교토부
到	8画	トウ	到着（とうちゃく）	arrival　到达　도착		
希	7画	キ	希望（きぼう）	hope　希望　희망		
望	11画	ボウ のぞ-む	失望（しつぼう）	loss of hope / despair　失望　실망　☞失(p.73)	望遠鏡（ぼうえんきょう）	a telescope　望远镜　망원경
			望む（のぞ）	want / hope for　希望　바라다		

◆ 申込書（もうしこみしょ）
Application Form
申请书　신청서

入会申込書					
氏名	姓　片山（かた やま）	名　敬一（けい いち）		年齢	24 歳
生年月日	19XX 年　4月　5日			性別	㊚・女
連絡先	自宅	〒XXXX-XXXX 大阪府〇〇2－1－1		☎	06-6721-XXXX
	勤務先	(株)（かぶ） アマヤ	部署名　営業部	☎	06-6125-XXXX

漢字	画数	読み	語	意味	語	意味
申	5画	シン / もう-す	申請（しんせい）	an application 申请 신청	申す（もう）	say (humble form) (谦)说、叫作 말하다
			申し込み（もう こ）	application/proposal 申请 신청	申し上げる（もう あ）	say (very humble form) (谦)说 말씀드리다
姓	8画	セイ	姓（せい）	family name 姓 성	姓名（せいめい）	full name 姓名 성명
齢	17画	レイ	年齢（ねんれい）	age 年龄 연령	高齢（こうれい）	old age 高龄 고령
性	8画	セイ	男性（だんせい）	a man 男性 남성	女性（じょせい）	a woman 女性 여성
			性別（せいべつ）	sex/gender 性别 성별	性質（せいしつ）	nature/disposition 性质 성질
			安全性（あんぜんせい）	safety 安全性 안전성	可能性（かのうせい）	possibility 可能性 가능성 ☞可 (p.92)
宅	6画	タク	お宅（たく）	a house/home (respectful form) 府上 댁	自宅（じたく）	one's house/home 自己的家 자택
			住宅（じゅうたく）	housing 住宅 주택	帰宅（きたく）	returning home 回家 귀가
勤	12画	キン / つと-める	勤務（きんむ）	service/duty 工作 근무	出勤（しゅっきん）	attendance at work 上班 출근
			通勤（つうきん）	commuting to work 通勤 통근	勤める（つと）	work / be employed 工作 근무하다
部	11画	ブ	全部（ぜんぶ）	all/whole 全部 전부	部分（ぶぶん）	part 部分 부분
			部長（ぶちょう）	department head / a manager 部长 부장	学部（がくぶ）	a faculty 学院 학부
			ⓔ部屋（へや）	a room 房间 방		

練習 正しいほうを選びなさい。　▶答え（こた）はp.69、読み（よ）は別冊（べっさつ）p.6

① 自分の（a. 望み　b. 頼み）通りの大学に入学できた。

② 来日する友人を空港の（a. 出発　b. 到着）ロビーで待つ。

③ 商品の配送を（a. 依頼　b. 願い）する。

④ 市民が駅前に立ち（a. 署名　b. 照明）を集める活動（かつどう）を始めた。

⑤ 日本では結婚すると夫（おっと）の（a. 性　b. 姓）になる女の人が多い。

⑥ 朝夕の（a. 通勤　b. 出勤）ラッシュ時は電車が満員になる。

⑦ お客様に迷子のお知らせを（a. 申します　b. 申し上げます）。

⑧ パスポートの（a. 申請　b. 再生）をする。

第4週 2日目

かく

返事(へんじ)を書(か)く

Writing Replies
写回信
대답을 적다

学習日 月 日( )

Q. ＿＿＿の読みは？
お祝い

読んでおぼえましょう

◆ 出欠(しゅっけつ)

Attendance (or Absence)
出席和缺席 출결

結婚パーティー等の招待状に返事を書くとき、「ご出席」や「御欠席」の「ご」や「御」を二重線（=）で消して、どちらかに○をつけます。また、相手の名前の下の「行(いき)」を消して「様」に変えます。「ご結婚おめでとうございます」「喜んで出席させていただきます」などとメッセージを書くとよいでしょう。自治会や学会などの会議を欠席する場合には「欠席」に○をつけ、委任状のところに自分の名前を書きます。

漢字	画数	読み	語	意味	語	意味
婚	11画	コン	結婚(けっこん)	a marriage 结婚 결혼	婚約(こんやく)	an engagement 婚约 약혼
			未婚(みこん)	unmarried 未婚 미혼	新婚(しんこん)	newly wedded 新婚 신혼
招	8画	ショウ まね-く	招待(しょうたい)	an invitation 招待 초대		
			❗招(まね)く	invite 招待 초대하다		
状	7画	ジョウ	～状(じょう)	a letter (e.g. of invitation) ～信件 ～장	現状(げんじょう)	an existing situation 现状 현상
			状態(じょうたい)	a situation 状态 상태	年賀状(ねんがじょう)	a new year's card 贺年卡 연하장
欠	4画	ケツ か-ける	欠席(けっせき)	absence 缺席 결석	出欠(しゅっけつ)	attendance (or absence) 出席和缺席 출결
			欠点(けってん)	a shortcoming 缺点 결점 ＝欠(か)けている点(てん)		
喜	12画	よろこ-ぶ	喜(よろこ)ぶ	be pleased 欢喜 기뻐하다	喜(よろこ)んで	gladly 愉快地接受 기꺼이
治	8画	ジ チ なお-る なお-す	政治(せいじ)	politics 政治 정치 ☞政(p.149)	自治会(じちかい)	self-governing association 自治会 자치회
			自治体(じちたい)	self-governing body 自治团体 자치단체	治(なお)す	cure 治疗 치료하다
委	8画	イ	委員(いいん)	committee member 委员 위원	委員会(いいんかい)	a committee 委员会 위원회
			委任状(いにんじょう)	a power of attorney 委任状 위임장		

◆ 礼状（れいじょう）

Thank-You Letter
感谢信　사례의 편지

お祝いやお見舞い等を頂いたら、礼状を書きます。

> 先日はお忙しいところ、結婚パーティーにご出席いただきまして、ありがとうございました。
> 　これからは妻と二人で頑張（がん）ります。今後ともよろしくお願い申し上げます。
> 　奥様にもよろしくお伝えください。

漢字	画数	読み	語	意味	語	意味
祝	9画	シュク いわ-う	祝日（しゅくじつ）	a holiday / festival day (政府规定的)节日　경축일		
			祝う（いわう）	celebrate/congratulate 庆祝　축하하다	お祝い（おいわい）	celebration/congratulation 祝贺　축하
舞	15画	ブ ま-う ま-い	舞台（ぶたい）	a stage　舞台　무대		
			舞う（まう）	dance/flutter　跳舞　춤추다	お見舞い（おみまい）	an (call of) inquiry　探望　문병
礼	5画	レイ	お礼（おれい）	thanks　谢意；礼物　사례	失礼(な)（しつれい）	rude　失礼　실례　☞ 失(p.73)
			礼儀（れいぎ）	etiquette　礼节、礼貌　예의		
忙	6画	ボウ いそが-しい	多忙(な)（たぼう）	busy (with many things)　非常忙　다망		
			忙しい（いそがしい）	busy　忙碌　바쁘다		
妻	8画	サイ つま	夫妻（ふさい）	husband and wife 夫妻　부부　☞ 夫(p.115)		
			妻（つま）	wife　妻子　아내		
張	11画	チョウ は-る	主張（しゅちょう）	an assertion / claim　主张　주장	出張（しゅっちょう）	a business trip　出差　출장
			頑張る（がんばる）	try one's hardest / do one's best 努力　끝까지 노력하다	引っ張る（ひっぱる）	pull　(用力)拉　끌어당기다
			張る（はる）	stretch/tighten　伸展　팽팽하게 하다		
奥	12画	おく	奥様（おくさま）	a wife (respectful form) 太太　부인	奥（おく）	inner recesses　内部　깊숙한 안쪽

練習 **正しいほうを選びなさい。** ▶答え（こた）はp.71、読み（よ）は別冊（べっさつ）p.6

① ゴミの出し方は地方（a. 自治体　b. 自治会）によって違う。
② 短所、つまり（a. 利点　b. 欠点）はだれにでもあるだろう。
③（a. 未婚　b. 再婚）というのはもう一度結婚することです。
④ 結婚式の（a. 委任状　b. 招待状）に返事を書く。
⑤ 梅雨（つゆ）明けの暑い時に、日本では（a. 暑中見舞い　b. 年賀状）を出す。
⑥ 5月5日は「こどもの日」、（a. 祝日　b. 平日）です。
⑦ 明日は北海道へ（a. 出張　b. 主張）だ。
⑧ りんごを送ってもらったので（a. お祝い　b. お礼）の手紙を出す。

p.67の答え：①a　②b　③a　④a　⑤b　⑥a　⑦b　⑧a

第4週 3日目

かく

メール・はがき

E-mail, Postcard
电子邮件・明信片
메일・엽서

学習日 月 日( )

Q. ＿＿の読みは？
健康

読んでおぼえましょう

◆ 友人へ（ゆうじん）

浅野　君

久しぶり。元気？　僕は変わらず忙しいけど元気！
お互いに頑（がん）張ろう！　じゃあ、また！　ダン
追伸　皆さんにもよろしく。

漢字	画数	読み	語	意味	語	意味
浅	9画	あさ-い	浅（あさ）い	shallow 浅的 얕다	浅草（あさくさ）	〈地名〉☞ 草(p.104)
			浅（あさ）ましい	shameful/sordid 卑鄙的 한심스럽다		
君	7画	クン きみ	～君（くん）	an honorific appended to names of males younger than oneself 接在同辈或晚辈的姓名后表示敬意 ～군		
			君（きみ）	you 你 너		
久	3画	キュウ ひさ-しい	永久（えいきゅう）	☞ 永(p.115)		
			久（ひさ）しぶり	long time no see 好久不见 오랜만		
互	4画	ゴ たが-い	相互（そうご）	mutual/reciprocal 相互 상호	交互（こうご）	alternation 轮流 번갈아
			お互（たが）いに	mutually 相互 서로		
追	9画	ツイ お-う	追加（ついか）	an addition/supplement 追加 추가	追（お）う	pursue 追求 쫓다
			追（お）い越（こ）す	overtake 赶超 추월하다	追（お）い付（つ）く	catch up 追上 따라잡다
伸	7画	シン の-びる の-ばす	追伸（ついしん）	postscript （信）附注 추신	伸（の）びる	grow/stretch 延长 늘어나다
			伸（の）びをする	stretch out 伸懒腰 기지개를 켜다	伸（の）ばす	extend/stretch 伸展 늘이다
皆	9画	みな	皆（みな）	all 大家 모두	皆（みな）さん	everyone （打招呼）各位 여러분

◆ 先生(せんせい)へ

先生

　お元気ですか。日本語クラスでは大変お世話になりました。私は毎日忙しく暮らしています。仕事にも慣れましたが、学生生活が恋しいです。

　先生のご健康をお祈り申し上げます。

ダニエル・リード

漢字	画数	読み	語	意味	語	意味
暮	14画	ボ く-れる く-らす	お歳暮(せいぼ)	a year-end gift 年礼 연말선물	暮(く)れ	end of the year 年底 연말
			夕暮(ゆうぐ)れ	dusk 傍晚 해질 녘	暮(く)らす	live/dwell 过日子 지내다
慣	14画	カン な-れる な-らす	習慣(しゅうかん)	a custom/habit 习惯 습관		
			慣(な)れる	become accustomed to 习惯 익숙해지다		
活	9画	カツ	生活(せいかつ)	life/livelihood 生活 생활	活用(かつよう)	practical use 活用 활용
			活字(かつじ)	printing type 铅字 활자	活発(かっぱつ)(な)	activity/vivacity (lively) 活泼 활발
恋	10画	レン こい こい-しい	恋愛(れんあい)	love/romance 恋爱 연애 ☞ 愛(p.77)	恋(こい)	love 恋爱 사랑
			恋人(こいびと)	a lover (boy/girlfriend) 恋人 연인	恋(こい)しい	homesick/lonely 爱慕 그립다
健	11画	ケン すこ-やか	健在(けんざい)	being in good health 健在 건재	健全(けんぜん)(な)	sound/wholesom 健全 건전
			❗健(すこ)やか(な)	sound/healthy (身体、精神)健康 건전함, 튼튼함		
康	11画	コウ	健康(けんこう)	health 健康 건강		
			健康保険証(けんこうほけんしょう)	a health insurance card 健保卡 건강보험증		
祈	8画	キ いの-る	祈願(きがん)	a prayer 祈祷 기원		
			祈(いの)る	pray 祈祷、祝福 빌다	祈(いの)り	a prayer/grace 祈祷、祷告 기도

練習 正しいほうを選びなさい。　▶答(こた)えは p.73、読(よ)みは別冊(べっさつ) p.6～7

① 久しぶりに会った友達はひげを（a. 伸びて　b. 伸ばして）いた。

② この道路は（a. 追い越し　b. 引っ越し）禁止です。

③ この川は（a. 浅い　b. 細い）ので、子どもたちが遊ぶのにちょうどいい。

④ P.S. というのは（a. 追伸　b. 返信）のことです。

⑤ 年の（a. 慣れ　b. 暮れ）にお世話になった人にお礼をする習慣がある。

⑥（a. 健康　b. 生活 ）保険証を持ってきてください。

⑦ 私はいつも食事の前に（a. お祈り　b. お祝い）をします。

⑧（a. 活発な　b. 健在な）議論(ぎろん)をする。

p.69 の答え：①a　②b　③b　④b　⑤a　⑥a　⑦a　⑧b

かく

ビジネスメール

Business E-Mail
商务邮件
비즈니스 메일

学習日 月 日( )

Q. ＿＿＿ の読みは？
幸い

読んでおぼえましょう

奥村 様
いつもお世話になっております。

突然ですが、この度(たび)、諸般の事情により退職することとなりました。つきましては後任(こうにん)の者をご紹介させていただきたく、ご挨拶(あいさつ)に参りたいと存じます。

漢字	画数	読み	語	意味	語	意味
突	8画	トツ つ-く	突然(とつぜん)	sudden 突然 갑자기	煙突(えんとつ)	a chimney 烟囱 굴뚝
			突き当たり(つ・あ)	end of (e.g. end of the road) (通道走道的)尽头 막다른 곳	突っ込む(つ・こ)	thrust into / plunge 深入、闯进 돌진하다
然	12画	ゼン ネン	全然(ぜんぜん)	(not) at all 一点也 전혀	自然(しぜん)	nature/natural 自然 자연
			当然(とうぜん)	of course 当然 당연	❗天然(てんねん)	natural/unartificial 天然 천연
諸	15画	ショ	諸〜(しょ)	various 众多 여러〜	諸問題(しょもんだい)	various problems 众多问题 여러 문제
			諸般(しょはん)	variety / all sorts 各种 제반		
情	11画	ジョウ なさ-け	事情(じじょう)	circumstance 情况、缘故 사정	友情(ゆうじょう)	a friendship 友情 우정
			表情(ひょうじょう)	a facial expression 表情 표정		
			❗情け(なさ)	sympathy/mercy 同情 인정	情けない(なさ)	woeful/disgraceful 可怜、可耻 한심하다
退	9画	タイ しりぞ-く	引退(いんたい)	retirement 引退、隐居 은퇴	退院(たいいん)	discharge from hospital 出院、退出 퇴원
			退学(たいがく)	withdrawal from a course/school 退学 퇴학	❗退く(しりぞ)	retreat/withdraw 后退 물러나다
職	18画	ショク	職業(しょくぎょう)	an occupation/profession 职业 직업	職場(しょくば)	a workplace 职场 직장
			退職(たいしょく)	retirement 退职 퇴직	職人(しょくにん)	an artisan 手艺师傅、工匠 장인
紹	11画	ショウ	紹介(しょうかい)	introduction 介绍 소개		
介	4画	カイ	介入(かいにゅう)	intervention 插手、干预 개입	介護(かいご)	nursing care 护理病人或老人 간호

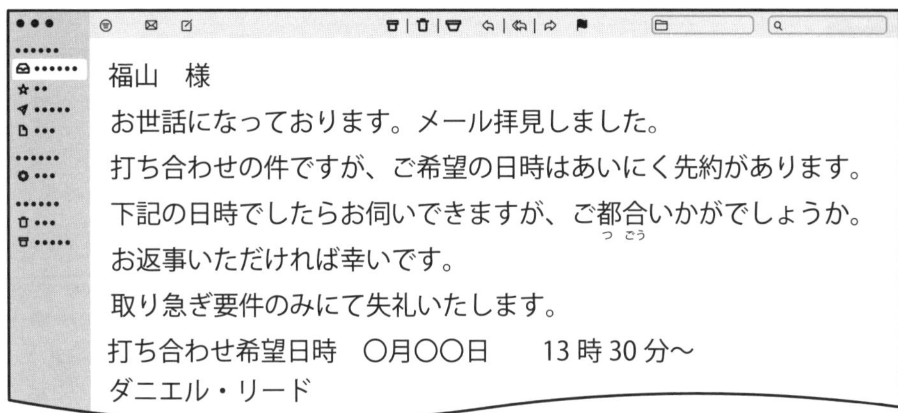

福山　様

お世話になっております。メール拝見しました。

打ち合わせの件ですが、ご希望の日時はあいにく先約があります。

下記の日時でしたらお伺いできますが、ご都合（つごう）いかがでしょうか。

お返事いただければ幸いです。

取り急ぎ要件のみにて失礼いたします。

打ち合わせ希望日時　〇月〇〇日　13時30分～

ダニエル・リード

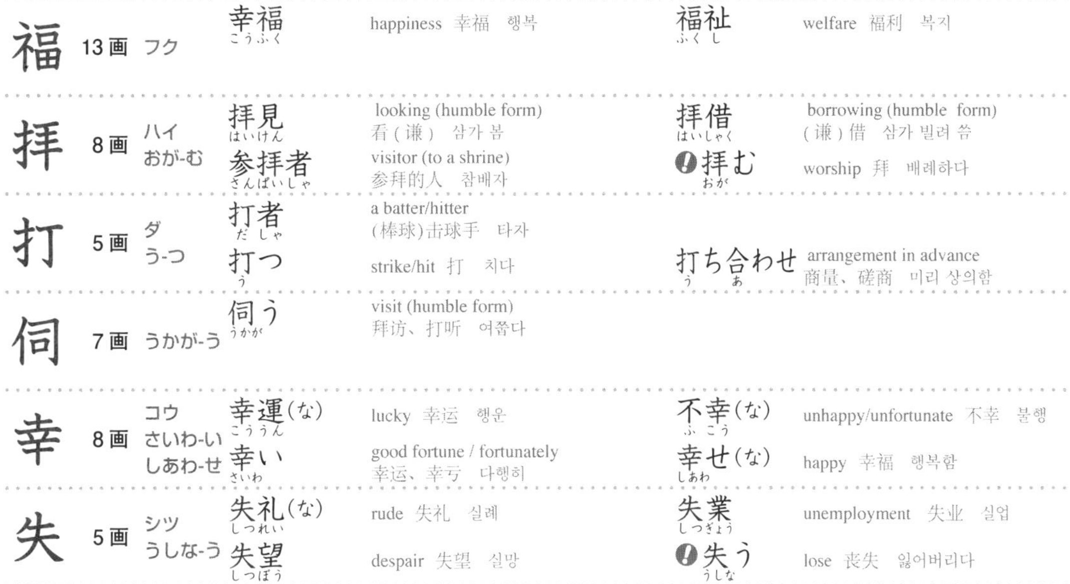

漢字	画数	読み	語	意味	語	意味
福	13画	フク	幸福（こうふく）	happiness 幸福 행복	福祉（ふくし）	welfare 福利 복지
拝	8画	ハイ おが-む	拝見（はいけん） 参拝者（さんぱいしゃ）	looking (humble form) 看（谦） 삼가 봄 visitor (to a shrine) 参拜的人 참배자	拝借（はいしゃく） ❗拝む（おがむ）	borrowing (humble form) （谦）借 삼가 빌려 씀 worship 拜 배례하다
打	5画	ダ う-つ	打者（だしゃ） 打つ（うつ）	a batter/hitter （棒球）击球手 타자 strike/hit 打 치다	打ち合わせ（うちあわせ）	arrangement in advance 商量、磋商 미리 상의함
伺	7画	うかが-う	伺う（うかがう）	visit (humble form) 拜访、打听 여쭙다		
幸	8画	コウ さいわ-い しあわ-せ	幸運（こううん）（な） 幸い（さいわい）	lucky 幸运 행운 good fortune / fortunately 幸运、幸亏 다행히	不幸（ふこう）（な） 幸せ（しあわせ）（な）	unhappy/unfortunate 不幸 불행 happy 幸福 행복함
失	5画	シツ うしな-う	失礼（しつれい）（な） 失望（しつぼう）	rude 失礼 실례 despair 失望 실망	失業（しつぎょう） ❗失う（うしなう）	unemployment 失业 실업 lose 丧失 잃어버리다

練習 正しいほうを選びなさい。

▶答え（こたえ）はp.75、読み（よみ）は別冊（べっさつ）p.7

① ちょっと（a. 拝見　b. お伺い）しますが、郵便局はどちらでしょうか。

② 君には（a. 失業　b. 失望）したよと部長に言われてしまった。

③ ご結婚おめでとう！　お（a. 幸い　b. 幸せ）に！

④ 雪のため、元日の（a. 参拝者　b. 打者）はやや少なかった。

⑤ この辺（あた）りも開発が進み、（a. 自然　b. 天然）が失われつつある。

⑥ 今の職場は友人に（a. 招待　b. 紹介）してもらった。

⑦ まっすぐ行って、（a. 突っ込み　b. 突き当たり）を右に曲がってください。

⑧（a. 失業　b. 職業）訓練を受けて仕事を見つける。

p.71の答え：①b　②a　③a　④a　⑤b　⑥a　⑦a　⑧a

第4週 5日目

かく

答案用紙（とうあんようし）

Answer Sheets
答题纸
답안용지

学習日　月　日(　)

Q. ＿＿＿の読みは？
正直

そっちょく　しょうじき　すなお　せいちょく

読んでおぼえましょう

・次の文章を読んで、それぞれの問いに対する答えとして最も適当なものを１～４から一つ選びなさい。
・次の下線部の誤りを直しなさい。

漢字	画数	読み	語	意味	語	意味
次	6画	ジ シ つぎ	一次試験（いちじしけん）	the first examination 第一次考试 1차시험	次（つぎ）	the next 下一个 다음
			❶次第（しだい）	①すぐ as soon as 立刻、听其自然 ~하는 즉시 ②~によって (depending on) the circumstances 全凭 ~에 따라		
章	11画	ショウ	文章（ぶんしょう）	a sentence/composition 文章 문장	章（しょう）	a chapter 章、徽章 장
対	7画	タイ ツイ	対する（たい）	toward/against 对于 대하다	反対（はんたい）	opposition / the reverse 反对 반대
			～対～（たい）	... versus ... ~对~ ~대~	対照的(な)（たいしょうてき）	contrasting 对照 대조적 ☞ 的 (p.91)
			対（つい）	pair/couple 对、双；一对、一双 짝, 벌		
最	12画	サイ もっと-も	最初（さいしょ）	the first/beginning 最初 최초	最後（さいご）	the last/end 最后 최후
			最近（さいきん）	recently 最近 최근	❶最も（もっと）	most 最 가장
適	14画	テキ	適当(な)（てきとう）	appropriate/reasonable 适当 적당	適切(な)（てきせつ）	appropriate/proper 适当、妥当 적절
			適する（てき）	suit / be fit for 适宜、适当 적합하다	適度(な)（てきど）	moderate 适度、酌量 알맞은 정도
誤	14画	ゴ あやま-る	誤解（ごかい）	misunderstanding 误会 오해 ☞ 解 (p.107)	❶誤り（あやま）	a mistake 错误 실수, 잘못
直	8画	チョク ジキ なお-す なお-る ただ-ちに	直線（ちょくせん）	a straight line 直线 직선	正直(な)（しょうじき）	honest 诚实 정직
			直す（なお）	fix 修改 고치다	❶素直(な)（すなお）	obedient/submissive 诚挚 솔직
			直ちに（ただ）	immediately 立刻、即刻 곧, 즉시		

・例にならって、次のそれぞれの動詞を適当な形に直しなさい。
・次の（　）の中に最も適当な助詞を書きなさい。
・１～４の中から最も適当な副詞を選び、記号を○で囲みなさい。
・次のそれぞれの言葉の反対語を書きなさい。

漢字	画数	読み	語	意味	語	意味
例	8画	レイ たと-える	例（れい）	an example 例子 예	例外（れいがい）	an exception 例外 예외
			実例（じつれい）	an example/instance 实例 실례 ☞ 実（p.94）		
			例えば（たと）	for example 例如 예를 들면	例える（たと）	compare/liken 比喻、举例说明 예를 들다
詞	12画	シ	名詞（めいし）	a noun 名词 명사	動詞（どうし）	a verb 动词 동사
			自動詞（じどうし）	an intransitive verb 自动词 자동사	他動詞（たどうし）	a transitive verb 他动词 타동사
形	7画	ケイ ギョウ かたち	形式（けいしき）	form/formality 形式 형식	形容詞（けいようし）	an adjective 形容词 형용사
			図形（ずけい）	a diagram 图形 도형	❗人形（にんぎょう）	a doll/puppet 娃娃 인형
			形（かたち）	shape/form 形状 형태		
助	7画	ジョ たす-かる たす-ける	救助（きゅうじょ）	rescue/help 救助 구조	助詞（じょし）	a particle (preposition/postposition) 助词 조사
			助手（じょしゅ）	an assistant 助手 조수		
			助かる（たす）	be saved / be helpful 得救、得到帮助 도움이 되다	助ける（たす）	help 救助、帮忙 도와주다
副	11画	フク	副詞（ふくし）	an adverb 副词 부사	副～（ふく）	vice/assistant （职）副的～ 부～
囲	7画	イ かこ-む	周囲（しゅうい）	perimeter/neighborhood 周围 주위		
			囲む（かこ）	surround 围、包围 둘러싸다		

練習 正しいほうを選びなさい。　▶答え（こた）はp.77、読み（よ）は別冊（べっさつ）p.7

① その小説の最初の（a. 章　b. 部）を読み終えたところです。

② 健康のために（a. 準備　b. 適度）な運動をするようにしています。

③ 明日行くかどうかは天気（a. 次第　b. 次第に）です。

④（a. 正直に　b. 直ちに）安全な場所に移動してください。

⑤ 周囲の住民はマンション※の建設に（a. 違反　b. 反対）している。※マンション：apartment building 高级公寓 맨션

⑥（a. 形式　b. 図形）も重要だが、内容はもっと重要だ。

⑦ 副社長がよく働いてくれるので、社長は（a. 助けて　b. 助かって）いる。

⑧ 彼女（かのじょ）は花に（a. 例えば　b. 例えると）白いユリ※です。　※ユリ：lily 百合 백합

p.73の答え：①b　②b　③b　④a　⑤a　⑥b　⑦b　⑧b

第1週 第2週 第3週 **第4週** 第5週 第6週 第7週 第8週

かく

作文（さくぶん）

Composition
作文
작문

学習日
月　　日(　)

Q. ＿＿＿ の読みは？
争う

読んでおぼえましょう

私の夢

リン・ユウ

私の専門は歴史です。特に文化史に関心があります。日本の地域の祭りについて調査しています。私は戦争がなくなるように、将来、世界の架（か）け橋となるような仕事をしたいです。人間と人間が互いに憎しみ合ったり殺し合ったりするのは悲しく恥ずかしいことだと感じています。地球は一つ。私の願いも一つ、それは平和です。

世界中の人々が家族のように愛し合い、仲良くすること、それが私の夢です。

漢字	画数	読み	語	意味	語	意味
夢	13画	ム ゆめ	夢中（むちゅう） 夢（ゆめ）	be engrossed　着迷　열중함 a dream　梦　꿈		
専	9画	セン	専門（せんもん） 専攻（せんこう）	specialty　专业，专长　전문 a major / specialty　专门研究，主修　전공	専用（せんよう）	exclusive use　专用、专门使用　전용
史	5画	シ	歴史（れきし）	history　历史　역사	～史（し）	history　～史　～사
域	11画	イキ	区域（くいき）	an area / zone　区域　구역	地域（ちいき）	an area/region　地区　지역
祭	11画	サイ まつ-り	祭日（さいじつ） （お）祭り（まつり）	a holiday / festival day　节日　국민의 축제일 festival　祭祀　축제	～祭（さい）	festival　～节　～제
査	9画	サ	検査（けんさ） 審査（しんさ）	an inspection/test　检查　검사 examination/judgement　审查　심사	調査（ちょうさ）	an investigation/inquiry　调查　조사
戦	13画	セン たたか-う	～戦（せん） 戦争（せんそう）	a fight/tournament　～战　～전 war　战争　전쟁	大戦（たいせん） 戦う（たたかう）	a major war (e.g. First World War)　大战　대전 fight　搏斗　싸우다
争	6画	ソウ あらそ-う	競争（きょうそう） ❗争う（あらそう）	☞ 競（p.142） fight/dispute　争夺　다투다，경쟁하다		

漢字	画数	読み	語	意味	語	意味
将	10画	ショウ	将来（しょうらい）	future 将来 장래	将棋（しょうぎ）	shogi 日本象棋、将棋 장기
橋	16画	キョウ はし	歩道橋（ほどうきょう）	a footbridge 天桥 육교	鉄橋（てっきょう）	a railroad bridge 铁桥 철교
			橋（はし）	a bridge 桥梁 다리	架け橋（かけはし）	a bridge / go-between 桥梁 가교
憎	14画	にく-い にく-む にく-しみ にく-らしい	憎い（にくい）	detestable 憎恨、嫉妒 밉다	憎む（にくむ）	detest 憎恨 미워하다
			憎しみ（にくしみ）	hatred/enmity 憎恨 미움	憎らしい（にくらしい）	detestable 可憎的 밉살스럽다
殺	10画	サツ ころ-す	自殺（じさつ）	a suicide 自杀 자살		
			殺す（ころす）	kill 杀 죽이다		
悲	12画	ヒ かな-しい かな-しむ	悲観（ひかん）	pessimism 悲观 비관	☞ 観（p.110）	
			悲しい（かなしい）	sad 悲伤的 슬프다	悲しむ（かなしむ）	grieve/lament 感到悲伤、悲痛 슬퍼하다
恥	10画	はじ は-ずかしい	恥（はじ）	shame/humiliation 丢脸、耻辱 수치，부끄러움		
			恥ずかしい（はずかしい）	be ashamed/embarrassed 羞耻、害羞 부끄럽다		
感	13画	カン	感じる（かんじる）	feel 感觉 느끼다	感情（かんじょう）	emotion 感情 감정
			感心（な）（かんしん）	admirable 佩服 감탄	感動（かんどう）	emotion/inspiration 感动 감동
球	11画	キュウ たま	地球（ちきゅう）	the earth 地球 지구	電球（でんきゅう）	a light bulb 灯泡 전구
			野球（やきゅう）	a baseball 棒球 야구	球（たま）	a ball/sphere 球 구슬
和	8画	ワ	平和（へいわ）	peace 和平、和睦 평화	和式（わしき）	Japanese style 日本式 일본식
愛	13画	アイ	愛（あい）	love 爱 사랑	愛する（あいする）	love 疼爱 사랑하다
			愛情（あいじょう）	love/affection 爱情 애정	恋愛（れんあい）	love/romance 恋爱 연애
仲	6画	なか	仲（なか）	relations/terms 关系、交情 사이，관계	仲間（なかま）	a friend / circle (of friends, etc) 伙伴、同事、同类 동료
良	7画	リョウ よ-い	改良（かいりょう）	improvement/reform 改良 개량		
			良い（よい）	good 好的 좋다		

練習 正しいほうを選びなさい。 ▶答え（こたえ）は p.79、読み（よみ）は別冊（べっさつ） p.7

① 弟は野球に（a. 夢中　b. 感動）で、将来はプロの選手になりたいと言っている。

② 大学では数学を（a. 専攻　b. 専門）した。

③ この建物のトイレは洋式と（a. 和式　b. 正式）の他に車いす※用のもある。 ※車いす：wheelchair 轮椅 휠체어

④ この製品は（a. 良好　b. 改良）を重ね、良い味になった。

⑤ あの人と私はオリンピックで金メダルを（a. 戦った　b. 争った）仲だ。

⑥ 姉から（a. 愛情　b. 恋愛）のこもった手紙をもらった。

p.75 の答え：①a　②b　③a　④b　⑤b　⑥a　⑦b　⑧b

かく

復習＋もっと
ふくしゅう

Review quiz + more
复习＋更加
복습 + 더

学習日
月　日（　）

復習しましょう

Q１．どの漢字を入れると、反対語になりますか。漢字の読みも書きましょう。

例）部[g]（ぶぶん）⇆ 全部（ぜんぶ）
れい

① [　]い（　）⇆ 悪い（　）

② 希望（　）⇆ [　]望（　）

③ [　]い（　）⇆ 深い（　）

④ 入院（　）⇆ [　]院（　）

⑤ 平和（　）⇆ [　]争（　）

a 良　b 浅　c 失　d 卒　e 退　f 戦　~~g 分~~　h 無

Q２．正しい読みはどちらですか。○をつけましょう。

① 幸い（a さいわい　b わざわい）　② 頼る（a たよる　b たのる）

③ 情け（a さたけ　b なさけ）　④ 天然（a てんねん　b てんぜん）

⑤ 拝む（a かがむ　b おがむ）　⑥ 正直（a すなお　b しょうじき）

⑦ 退く（a しりぞく　b くじく）　⑧ 恋愛（a へんあい　b れんあい）

⑨ 争う（a きそう　b あらそう）　⑩ 追伸（a おいしん　b ついしん）

Q３．正しい漢字はどちらですか。○をつけましょう。

① かこむ（a 囲む　b 困む）　② えいきゅう（a 営業　b 永久）

③ いのる（a 祝る　b 祈る）　④ せいべつ（a 姓別　b 性別）

⑤ まねく（a 招く　b 紹く）　⑥ こうふく（a 幸福　b 幸副）

もっと勉強しましょう

第1週 第2週 第3週 第4週 第5週 第6週 第7週 第8週

問診票（もんしんひょう）
Medical Examination Sheet 问诊表 문진표

●どうしましたか？（　　　　　　　　　）いつからですか？（　　　　　　　　　）

●痛（いた）いですか？ □はい→□腹（胃腸） □背中… □いいえ ☞痛(p.90)

●次の病気にかかったことがありますか？

□ぜん息（そく） asthma 哮喘 천식 □高血圧（こうけつあつ） □心臓病（しんぞうびょう） □血液病（けつえきびょう） □鼻炎（びえん） nasal inflammation 鼻炎 비염 □その他

●次のことに答えてください。

酒（さけ）やビールなど □飲む→量は（　　）を１日に（　　）ぐらい □飲まない ☞酒(p.124)

タバコ □吸う→量は１日に（　　　）ぐらい □吸わない

睡眠（すい） □よく眠れる □普通 □眠れない

・薬や注射（しゃ）で気分が悪くなったことがありますか？ □はい □いいえ

・食欲はありますか？ □はい □いいえ

・疲れやすいですか？ □はい □いいえ

・胸が苦（くる）しくなることがありますか？ □はい □いいえ ☞苦(p.113)

漢字	画数	読み	語	意味
腹	13画	フク / はら	腹痛（ふくつう）	stomachache 腹痛 복통
背	9画	せ	背中（せなか）	a back 脊背、背面 등
息	10画	ソク / いき	休息（きゅうそく）	rest 休息 휴식
			息（いき）	a breath 气息 숨, 호흡
			⊖息子（むすこ）	a son 儿子、男孩 아들
血	6画	ケツ / ち	高血圧（こうけつあつ）	high blood pressure 高血压 고혈압
			血（ち）	blood 血 피
圧	5画	アツ	圧力（あつりょく）	pressure 压力 압력
臓	19画	ゾウ	心臓（しんぞう）	a heart 心脏 심장
			内臓（ないぞう）	internal organs 内脏 내장
液	11画	エキ	血液（けつえき）	blood 血液 혈액
鼻	14画	ビ / はな	耳鼻科（じびか）	otorhinology 耳鼻科 이비과
			鼻（はな）	a nose 鼻子 코
			鼻水（はなみず）	nasal mucous 鼻水 콧물
吸	6画	キュウ / す-う	呼吸（こきゅう）	respiration 呼吸 호흡 ☞呼(p.95)
			吸収（きゅうしゅう）	absorption 吸收 흡수
			吸う（す）	breathe/inhale 吸，吸收，吸入 피다
眠	10画	ミン / ねむ-い / ねむ-る	睡眠（すいみん）	a sleep 睡眠 수면
			眠い（ねむ）	sleepy 想睡觉 졸리다
			眠る（ねむ）	sleep 睡觉 잠들다
			居眠り（いねむ）	doze 打瞌睡、打盹 앉아서 졺 ☞居(p.106)
欲	11画	ヨク / ほ-しい	食欲（しょくよく）	appetite 食欲 식욕
			欲張り（よくば）	greed 贪婪（的人） 욕심쟁이
			欲しい（ほ）	want 希望 갖고 싶다
疲	10画	つか-れる	疲れる（つか）	get tired/exhaust 疲劳 지치다
胃	9画	イ	胃（い）	a stomach 胃 위
			胃腸（いちょう）	a stomach and intestines 肠胃 위장
胸	10画	むね	胸（むね）	a chest/breast 胸 가슴

p.77の答え：①a ②a ③a ④b ⑤b ⑥a

かく　　　　月　日(　)

まとめの問題(もんだい)

Summary questions
综合问题
정리 문제

制限時間(せいげんじかん)：20分(ぷん)
1問(もん)4点(てん)×25問(もん)
答(こた)えはp.82
読(よ)みは別冊(べっさつ)p.7～8

点数(てんすう)　／100

問題1　＿＿＿の言葉の読み方として最もよいものを、1・2・3・4から一つ選びなさい。

1　自分は間違っていない、と彼は主張した。

1　ちゅしょう　　2　しゅっちょう　　3　じゅちょう　　4　しゅちょう

2　デパートはお歳暮の買い物をする人たちで混んでいた。

1　おさいぼ　　2　おせいぼ　　3　おとしくれ　　4　おとしだま

3　本日はお招き頂きまして、ありがとうございます。

1　おなねき　　2　おまねき　　3　おなめき　　4　おまめき

4　信用を失ってはビジネスはできない。

1　うしなって　　2　やしなって　　3　あしらって　　4　おぎなって

5　花と緑に囲まれた家に住みたい。

1　めぐまれた　　2　つつまれた　　3　かこまれた　　4　いとなまれた

6　お互いに体に気をつけて頑(がん)張りましょう。

1　おかだい　　2　おたがい　　3　おとがい　　4　おだかい

7　子どもらしく素直に育ってほしい。

1　そじき　　2　そなお　　3　そっちょく　　4　すなお

8　この歌には争いをやめようというメッセージが込められている。

1　たたかい　　2　きそい　　3　あらそい　　4　いさかい

9　結婚して以来、私はすっかり妻に頼っている。

1　はまって　　2　たもって　　3　ひたって　　4　たよって

10　スピーチで漢字を読み間違えて恥をかいた。

1　あせ　　2　いびき　　3　はじ　　4　あぐら

問題2 ＿＿＿の言葉を漢字で書くとき、最もよいものを１・２・３・４から一つ選びなさい。

11 国によって文化やしゅうかんは異なる。

1 週間　2 習慣　3 主観　4 週刊

12 うちあわせは２時からです。

1 打ち合わせ　2 待ち合わせ　3 持ち合わせ　4 落ち合わせ

13 明日はさいじつでお休みだ。

1 祝日　2 察日　3 際日　4 祭日

14 こちらに勤務先とぶしょ名をお書きください。

1 部暑　2 部所　3 部署　4 部諸

15 幼い子にきちんとあいさつをされてかんしんした。

1 喜心　2 関心　3 寒心　4 感心

16 A「どうしましたか。」
B「最近、ねむれないし、食欲もないんです。」

1 寝れない　2 慣れない　3 眠れない　4 疲れない

17 はい、いきを吸って、止めてください。はい、いいですよ。

1 域　2 行日　3 鼻　4 息

18 A「けつえき検査の結果は…異常なしですね。」
B「よかった。」

1 血役　2 血液　3 血夜　4 血駅

19 A「ごせんもんは？」
B「美術史です。」

1 専門　2 専問　3 専聞　4 専文

20 A「どちらにおつとめですか。」
B「京都大学です。」

1 務め　2 努め　3 勉め　4 勤め

問題3 （　　）に入れるのに最もよいものを、１・２・３・４から一つ選びなさい。

21 この試験に受かった人は二（　　）試験が受けられる。

1 期　　2 次　　3 部　　4 助

22 兄は消防（　　）に勤めています。

1 著　　2 所　　3 暑　　4 署

23 年賀（　　）を印刷する。

1 状　　2 札　　3 礼　　4 紙

24 おかげさまで両親は（　　）在です。

1 存　　2 健　　3 現　　4 保

25 現代社会の（　　）問題についての講演を聞く。

1 諸　　2 第　　3 総　　4 要

復習（p.78）の答え：

Q１　①a　**よい・わるい**　②c　**きぼう・しつぼう**　③b　**あさい・ふかい**

　④e　**にゅういん・たいいん**　⑤f　**へいわ・せんそう**

Q２　①a　②a　③b　④a　⑤b　⑥b　⑦a　⑧b　⑨b　⑩b

Q３　①a　②b　③b　④b　⑤a　⑥a

まとめの問題（p.80～82）の答え：

問題１　1 4　2 2　3 2　4 1　5 3　6 2　7 4　8 3　9 4　10 3

問題２　11 2　12 1　13 4　14 3　15 4　16 3　17 4　18 2　19 1　20 4

問題３　21 2　22 4　23 1　24 2　25 1

第5週

つかう②

Use ②

用②

사용하다②

つかう ②

家庭用品（ポット・ヒーター）

かていようひん

Household Goods (thermos flask, heater)
家庭用品(热水瓶・电炉)　가정용품（포트・히터）

学習日　　月　　日(　)

Q. ＿＿＿ の読みは？
触る

読んでおぼえましょう

◆ ポット

Thermos Flask
壶，热水瓶　포트

注意！傾けたり横転させると、お湯がもれて、やけどの恐れやほかのものを汚す原因となります。
幼児の手の届かないところに置いてください。

漢字	画数	読み	語	意味	語	意味
傾	13画	ケイ かたむ-く かたむ-ける	傾向（けいこう） 傾く（かたむ）	a trend/tendency　倾向　경향 tilt/incline　倾斜　기울다	傾ける（かたむ）	(make something) tilt/incline 使倾斜　기울이다
横	15画	オウ よこ	横転（おうてん） 横（よこ）	overturn 横向倒下、跌倒　옆으로 넘어짐 side　横　옆	横断歩道（おうだんほどう）	a pedestrian crossing 斑马线　횡단보도
湯	12画	トウ ゆ	熱湯（ねっとう） 湯飲み（ゆの）	boiling water 热水　뜨거운 물　☞ 熱 (p.85) teacup　茶杯　찻잔	湯（ゆ） 湯気（ゆげ）	hot water　热水　뜨거운 물 steam　蒸汽　김, 수증기
恐	10画	キョウ おそ-れる おそ-ろしい	恐怖（きょうふ） 恐れ（おそ）	fear　恐怖　공포　☞ 怖 (p.145) fear/risk　有…的危险　두려움, 공포	恐れ入ります（おそ　い） 恐ろしい（おそ）	I beg your pardon. / Excuse me. 不好意思　죄송합니다 fearful/terrible 可怕的　두렵다
原	10画	ゲン はら	原料（げんりょう） 野原（のはら）	(raw) material　原料　원료 a field　原野　들판	原産（げんさん）	origin/native 原产　원산
因	6画	イン	原因（げんいん）	a cause　原因　원인	要因（よういん）	a factor　主要原因　요인
置	13画	チ お-く	位置（いち） 置く（お）	a location　位置　위치 put　放置　두다	装置（そうち） 物置（ものおき）	device　装置　장치 a closet/storeroom 库房　광, 곳간

◆ **石油（せきゆ）ヒーター**
Kerosene Heater
煤油取暖炉　석유히터

寝るとき 消火

換気必要 1時間に 1～2回

●熱くなりますので、燃焼中は手を触れないでください。
●古い灯油は使用しないでください。

子：余った灯油は来年使えばいいね。
父：いや、使い切らないとダメなんだよ。ほら、書いてある。

漢字	画数	読み	語	意味	語	意味
寝	13画	シン ね-る	寝室（しんしつ）	a bedroom　寝室　침실	寝坊（ねぼう）	a late riser / getting up late　早上赖床　늦잠　☞ 坊（p.97）
			寝る（ね）	sleep　睡觉　자다	昼寝（ひるね）	a nap　午觉　낮잠
熱	15画	ネツ あつ-い	熱（ねつ）	heat/fever　热　열	熱心（ねっしん）(な)	enthusiastic/zealous　热心　열심
			熱中（ねっちゅう）	mania/passion/enthusiasm　热中　열중	熱い（あつ）	hot　热　뜨겁다
焼	12画	ショウ や-く や-ける	燃焼（ねんしょう）	combustion　燃烧　연소		
			焼く（や）	roast/grill　烧　태우다，굽다	焼ける（や）	be burnt/baked　燃烧　타다，구워지다
触	13画	ショク ふ-れる さわ-る	接触（せっしょく）	contact　接触　접촉　☞ 接（p.86）	感触（かんしょく）	(the sense of) touch　感触　감촉
			❗触れる（ふ）	touch/mention　触　닿다，접촉하다	❗触る（さわ）	touch　摸　건드리다，만지다
灯	6画	トウ	灯油（とうゆ）	kerosene　灯油　등유	灯台（とうだい）	a lighthouse　灯台　등대
			蛍光灯（けいこうとう）	a fluorescent light　日光灯　형광등	電灯（でんとう）	an electric light　电灯　전등
油	8画	ユ あぶら	石油（せきゆ）	oil (petroleum)　石油　석유	原油（げんゆ）	crude oil　原油　원유
			油断（ゆだん）	negligence/inattention　疏忽大意　방심，부주의	油（あぶら）	oil　油　기름
余	7画	ヨ あま-る	余分（よぶん）(な)	excessive　剩余　여분	余計（よけい）(な)	excessive / needless　多余　쓸데없음
			余裕（よゆう）	leeway (e.g. time to spare)　余裕、从容　여유	余る（あま）	be left over　剩余　남다，(수량이) 넘다

練習 **正しいほうを選びなさい。**　▶答（こた）えは p.87、読（よ）みは別冊（べっさつ） p.8

① 試験に出される問題の（a. 傾向　b. 原因）を調べて受験勉強をする。

② （a. 恐れ入ります　b. 恐ろしいです）が、荷物はそちらに置いてください。

③ アフリカ（a. 原料　b. 原産）のお茶を飲む。

④ この車には ABS という安全（a. 装置　b. 位置）がついています。

⑤ 作品には手を（a. 触れないで　b. 届けないで）ください。

⑥ 今朝は寝坊をして朝食をとる（a. 余分　b. 余裕）がなかった。

⑦ 電灯をつけるのを忘れるぐらいゲームに（a. 熱心　b. 熱中）した。

⑧ （a. 灯台　b. 灯油）は船に位置を教えます。

つかう ②

家庭用品　洗剤①

Household Goods (Detergents) ①　家庭用品(洗洁剂)①　가정용품 (세제) ①

学習日　月　日(　)

Q. ＿＿の読みは？
香り

読んでおぼえましょう

洗剤は水によく溶かしてからご使用ください。

洗濯の前にえり・そで口などの汚れに直接塗った後、洗濯機でほかの物と一緒に洗剤で洗います。泥汚れも黄ばみ※もすっきり落とします。

※黄ばみ：yellow tint　泛黄　황변

漢字	画数	読み	語	意味	語	意味
溶	13画	ヨウ と-ける と-かす	溶岩（ようがん） 溶ける（と）	lava 溶岩 용암 ☞岩(p.97) dissolve/melt/thaw 溶解 녹다	溶かす（と）	dissolve/melt 溶解 녹이다
濯	17画	タク	洗濯（せんたく）	washing 洗衣服 세탁	洗濯機（せんたくき）	a washing machine 洗衣机 세탁기
接	11画	セツ	直接（ちょくせつ） 面接（めんせつ）	direct 直接 직접 an interview 面试 면접 ☞面(p.94)	間接（かんせつ） 接近（せっきん）	indirect 间接 간접 proximity 接近 접근
塗	13画	ぬ-る	塗る（ぬ）	paint/spread 涂抹 칠하다, 바르다		
緒	14画	ショ	一緒（いっしょ）	together 一起 함께		
泥	8画	どろ	泥（どろ）	mud 泥 진흙	泥棒（どろぼう）	a thief 小偷 도둑 ☞棒(p.97)
黄	11画	オウ き	卵黄（らんおう） (卵の)黄身（きみ）	a yolk 蛋黄(卵黄) 노른자 (난황) ☞卵(p.124) ☞身(p.92)	黄色（きいろ）	yellow 黄色 노랑

漢字	画数	読み	語	意味
毛	4画	モウ け	羊毛（ようもう）	wool 羊毛 양털
			毛（け）	fur/hair/wool 毛 털
			毛皮（けがわ）	fur 毛皮 모피
糸	6画	いと	糸（いと）	a thread 线 실
			毛糸（けいと）	woollen yarn 毛线 모사
肌	6画	はだ	肌（はだ）	skin 皮肤 피부
			肌着（はだぎ）	an undershirt 贴身衣物 속옷
柔	9画	ジュウ やわ-らかい	柔軟（じゅうなん）(な)	flexible 柔软 유연제
			柔道（じゅうどう）	judo 柔道 유도
			柔（やわ）らかい	soft/tender 柔软 부드럽다
香	9画	コウ かお-り かお-る	香水（こうすい）	perfume 香水 향수
			無香料（むこうりょう）	no scent 不含香料 무향료 ☞ 無 (p.103)
			香辛料（こうしんりょう）	spice 香辣调味料 향신료 ☞ 辛 (p.112)
			香（かお）り	a scent / smell 香 향기
軟	11画	ナン やわ-らかい	軟弱（なんじゃく）(な)	weak 软弱 연약
			柔軟体操（じゅうなんたいそう）	warm-up exercises 伸展操 유연체조 ☞ 操 (p.94)
			❗軟（やわ）らかい	soft 柔软 부드럽다

練習 正しいほうを選びなさい。 ▶答え（こた）は p.89、読（よ）みは別冊（べっさつ） p.8

① スポーツには（a. 軟弱　b. 柔軟）体操は欠かせない。

② 猫（ねこ）を抱（だ）いたら、服に猫（ねこ）の（a. 毛　b. 糸）がたくさんついてしまった。

③ この化粧（しょう）品は肌の弱い方用で、（a. 香料　b. 香辛料）は使用しておりません。

④ 妹は（a. 茶道　b. 柔道）の選手です。

⑤ その看板は黄色いペンキで（a. 写して　b. 塗って）あってよく目立つ。

⑥ この風邪（かぜ）薬はお湯に（a. 溶かして　b. 溶けて）お飲みください。

⑦ 子どもたちは（a. 泥　b. 肌）だらけになって遊ぶので、洗濯が大変だ。

⑧（a. 一諸　b. 一緒）に映画に行きませんか。

p.85 の答え：①a　②a　③b　④a　⑤a　⑥b　⑦b　⑧a

第5週 3日目

つかう②

家庭用品　洗剤②

Household Goods (Cleansers) ②　家庭用品(洗洁剂)②　가정용품 (세제) ②

学習日　月　日(　)

Q. ＿＿＿の読みは？ 磨く

読んでおぼえましょう

用途および使用方法：家具、床、壁、ドアなどにスプレーし、乾いた布でふきとってください。水がしみこみやすい家具や柱などには使用できません。

漢字	画数	読み	語	意味	語	意味
途	10画	ト	用途(ようと)	a use　用途　용도	途中(とちゅう)	on the way / part way　途中　도중
			中途(ちゅうと)	midway/unfinished　中途　중도	途端(とたん)	just as (…something happened)　刚一…时　바로 그 순간, 하자마자
具	8画	グ	道具(どうぐ)	a tool　道具　도구	具合(ぐあい)	condition　情况　형편, 상태
			家具(かぐ)	furniture　家具　가구	雨具(あまぐ)	rain gear　雨具　우비
床	7画	ショウ ゆか とこ	起床(きしょう)	getting up　起床　기상	❗床(ゆか)	floor　（室内的）地板　마루
			床屋(とこや)	a barbershop　理发店　이발소		
			床の間(とこのま)	alcove (a place for traditional pictures and ornaments)　和式房间里为挂画和陈设装饰物品而略将地板加高的地方　일본건축에서 객실인 다다미방의 정면에, 바닥을 한층 높여 만들어 놓은 곳. 벽에는 족자를 걸고, 바닥에 도자기, 꽃병 등을 장식한다.		
壁	16画	かべ	壁(かべ)	wall　墙壁　벽		
乾	11画	カン かわ-く かわ-かす	乾電池(かんでんち)	a dry cell battery　干电池　건전지		
			乾く(かわく)	dry　干　마르다, 건조하다	乾かす(かわかす)	dry something　弄干、晒干、烤干　말리다
布	5画	フ ぬの	毛布(もうふ)	a blanket　毛毯　모포, 담요	分布(ぶんぷ)	distribution　分布　분포
			❗座布団(ざぶとん)	zabuton; square Japanese floor cushion　坐垫　방석		
			布(ぬの)	a cloth　布　직물		
柱	9画	チュウ はしら	電柱(でんちゅう)	a telegraph pole　电线杆子　전신주		
			柱(はしら)	a pillar/post　柱子　기둥		

虫歯・歯周病を予防する
クリピカ
薬用歯磨き

抜け毛に
お悩みの方に！
天然△△配合
ケピタ
シャンプー

使い方：
お湯で髪と頭皮をよくすすいでからお使いください。

漢字	画数	読み	語彙	意味	語彙	意味
虫	6画	チュウ むし	防虫剤（ぼうちゅうざい）	insect repellant 防虫剂 방충제	殺虫剤（さっちゅうざい）	an insecticide 杀虫剂 살충제
			虫（むし）	insect 虫 벌레	虫歯（むしば）	a decayed tooth 蛀牙 충치
歯	12画	シ は	歯科（しか）	dentistry 牙科 치과	歯周病（ししゅうびょう）	periodontal disease 牙周病 치주병
			歯医者（はいしゃ）	a dentist 牙医 치과 의사	歯車（はぐるま）	a toothed wheel 齿轮 톱니바퀴
防	7画	ボウ ふせ-ぐ	予防（よぼう）	prevention/precaution 预防 예방	消防（しょうぼう）	fire fighting 消防 소방
			防止（ぼうし）	prevention 防止 방지	❶防ぐ（ふせぐ）	prevent 防止 막다, 방지하다
磨	16画	みが-く	磨く（みがく）	polish/brush 磨 닦다, 광을 내다	歯磨き（はみがき）	tooth brushing 刷牙、牙刷 양치질
抜	7画	バツ ぬ-く ぬ-ける	抜群（ばつぐん）	outstanding/unrivaled 出众 발군, 뛰어남 ☞群（p.115）	抜く（ぬく）	remove/extract/omit 抽出 뽑다, 빼내다
			追い抜く（おいぬく）	leave behind 赶过 추월하다	抜ける（ぬける）	fall out / be missing 脱落 빠지다
悩	10画	なや-む	悩む（なやむ）	worry (about something) 烦恼 고민하다	悩み（なやみ）	a worry/distress 烦恼 고민
髪	14画	かみ	髪（かみ）	hair 头发 머리카락	髪の毛（かみのけ）	a hair 头发 머리카락
			❻白髪（しらが）	white/gray hair 白发 백발		

練習 正しいほうを選びなさい。 ▶答え（こた）は p.91、読み（よ）は別冊（べっさつ） p.8

① いい天気なので（a. 毛布　b. 分布）を洗った。よく乾いた。
② この花入れは柱にかけたり、（a. 床屋　b. 床の間）に置いたりしてください。
③ 家に帰る（a. 中途　b. 途中）、コンビニに寄って、乾電池を買った。
④（a. 床　b. 壁）にカーペットをしく。
⑤ 歯医者で歯を（a. 抜いた　b. 抜けた）ばかりなので具合が悪い。
⑥ 髪がぬれたままだと風邪（かぜ）を引くから（a. 磨いた　b. 乾かした）ほうがいいですよ。
⑦ 毛糸のセーターを引き出しにしまう際には、（a. 防虫剤（ざい）　b. 殺虫剤（ざい））を一緒に入れる。
⑧ 歯周病（a. 予防　b. 防止）によく効く歯磨き粉を買う。

p.87 の答え：①b　②a　③a　④b　⑤b　⑥a　⑦a　⑧b

家庭用品（薬）（かていようひん（くすり））

Household Goods (Medicine)
家庭用品(药品)
가정용품 (약)

学習日　月　日(　)

Q. ＿＿＿ の読みは？
浴びる

読んでおぼえましょう

くしゃみ・鼻水・せき・のどの痛み・発熱など風邪（かぜ）の諸症（しょう）状に効く！
エルタックV

肩こり・腰痛・関節・神経痛に
コリトルー55

漢字	画数	読み	語	意味	語	意味
刺	8画	シ さ-す さ-さる	名刺（めいし） 刺す（さす）	a name card 名片 명함 stab (something) 刺 찌르다	刺激（しげき） 刺さる（ささる）	a stimulus 刺激 자극 be pierced 扎 찔리다
肩	8画	かた	肩（かた）	shoulder 肩膀 어깨	肩書き（かたがき）	a title 头衔 직함
腰	13画	ヨウ こし	腰痛（ようつう） 腰掛ける（こしかける）	(lower) backache 腰痛 요통 sit 坐下 걸터앉다	腰（こし） 腰掛け（こしかけ）	waist/hip 腰 허리 a chair/seat 凳子 의자
節	13画	セツ ふし	関節（かんせつ） 節約（せつやく）	a joint 关节 관절 thrift 节约 절약	調節（ちょうせつ） ❗節（ふし）	an adjustment 调节 조절 a knot (in wood) / joint 节 마디, 이음새
神	9画	シン ジン かみ	神話（しんわ） 神経（しんけい） 神様（かみさま）	a myth 神话 신화 nerve 神经 신경 a god 神 신	神道（しんとう） 神社（じんじゃ）	Shintoism 神道 신도 a shrine 神社 신사
痛	12画	ツウ いた-い いた-む	頭痛（ずつう） 痛い（いたい）	a headache 头痛 두통 sore/painful 痛 아프다	苦痛（くつう） 痛む（いたむ）	pain/suffering 痛苦 고통 ☞ 苦(p.113) ache/hurt 疼痛 아프다, 괴롭다

●入浴後のご使用が効果的です。汗や水分を拭(ふ)き取ってから、おはりください。
●刺激(げき)や異常を感じた時は使用を中止し、医師に相談してください。
●薬の乾燥を防ぐため、開封後は点線を折り曲げて保存してください。

漢字	画数	読み	語	意味	語	意味
浴	10画	ヨク あ-びる	入浴(にゅうよく)	bathing 入浴 입욕	浴室(よくしつ)	a bathroom 浴室 욕실
			海水浴(かいすいよく)	sea bathing 海水浴 해수욕	❗浴(あ)びる	pour (water) over oneself / soak up 淋 끼얹다, 쐬다
			❻浴衣(ゆかた)	yukata (summer kimono) 浴衣 유카타 (아래위에 걸쳐서 입는 두루마기 모양의 긴 무명 홑옷)		
的	8画	テキ	目的(もくてき)	an aim / purpose 目的 목적	具体的(ぐたいてき)(な)	concrete/specific 具体的 구체적
			～的(てき)	like / in the manner of (adjectival-noun forming suffix) …的 ～적	的確(てきかく)(な)	accurate/exact 正确 정확함
汗	6画	あせ	汗(あせ)	perspiration/sweat 汗 땀		
師	10画	シ	医師(いし)	a doctor 医生 의사	教師(きょうし)	a teacher 教师 교사
			技師(ぎし)	an engineer 技师 기사 ☞技(p.149)		
談	15画	ダン	相談(そうだん)	a consultation 商量 상담	会談(かいだん)	conference/talks 会谈 회담
			冗談(じょうだん)	a joke 开玩笑 농담		
燥	17画	ソウ	乾燥(かんそう)	dryness 干燥 건조		
折	7画	セツ お-れる お-る	骨折(こっせつ)	a bone fracture 骨折 골절 ☞骨(p.143)		
			折(お)れる	break 折断 접히다, 부러지다	折(お)る	break/fold (something) 折断 접다, 구부리다

練習 正しいほうを選びなさい。 ▶答え(こた)は p.93、読(よ)みは別冊(べっさつ) p.8

① 名刺の（a. 品書き　b. 肩書き）によれば、あの人は偉(えら)い人のようだ。
② 神社には（a. 上様　b. 神様）が、寺(てら)には仏(ほとけ)様がいらっしゃいます。
③ この腰掛けは高さが（a. 調節　b. 調子）できます。
④ 虫に（a. 抜かれて　b. 刺されて）かゆい。
⑤（a. 汁　b. 汗）をかいたのでシャワーを浴びたい。
⑥ 医師に相談したら（a. 的確な　b. 快適な）助言※をしてくれた。　※助言(じょげん)＝アドバイス
⑦ 指を（a. 折って　b. 祈って）数を数える。
⑧ この洗濯機には（a. 乾電　b. 乾燥）機能も付いています。

p.89の答え：①a　②b　③b　④a　⑤a　⑥b　⑦a　⑧a

第5週
5日目

つかう ②

食品(しょくひん)
Food
食品
식품

学習日
月　日(　)

Q. ＿＿＿の読みは？
小麦粉

読んでおぼえましょう

賞味期限：X X.05.04
開封後は冷蔵庫に保管してください。

製造年月日
XX . 11.12
消費期限
XX . 11.15

外袋ごとレンジ不可
調理時間

1個	約30秒
2個	約40秒

［注意］加熱後はトレーや中身が熱くなっていますのでご注意ください。

漢字	画数	読み	語	意味	語	意味
賞	15画	ショウ	賞(しょう)	a prize　상　奖	賞金(しょうきん)	a prize (money)　奖金　상금
			賞品(しょうひん)	prize (goods)　奖品　상품	賞味期限(しょうみきげん)	best-before date　保质期　유효기간
庫	10画	コ	金庫(きんこ)	a safe　金库　금고	車庫(しゃこ)	a garage　车库　차고
			冷蔵庫(れいぞうこ)	a refrigerator　冰箱　냉장고		
造	10画	ゾウ つく-る	製造(せいぞう)	manufacture　制造　제조	改造(かいぞう)	conversion/adaptation 개조　改造
			造る(つくる)	make　制、作、造 제조하다		
費	12画	ヒ	費用(ひよう)	an expense / cost　费用　비용	～費(ひ)	expense/cost　～费　～비
			消費(しょうひ)	consumption　消费　소비		
可	5画	カ	可(か)	acceptable/possible　可以　가	不可(ふか)	unacceptable　不可以　불가
			可能(かのう)(な)	possible　可能　가능	可決(かけつ)	approval　通过　가결
秒	9画	ビョウ	秒(びょう)	a second　秒　초		
身	7画	シン み	自身(じしん)	oneself　本身　자신	出身(しゅっしん)	coming from ... 籍贯；出身；毕业　출신
			身体(しんたい)	body　身体 몸　신체	身長(しんちょう)	height　身高 신장
			❗中身(なかみ)	content 馅、里面、内容 알맹이，내용물	刺身(さしみ)	sashimi (sliced raw fish) 生鱼片 생선회

◆ インスタント・ラーメン

Instant Ramen (noodles)
方便面 인스턴트 라면

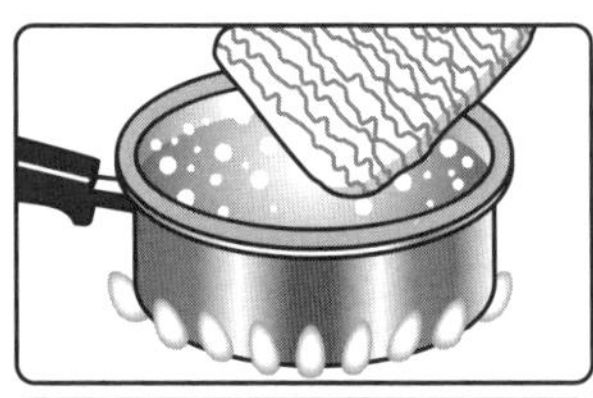

おいしい召し上がり方
①お湯カップ２杯半を沸騰させ、めんを入れて軽くほぐしながら、３分煮ます。
②火を止めてから粉末スープを加えると、できあがり！ ★お好みにより野菜や肉などを入れますと、栄養のバランスもよく召し上がれます。

漢字	画数	読み	語	意味	語	意味
召	5画	め-す	召し上がる（めしあがる）	eat (polite form) 吃、喝 드시다		
杯	8画	ハイ さかずき	～杯（はい）	... cups ～杯 ～잔	乾杯（かんぱい）	cheers! 干杯 건배
			❗杯（さかずき）	sake cup 酒杯 술잔		
沸	8画	フツ わ-く わ-かす	沸騰（ふっとう）	boiling 沸腾 （액체가）끓어오름		
			沸く（わく）	boil 沸腾 끓다	沸かす（わかす）	boil something 使…沸腾 끓이다
粉	10画	フン こ こな	粉末（ふんまつ）	powder 粉末 분말，가루	花粉（かふん）	pollen 花粉 꽃가루
			小麦粉（こむぎこ）	wheat flour 面粉 밀가루 ☞ 麦 (p.104)	粉（こな）	powder/flour 粉末 가루
末	5画	マツ すえ	月末（げつまつ）	the end of the month 月底 월말		
			末（すえ）	the end 结尾、末端 말，끝	末っ子（すえっこ）	youngest child 老幺 막내
栄	9画	エイ さか-える	栄養（えいよう）	nutrition 营养 영양	繁栄（はんえい）	prosperity 繁荣 번영
			栄える（さかえる）	flourish/prosper 繁荣、兴旺 번영하다		

練習 正しいほうを選びなさい。 ▶答え（こたえ）は p.95、読み（よみ）は別冊（べっさつ）p.8～9

① ○○酒造（しゅ）というのは酒（さけ）を（a. 製造　b. 改造）している会社です。
② この試合の（a. 費用　b. 賞金）の額は１位と２位とでは全然違う。
③（a. 身長　b. 身体）と体重をここに記入してください。
④ この電車は（a. 車庫　b. 金庫）に入りますので、ご乗車になれません。
⑤ 開封後はなるべく早く（a. お召し上がり　b. お召しになって）ください。
⑥ この町の発展（はってん）と繁栄を願って、（a. 一杯　b. 乾杯）！
⑦（a. 年末　b. 年未）年始は休業とさせていただきます。
⑧ 明日は（a. 粉末　b. 花粉）が多くなりそうです。ご注意ください。

p.91 の答え：①b　②b　③a　④b　⑤b　⑥a　⑦a　⑧b

第5週 6日目

つかう ②

パソコン・インターホン

Personal Computers, Intercom 个人电脑・对讲机 컴퓨터・인터폰

学習日 月 日( )

Q. ______ の読みは？
差出人

読んでおぼえましょう

◆ パソコン Personal Computer 个人电脑 컴퓨터

受信メール

差出人	件名
M.Sato	初めまして。
Ai Nakata	昨日の件
K.Yoshida	うかがいます
N.Kaneko	打ち合わせの件
Saki Ishii	発送しました。
Ken Sawai	受け取りました。

●日本語辞書ソフト「○○」の使い方
①インターネットに接続して、デスクトップ上の📖をクリックします。
②画面の指示に従って操作してください。
(起動しないときはメニューより「ファイルを名を指定して実行」を選び、[C：¥XXX.exe] を指定してください。)

●行挿入(そう)の操作

編集 表示 挿入(そう)
1 行 3
A 列
B

漢字	画数	読み	語	意味	語	意味
差	10画	サ さ-す	交差点(こうさてん)	an intersection 十字路口 교차점	差出人(さしだしにん)	a sender 寄件人 발송인
			差(さ)	difference 差 차이	人差し指(ひとさしゆび)	an index finger 食指 집게 손가락
			差別(さべつ)	discrimination 差别 차별		
続	13画	ゾク つづ-く つづ-ける	接続(せつぞく)	a connection 接续 접속	継続(けいぞく)	continuity 继续 계속
			続く(つづ)	continue 继续 이어지다 / 계속되다	手続き(てつづ)	a procedure 手续 수속
辞	13画	ジ や-める	辞書(じしょ)	a dictionary/lexicon 词典 사전	辞典(じてん)	a dictionary 字典 사전
			辞表(じひょう)	resignation 辞呈 사표	辞める(や)	resign/retire 辞职 사임하다 / 그만두다
面	9画	メン	画面(がめん)	a screen 画面 화면	方面(ほうめん)	direction 方面 방면
			正面(しょうめん)	front 正面 정면	面積(めんせき)	an (surface) area 面积 면적
操	16画	ソウ	操作(そうさ)	operation/manipulation 操作 조작	体操(たいそう)	exercise/gymnastics 体操 체조
実	8画	ジツ み みの-る	実行(じっこう)	practice/action 实行 실행	実験(じっけん)	an experiment 实验 실험
			事実(じじつ)	a fact 事实 사실		
			❗実(み)	a fruit/nut 果实 과실	実る(みの)	bear fruit 结果实 열매맺다
列	6画	レツ	列(れつ)	a line/queue 列 열	行列(ぎょうれつ)	a procession 行列 행렬
			列車(れっしゃ)	a train 列车 열차	列島(れっとう)	an archipelago 群岛 열도 ☞ 島 (p.109)

◆ インターホン　Intercom 对讲机 인터폰

チャイムが鳴ったら受話器を取って話します。訪問者の顔も見えます。ほかの部屋を呼び出すときは呼出ボタンを押します。非常を知らせるときは非常警報ボタンを強く押します。警報音を止めるには、カバーを裏から押し戻し、元の位置にセットします。

漢字	画数	読み	語	意味	参照	語	意味
鳴	14画	な-る な-らす な-く	鳴る（な）	ring/chime 鸣 소리가 나다, 널리 알려지다		鳴らす（な）	ring/chime (a bell) 鸣 소리를 내다, (평판・명성을) 날리다
			怒鳴る（どな）	shout 大声斥责 소리치다, 호통치다	☞怒(p.97)	鳴く（な）	chirp/croak/bleat (etc.) 啼叫 (새・벌레・짐승 등이) 울다
訪	11画	ホウ おとず-れる たず-ねる	訪問（ほうもん）	a visit 访问 방문			
			❗訪れる（おとず）	visit/come (e.g. "the day came") 拜访 방문하다, 찾아오다		❗訪ねる（たず）	visit 询问 방문하다
呼	8画	コ よ-ぶ	呼吸（こきゅう）	respiration 呼吸 호흡			
			呼ぶ（よ）	call 叫唤 부르다, 초대하다		呼び出す（よ・だ）	call/summon 唤出来 불러내다
警	19画	ケイ	警官（けいかん）	a police officer 警官 경관	☞官(p.148)	警備（けいび）	security 警备 경비
			警察（けいさつ）	police 警察 경찰	☞察(p.108)		
報	12画	ホウ	警報（けいほう）	warning/alarm 警报 경보		予報（よほう）	a forecast 预报 예보
			情報（じょうほう）	information 信息 정보		電報（でんぽう）	a telegram 电报 전보
裏	13画	うら	裏（うら）	the reverse/back 背面 뒷면, (옷의) 안		裏口（うらぐち）	a back door 后门 뒷문
			裏切る（うらぎ）	betray 背叛 배신하다		裏表（うらおもて）	both sides 正反两面 안팎, 겉과 속이 다름

練習 正しいほうを選びなさい。　▶答え（こた）はp.97、読み（よ）は別冊（べっさつ）p.9

① 訪問販売の人が何度も（a. 訪ねて　b. 栄えて）きてチャイムを鳴らす。

② 台風が近づいて雨や風が強くなり、注意報が（a. 警報　b. 電報）に変わった。

③ あの人の言動には（a. 内外　b. 裏表）があって、信用できない。

④ お客様に（a. お呼び出し　b. お呼び込み）を申し上げます。

⑤（a. 正面　b. 前面）玄関（げんかん）は閉まっていますから、裏口から入ってください。

⑥ 合格した人は入学（a. 手続き　b. 操作）をしてください。

⑦ 新製品を買いたい人の（a. 行　b. 列）が店の前から交差点まで続いている。

⑧ 私は課長（かちょう）に（a. 辞表　b. 裏表）を出した。

p.93の答え：①a　②b　③a　④a　⑤a　⑥b　⑦a　⑧b

つかう ②

復習(ふくしゅう)＋もっと

Review quiz + more
复习＋更加
복습 + 더

学習日
月 日（ ）

復習しましょう

Q1. どの漢字を入れると、反対語になりますか。漢字の読みも書きましょう。

例(れい)) [a]い （ あつい ） ⇆ 冷たい （ つめたい ）

① 寝る （ ） ⇆ [ ]きる （ ）

② 原因 （ ） ⇆ 結[ ] （ ）

③ [ ]る （ ） ⇆ 足りない （ ）

④ [ ]接 （ ） ⇆ 間接 （ ）

⑤ 表 （ ） ⇆ [ ] （ ）

~~a 熱~~ b 暑 c 裏 d 起 e 関 f 果 g 余 h 直

Q2. 正しい読みはどれですか。○をつけましょう。

① 召し上がる（a めしあがる b ねしあがる）
② 沸く（a わく b なく）
③ 訪ねる（a おとずねる b たずねる）
④ 磨く（a みがく b まがく）
⑤ 傾く （a かたむく b かたづく）
⑥ 秒 （a びょう b みょう）
⑦ 触れる（a はれる b ふれる）
⑧ 肌 （a かだ b はだ）
⑨ 溶ける（a とける b よける）
⑩ 白髪（a しがら b しらが）

Q3. 正しい漢字はどれですか。○をつけましょう。

① あせ（a 汗 b 汁）
② ぬる （a 塗る b 実る）
③ おる（a 祈る b 折る）
④ ゆかた （a 豊か b 浴衣）
⑤ すえ（a 末 b 未）
⑥ せんたく（a 洗曜 b 洗濯）

漢字を使って遊ぼう

Playing with Kanji　玩汉字游戏　한자를 써서 놀자

◆**ステップ1**　パズルの中には次のことばが使われています。a～mにひらがなを入れてパズルを完成させましょう。[タテ]は上から下、[ヨコ]は左から右に読みます。

[ヨコ]
泥棒 thief 小偷 도둑　　枯れる wither 枯萎 마르다, 시들다　　舟 boat 舟 배
貧しい poor 贫穷 가난하다, 빈약하다　　昔 long ago / old times 从前 옛날　　岩 rock 岩石 바위
~~泣く cry/weep 哭 울다~~　　咲く bloom 开花 （꽃이）피다
司会 moderation/facilitation (of a meeting) 司仪 사회　　残念 regret/disappointment 遗憾 유감

[タテ]
涼しい cool 凉快 시원하다, 선선하다
散歩 walk/stroll 散步 산책
吹く blow 吹 불다
赤ん坊 baby 婴儿 아기
怒る be angry 生气 화내다, 꾸짖다
家畜 livestock 家禽 가축
才能 ability/talent 才能 재능
珍しい rare 珍贵 희귀하다, 신기하다

例）[ヨコ]の「泣く」の読みは「なく」ですから、mに「く」を書きます。

				c					a	ね
				ず		さ		な	m く	
		め		し	か	e				l
	ま	d	し	い		の				こ
		ら				う		g	れ	る
む	か	b			あ			ち		
		い	i		か		h	く		
				j	ん	f	ん			
					ぼ		ぽ			
		ど	ろ	ぼ	k					

◆**ステップ2**　次の漢字はどう読みますか。書き入れたひらがなを例）のように組み合わせるとわかりますよ。（答えはp.100）

例）節 ab（ふし）　①　鈴 cd（　　）　②　稲　ef（　　）
③　傘 gh（　　）　④　技 ij（　　）　⑤　魚　kl（　　）

☞ 組（p.103），技（p.149）

棒 12画 ボウ
枯 9画 か-れる
舟 6画 ふね
貧 11画 まず-しい
昔 8画 むかし
岩 8画 ガン いわ
泣 8画 な-く
咲 9画 さ-く
司 5画 シ
念 8画 ネン
涼 11画 すず-しい すず-む
散 12画 サン ち-る/ち-らす ち-らかす ち-らかる
吹 7画 ふ-く
坊 7画 ボウ ボッ
怒 9画 ド おこ-る
畜 10画 チク
才 3画 サイ
珍 9画 めずら-しい

p.95の答え：①a　②a　③b　④a　⑤a　⑥a　⑦b　⑧a

つかう ②

月　日（　）

まとめの問題（もんだい）

Summary questions
综合问题
정리 문제

制限時間（せいげんじかん）：20分（ぷん）
1問（もん）4点（てん）× 25問（もん）
答（こた）えは p.100
読（よ）みは別冊（べっさつ） p.9

点数（てんすう）
／100

問題１　＿＿＿の言葉の読み方として最もよいものを、１・２・３・４から一つ選びなさい。

1　苦労をすると<u>白髪</u>が多くなると言います。

1　かつら　　2　しろげ　　3　はくが　　4　しらが

2　<u>布</u>製のバッグに本を入れる。

1　むの　　2　なの　　3　ふの　　4　ぬの

3　地震で家が<u>傾いた</u>。

1　ひびいた　　2　きずついた　　3　かたむいた　　4　おどろいた

4　日本のお土産に<u>浴衣</u>はいかがですか。

1　ゆかた　　2　せんす　　3　うちわ　　4　ゆのみ

5　この虫は指で<u>触る</u>と体を丸くします。

1　いじる　　2　ふれる　　3　さわる　　4　あたる

6　<u>物置</u>に眠っている不用品を回収いたします。

1　そうこ　　2　もつおき　　3　ぶっち　　4　ものおき

7　私は５人兄弟の<u>末っ子</u>です。

1　まつっこ　　2　すえっこ　　3　みっこ　　4　ひとりっこ

8　木の<u>実</u>を拾い集める。

1　み　　2　は　　3　こ　　4　ね

9　お湯が<u>沸いた</u>。

1　ふいた　　2　まいた　　3　わいた　　4　ないた

10　<u>悩み</u>を相談する人がいない。

1　なやみ　　2　むやみ　　3　のぞみ　　4　ねたみ

問題2 ＿＿＿の言葉の読み方として最もよいものを、１・２・３・４から一つ選びなさい。

11 台風が日本にせっきんしている。

1 最近　　2 接近　　3 間近　　4 遠近

12 彼女は北海道しゅっしんです。

1 中身　　2 自身　　3 白身　　4 出身

13 かぐを買わずにレンタルする。

1 家具　　2 家貝　　3 家見　　4 家旦

14 かべにポスターがはってあります。

1 柱　　2 壁　　3 床　　4 布

15 水をいっぱいください。

1 一枚　　2 一杯　　3 一抜　　4 一牧

16 A「あの優しい先生が怒ったんだって。」
B「めずらしいね。」

1 珍しい　　2 涼しい　　3 悲しい　　4 貧しい

17 A「さいたと思ったら、もう散っちゃった。」
B「風が強かったからね。」

1 吹いた　　2 泣いた　　3 咲いた　　4 鳴いた

18 A「結婚式のしかいを頼みたいんだけど。」
B「私なんかでよければ…。」

1 伺会　　2 何会　　3 司会　　4 同会

19 A「どうしたんですか。」
B「どろぼうです、あの人！私の自転車…。」

1 泥坊　　2 泥防　　3 泥忙　　4 泥棒

20 A「むかし通った店を訪ねたら、もうなくなっていたよ。」
B「残念ね。」

1 岩　　2 昔　　3 畜　　4 舟

問題3 （　　）に入れるのに最もよいものを、１・２・３・４から一つ選びなさい。

21 強いにおいが苦手なので、（　　）香料のものを選ぶ。

1　無　　2　非　　3　不　　4　全

22 一ヵ月の食（　　）はいくらぐらいかかりますか。

1　賃　　2　代　　3　費　　4　料

23 ここは追い（　　）禁止区間です。

1　付き　　2　込み　　3　出し　　4　抜き

24 1分は60（　　）だ。

1　砂　　2　科　　3　秒　　4　料

25 日本の代表（　　）な祭りに参加する。

1　式　　2　的　　3　色　　4　化

復習＋もっと（p.96～97）の答え：

復習　Q1　①d　**ねる・おきる**　②f　**げんいん・けっか**　③g　**あまる・たりない**
④h　**ちょくせつ・かんせつ**　⑤c　**おもて・うら**
Q2　①a　②a　③b　④a　⑤a　⑥a　⑦b　⑧b　⑨a　⑩b
Q3　①a　②a　③b　④b　⑤a　⑥b

もっと　①　**すず**　②　**いね**　③　**かさ**　④　**わざ**　⑤　**うお**

まとめの問題（p.98～100）の答え：

問題1　1 **4**　2 **4**　3 **3**　4 **1**　5 **3**　6 **4**　7 **2**　8 **1**　9 **3**　10 **1**
問題2　11 **2**　12 **4**　13 **1**　14 **2**　15 **2**　16 **1**　17 **3**　18 **3**　19 **4**　20 **2**
問題3　21 **1**　22 **3**　23 **4**　24 **3**　25 **2**

第6週

みる②

Look and See ②

看②

보다②

第6週 1日目

みる②

広告(こうこく)・チラシ

Advertisements, Leaflets
广告・广告单
광고・전단지

学習日　月　日(　)

見ておぼえましょう

漢字	画数	読み	語	意味	語	意味
得	11画	トク え-る う-る	得(とく)	a profit/benefit 有利 얻음, 이득	納得(なっとく)	assent/understanding 理解 납득
			得る(え/う)	obtain 得到 얻다	心得る(こころえ)	understand / be well aware 领会 이해하다, 터득하다
告	7画	コク つ-げる	広告(こうこく)	an advertisement 广告 광고	報告(ほうこく)	a report 报告 보고
			警告(けいこく)	warning/caution 警告 경고	❗告げる(つ)	inform 告诉 고하다, 알리다
税	12画	ゼイ	税金(ぜいきん)	a tax 税金 세금	消費税(しょうひぜい)	a consumption tax 消费税 소비세
			税関(ぜいかん)	Customs 海关 세관	課税(かぜい)	taxation 课税 과세 ☞ 課(p.121)
価	8画	カ	定価(ていか)	a fixed price 定价 정가	物価(ぶっか)	price / cost of living 物价 물가
格	10画	カク	価格(かかく)	a price 价格 가격	性格(せいかく)	character/personality 性格 성격
超	12画	チョウ こ-える こ-す	超〜(ちょう)	ultra-/super- 超〜 초〜	超過(ちょうか)	excess/surplus 越过 초과
			超える(こ)	get over / go over / exceed 越过 넘다, 초과하다	超す(こ)	cross/pass/exceed 超过 넘다, 초과하다
均	7画	キン	平均(へいきん)	an average 平均 평균	均等(きんとう)	uniformity/equality 均等 균등
			❗均一(きんいつ)	uniformity 均等 균일		

紳士靴・婦人靴、
2足まとめて買えば
2足目は半額！
子供靴は対象外です。
組み合わせ自由！
さらに値引きします
靴のスーパー
ヤマイチ
新規カード会員募集中！年会費無料！

こんなに買っちゃった～

漢字	画数	読み	語	意味	語	意味
靴	13画	くつ	靴（くつ）	shoes 鞋子 신발，구두	靴下（くつした）	socks 袜子 양말
			長靴（ながぐつ）	boots 靴子 장화	雨靴（あまぐつ）	rain shoes 雨靴 우화，레인슈즈
供	8画	キョウ とも	提供（ていきょう）	an offer / a tender 提供 제공		
			子供（こども）	a child 小孩 아이，어린이		
象	12画	ショウ ゾウ	印象（いんしょう）	an impression 印象 인상	現象（げんしょう）	a phenomenon 现象 현상
			対象（たいしょう）	object (e.g. of study) 対象 대상	象（ぞう）	an elephant 象 코끼리
組	11画	ソ く-む くみ	組織（そしき）	an organization 组织 조직	番組（ばんぐみ）	a (TV) program 节目 방송프로
			組み合わせ（くみあわせ）	combination 搭配 편성	組合（くみあい）	an association 组合 조합
値	10画	チ ね あたい	価値（かち）	value/worth 价值 가치	数値（すうち）	an numerical value 数值 수치
			値段（ねだん）	a price 价格 가격	❗値（あたい）	value 价值 가격，가치
募	12画	ボ つの-る	募集（ぼしゅう）	recruitment 招募 모집	応募（おうぼ）	an application 应征 응모 ☞応（p.120）
			募金（ぼきん）	fund-raising 募捐 모금	❗募る（つのる）	collect/raise (money), recruit 越来越厉害 모으다，모집하다
無	12画	ム ブ な-い	無料（むりょう）	no charge 免费 무료	❗有無（うむ）	existence or nonexistence 有无 유무
			❗無事（ぶじ）	unharmed/safe 平安 무사	～無し（なし）	no ... ～无 ～없음

練習 正しいほうを選びなさい。 ▶答（こた）えは p.105、読（よ）みは別冊（べっさつ） p.9

① (a. 税込　b. 税別) 価格というのは消費税が入った値段のことです。

② 広告が事実と異なり、(a. 心得　b. 納得) がいかない場合はこちらにご連絡を。

③ ○○ランドの入場者数がすでに百万人を (a. 超え　b. 告げ) ました。

④ 世界で最も (a. 定価　b. 物価) の高い都市はどこでしょう。

⑤ 子供を (a. 対象　b. 対照) としたテレビ番組を制作（せいさく）する。

⑥ コレステロールの (a. 数値　b. 価値) が上がっているので注意してください。

⑦ (a. 靴下　b. 雨靴) は無いが、ぬれてもいい靴ならある。

⑧ この番組は○○食品の (a. 提供　b. 現象) でお送りしました。

みる ②

折り込み広告（おりこみこうこく）

Advertising Inserts
夹报广告
접어서 끼워넣는 광고물

学習日　　月　　日(　)

Q. ＿＿＿の読みは？
破れる

こわれる

見ておぼえましょう

漢字	画数	読み	語	意味	語	意味
詰	13画	つ-める つ-まる	詰める(つ)	stuff/cram/pack 塞满、填满 채워 넣다, 담다	缶詰(かんづめ)	food etc. in a can 罐头 통조림
			箱詰め(はこづ)	food etc. in a box 装箱 상자에 담음		
麦	7画	むぎ	小麦粉(こむぎこ)	(wheat) flour 面粉 밀가루	麦畑(むぎばたけ)	a wheat field 麦田 보리밭
純	10画	ジュン	純粋(な)(じゅんすい)	pure 纯粹 순수	純情(な)(じゅんじょう)	a pure heart 纯情 순정
			単純(な)(たんじゅん)	simple / simple-minded 单纯 단순 ☞単(p.120)	純国産(じゅんこくさん)	purely domestic product 纯国产 순국산
草	9画	ソウ くさ	雑草(ざっそう)	weed 杂草 잡초	除草(じょそう)	weeding 除草 제초
			草(くさ)	grass 草 풀	草花(くさばな)	a flowering plant 花草 화초
塩	13画	エン しお	食塩(しょくえん)	table salt 食盐 식염		
			塩(しお)	salt 盐 소금		
固	8画	コ かた-い かた-まる	固定(こてい)	stability/fixation 固定 고정	固体(こたい)	solid (body) 固体 고체
			固形(こけい)	solid (form) 固体 고형		
			固い(かた)	hard 坚固 딱딱하다	固まる(かた)	harden 凝固 굳어지다, 딱딱해지다
演	14画	エン	実演(じつえん)	a demonstration 实际演出 실연	演技(えんぎ)	acting/performance 演技 연기 ☞技(p.149)
			演習(えんしゅう)	exercises/maneuvers 演习 연습	演説(えんぜつ)	a speech/oration 演说 연설

地下食品売り場 **和菓子・洋菓子祭り！**

贈り物・帰省土産（みやげ）に最適！
全国発送承ります！

7階家具売り場
改装のため売りつくし
各種家具を破格値で！
展示品・在庫品
現品大処分！

西急デパート

漢字	画数	読み	語	意味	語	意味
菓	11画	カ	菓子（かし）	sweets 点心 과자		
			和菓子（わがし）	Japanese sweets 日本式点心 일본식 과자	洋菓子（ようがし）	Western sweets 西式点心 서양 과자
贈	18画	おく-る	贈り物（おくりもの）	a gift 礼物 선물	贈る（おくる）	present/give 赠送 보내다, 선사하다
省	9画	セイ ショウ はぶ-く	帰省（きせい）	homecoming 返乡 귀성	反省（はんせい）	self-examination 反省 반성
			～省（しょう）	Ministry of… ～部 ～성	省エネ（しょうエネ）	energy saving 节省能源 에너지 절약
			省略（しょうりゃく）	an abbreviation/omission 省略 생략 ☞略(p.111)	❗省く（はぶく）	delete/omit 省略 줄이다, 생략하다
承	8画	ショウ うけたまわ-る	了承（りょうしょう）	consent/approval 了解 승낙, 양해	承認（しょうにん）	approval/confirmation 承认 승인
			承知（しょうち）	knowledge/consent 知道 알고 있음, 승낙함	❗承る（うけたまわる）	serve/attend to 接受；听（谦让语） 삼가 받다, 삼가 듣다
展	10画	テン	展覧会（てんらんかい）	an exhibition 展览会 전람회	展示（てんじ）	exhibition/display 展览 전
			～展（てん）	… exhibition ～展 ～전	発展（はってん）	development 发展 발전
破	10画	ハ やぶ-れる やぶ-る	破格（はかく）	exceptional 破例 파격	破産（はさん）	bankruptcy 破产 파산
			破片（はへん）	a fragment 破片 파편		
			破れる（やぶれる）	break/rip 被打破 깨지다, 부서지다	破る（やぶる）	break/rip/violate (something) 弄破 깨다, 부수다
処	5画	ショ	処理（しょり）	disposal/processing 处理 처리	処置（しょち）	management/measure 处置 처치
			処分（しょぶん）	disposal/punishment 处分 처분		

練習 正しいほうを選びなさい。　▶答え（こたえ）はp.107、読み（よみ）は別冊（べっさつ）p.10

① 草花や野菜、果物などを箱に（a. 詰めて　b. 固めて）出荷する。

② その作業は（a. 純粋　b. 単純）だが、ミスをすると危険だ。

③ 商品を使ったり作ったりして見せて売ることを（a. 実演　b. 演習）販売という。

④ 年に2回、住民による地域の（a. 雑草　b. 除草）作業が行われる。

⑤ 事故（じこ）（a. 処置　b. 処理）中の道路に、まだ車の破片が散らばっている。

⑥ 贈り物の包装はサービスカウンターで（a. 承ります　b. 預ります）。

⑦ 省エネというのはエネルギーを（a. 省略　b. 節約）することです。

⑧ 全国の珍しいお菓子を集めた（a. 展示　b. 発展）会が開かれた。

p.103の答え：①a　②b　③a　④b　⑤a　⑥a　⑦b　⑧a

第6週 3日目

みる ②

広告（こうこく）

Advertisements
广告
광고

学習日　月　日（　）

Q. ＿＿＿の読みは？
徒歩

読んでおぼえましょう

くりこま温泉
花の宿 むらやま
四季折々の美しい花々と
豊かな旬（しゅん）の味が自慢（まん）

くりこま駅より送迎バス有り
1泊2食付　お一人様　7,800円～

漢字	画数	読み	語	意味	語	意味
泉	9画	セン いずみ	温泉（おんせん） 泉（いずみ）	a hot spring 温泉 온천 a spring 泉 샘		
宿	11画	シュク やど	宿題（しゅくだい） ❗宿（やど）	a homework 课外作业 숙제 an inn 旅店 숙소, 여관	下宿（げしゅく）	lodgings 出租的房子 하숙
季	8画	キ	季節（きせつ） 冬季（とうき）	a season 季节 계절 the winter season 冬季 동계	四季（しき）	four seasons 四季 사계
豊	13画	ホウ ゆた-か	豊作（ほうさく） ❗豊（ゆた）か（な）	a bumper crop 丰收 풍작 wealthy/abundant 丰富 풍족함, 부유함		
富	12画	フ と-む とみ	豊富（ほうふ）（な） 富（と）む	abundant 丰富 풍부 be wealthy/abundant 富有 부유하다, 풍부하다	富士山（ふじさん） ❗富（とみ）	Mount Fuji 富士山 후지산 wealth 财富 부, 재산
迎	7画	ゲイ むか-える	送迎（そうげい） 迎（むか）える	a pickup service 接送 송영 (go to) meet / welcome 迎接 맞이하다	歓迎（かんげい） 出迎（でむか）え	a welcome 欢迎 환영 going to meet someone (e.g. at the station) 迎接 마중
泊	8画	ハク と-まる と-める	～泊（はく） 泊（と）まる	... night stay ～夜 ～박 stay 投宿 묵다, 머물다	宿泊（しゅくはく）	lodging 住宿 숙박
居	8画	キョ い-る	入居（にゅうきょ） 居眠（いねむ）り	moving into (e.g. an apartment) 入住 입주 a doze 打瞌睡、打盹儿 앉아서 졺	居間（いま） 居（い）る	a living room 起居室 거실 be 在 있다, 존재하다

入居者募集！

築16年　角部屋※

駅から徒歩5分

家賃5.9万円　管理費4,000円

礼金※1　敷金(しき)※2

ワンルーム　15畳35平米

保証(しょう)金・解約金なし

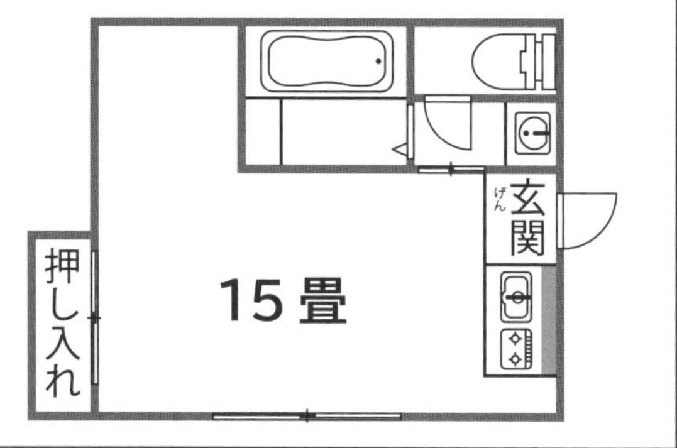

※角部屋：coener room　角落屋　코너 하우스　※礼金：key money　不退还性保证金　반환할 수 없는 보증금

※敷金：security deposi　押金　보증금

漢字	画数	読み	語	意味	語	意味
築	16画	チク	築(ちく)～年(ねん)	built in …(year) 修筑~年 지은 지 ~년	建築(けんちく)	architecture　建筑　건축
角	7画	カク かど	三角(さんかく) 方角(ほうがく)	a triangle　三角　삼각 direction/way　方向　방위，방향	角度(かくど) ❗角(かど)	an angle　角度　각도 a corner　角　모퉁이
徒	10画	ト	生徒(せいと)	a student　学生　생도，학생	徒歩(とほ)	going on foot　徒步　도보
畳	12画	ジョウ たた-む たたみ	～畳(じょう) 畳(たたみ)	…mats　～叠　~조（～帖(じょう)とも書く） tatami (Japanese straw mat) 榻榻米　다타미	畳(たた)む	fold　叠　개다，개키다
米	6画	ベイ マイ こめ	欧米(おうべい) ❗新米(しんまい)	Europe and America / the West 欧美 구미（유럽과 미국）　☞欧(p.140) ① new rice　新米　햅쌀 ② new face　新进员工，新手　신인	平米(へいべい) 米(こめ)	square meters　平方米　평방미터 rice　稻米　쌀
解	13画	カイ と-く	解説(かいせつ) 解放(かいほう) 解約(かいやく)	an explanation　解说　해설 a release　解放 해방 a cancellation (of a contract) 解除契约　해약	解決(かいけつ) 解散(かいさん) ❗解(と)く	a solution　解决　해결 dissolution　解散　해산 solve/untie　解答　풀다，뜨다

練習 正しいほうを選びなさい。　▶答(こた)えはp.109、読(よ)みは別冊(べっさつ)p.10

① 週末は富士山の近くの温泉（a. 家　b. 宿）に泊まる予定です。

② 冬季オリンピック選手の帰国を空港で（a. 出迎える　b. 迎えに行く）。

③ この町は自然に囲まれた緑（a. 豊かな　b. 富む）ところです。

④ 明日から（a. 1泊　b. 1晩）2日の旅行に行きます。

⑤ 様々な（a. 方角　b. 角度）からアプローチして問題を解決する。

⑥ 居間と食堂を合わせて12（a. 畳　b. 置）です。

⑦ 私は大学で（a. 新築　b. 建築）の勉強をしています。

⑧ お金が必要になったので、定期預金を（a. 解約　b. 解決）する。

p.105の答え：①a　②b　③a　④b　⑤b　⑥a　⑦b　⑧a

みる ②

地図(ちず)

Maps
地图
지도

学習日 月 日( )

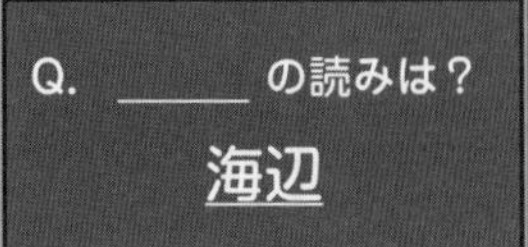

見ておぼえましょう

◆ 駅周辺地図(えきしゅうへんちず)

Map of the Station and Surrounding Area
火车站周边地图 역주변 지도

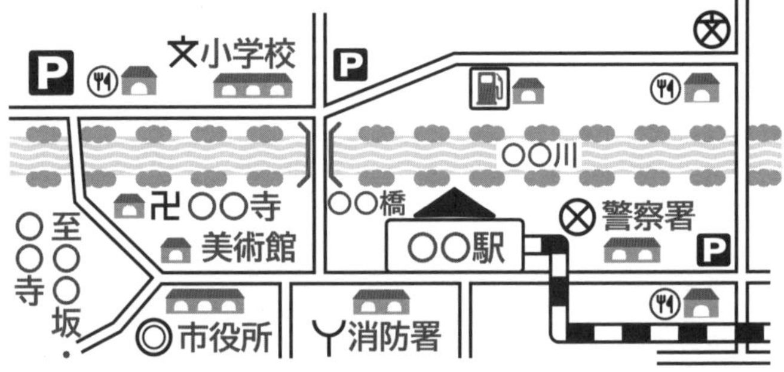

漢字	画数	読み	語	意味	語	意味
辺	5画	ヘン あた-り べ	この辺(へん)	around here 这边 이 근처	周辺(しゅうへん)	vicinity 周围 주변
			❗辺(あた)り	around 附近 근처, 부근	海辺(うみべ)	a beach 海边 바닷가
察	14画	サツ	警察(けいさつ)	police 警察 경찰	診察(しんさつ)	a (medical) consultation 诊断 진찰
役	7画	ヤク エキ	役所(やくしょ)	a government office 官署 관청, 관공서	役目(やくめ)	a role / duty 任务 역할
			役者(やくしゃ)	an actor 演员 배우	現役(げんえき)	active service 现役 현역
美	9画	ビ うつく-しい	美人(びじん)	a beautiful woman 美人 미인	美容(びよう)	beauty treatment 美容 미용
			美(うつく)しい	beautiful 漂亮 아름답다		
術	11画	ジュツ	美術(びじゅつ)	(fine) art 美术 미술	技術(ぎじゅつ)	technique/technology 技术 기술 ☞技(p.149)
			手術(しゅじゅつ)	surgery/operation 手术 수술	芸術(げいじゅつ)	art 艺术 예술 ☞芸(p.111)
坂	7画	さか	坂(さか)	hill/slope 斜坡 고개	～坂(ざか)	… Hill ～坡 ～고개
寺	6画	ジ てら	～寺(じ)	…Temple ～寺 ～사	寺院(じいん)	a temple/ an abbey 寺院 사원
			寺(てら)	a temple 寺庙 절		

◆ 観光地図（かんこうちず）

Sightseeing Map
观光地图 관광지도

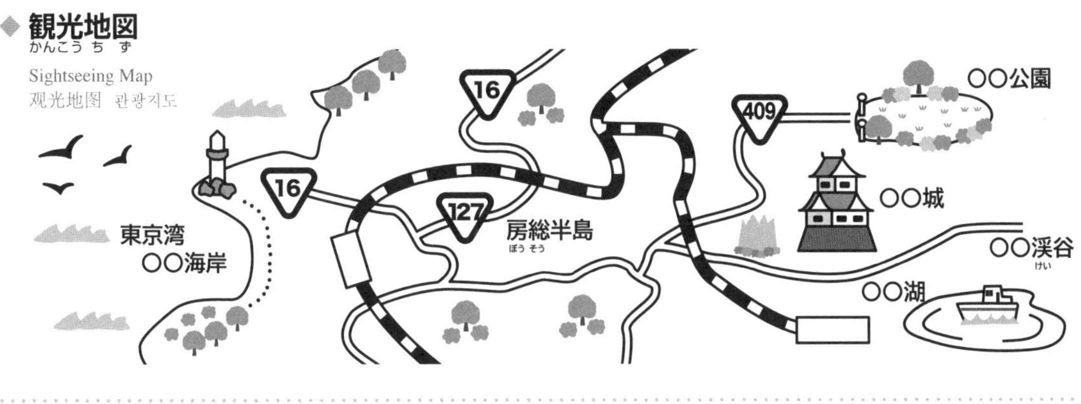

漢字	画数	読み	語	意味	語	意味
湾	12画	ワン	湾（わん）	a bay 湾 만	～湾（わん）	... Bay ～湾 ～만
島	10画	トウ しま	～島（とう）	... Island ～岛 ～도	半島（はんとう）	a peninsula 半岛 반도
			列島（れっとう）	an archipelago 群岛 열도	島（しま）	an island 岛 섬
岸	8画	ガン きし	海岸（かいがん）	a seashore 海岸 해안	湾岸（わんがん）	a gulf 海湾的沿岸 만의 연안
			岸（きし）	a shore/bank 岸 물가	川岸（かわぎし）	a riverbank 河岸 강변
園	13画	エン	公園（こうえん）	a park 公园 공원 ☞ 公 (p.123)	動物園（どうぶつえん）	zoo 动物园 동물원
			遊園地（ゆうえんち）	an amusement park 游乐场 유원지	～園（えん）	... Park ～园 ～원
湖	12画	コ みずうみ	～湖（こ）	... Lake ～湖 ～호		
			湖（みずうみ）	a lake 湖 호수		
城	9画	ジョウ しろ	～城（じょう）	... Castle ～城 ～성		
			城（しろ）	a castle 城 성		
谷	7画	コク たに	渓谷（けいこく）	a gorge/ravine 溪谷 계곡	谷（たに）	a valley 谷 골짜기
			谷間（たにま）	a valley/ravine 峡谷 산골짜기	谷川（たにがわ）	a mountain stream 山谷间的溪流 계류

練習 正しいほうを選びなさい。 ▶答え（こたえ）はp.111、読み（よみ）は別冊（べっさつ）p.10

① この（a. 坂　b. 役）を上ると美しいお寺がありますよ。

② 市役所は（a. 警察　b. 診察）署の向かいにあります。

③ 日本の科学（a. 技術　b. 手術）を学ぶために来ました。

④ あのお相撲さんは（a. 現役　b. 役目）を引退して解説者になるそうだ。

⑤ 湖の（a. 岸　b. 谷）に白鳥（はくちょう）がたくさんいるのが見える。

⑥ 日本（a. 半島　b. 列島）を北から南まで旅行してみたい。

⑦ この公園の中に、お（a. 城　b. 湾）や植物園があります。

⑧（a. 渓谷　b. 海岸）には波（なみ）で打ち寄せられたごみが落ちていた。

p.107 の答え：①b　②a　③a　④a　⑤b　⑥a　⑦b　⑧a

第6週 5日目

みる②

文化財（ぶんかざい）・展示（てんじ）

Cultural Property
文物・展示
문화재・전시

学習日　月　日(　)

Q. ＿＿＿の読みは？
宝物

見ておぼえましょう

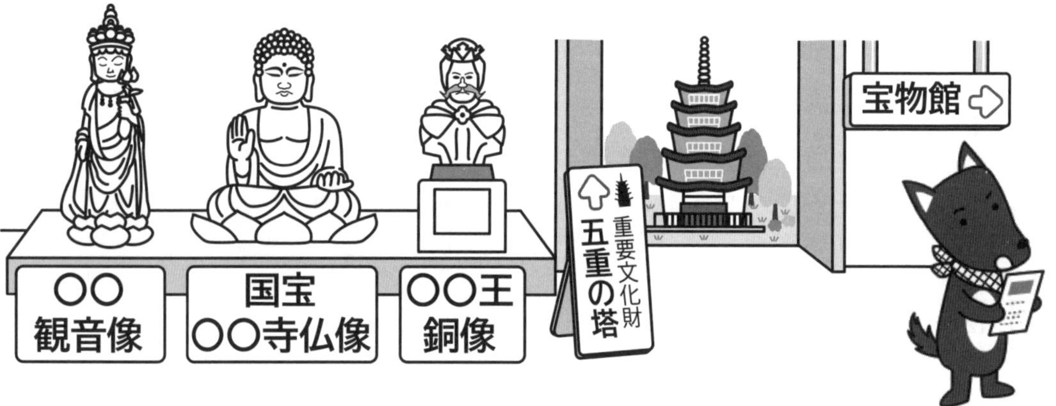

漢字	画数	読み	語	意味	語	意味
財	10画	ザイ サイ	財産（ざいさん）	property/fortune 财产 재산	文化財（ぶんかざい）	cultural property 文化财产 문화재
			(!) 財布（さいふ）	a wallet/purse 钱包 지갑		
観	18画	カン	観光（かんこう）	sightseeing 观光 관광	観客（かんきゃく）	a spectator/audience 观众 관객
			観察（かんさつ）	observation 观察 관찰	(!) 観音（かんのん）	Kannon/the Buddhist Deity of Mercy 观世音菩萨 관음, 관세음
宝	8画	ホウ たから	宝石（ほうせき）	a jewel/gem 宝石 보석	宝物館（ほうもつかん）	museum of treasures 宝物馆 보물관
			国宝（こくほう）	a national treasure 国宝 국보	宝物（たからもの）	treasure 宝物 보물
仏	4画	ブツ ほとけ	仏教（ぶっきょう）	Buddhism 佛教 불교	仏像（ぶつぞう）	a statue of Buddha 佛像 불상
			仏（ほとけ）	Buddha/deceased person 佛 불, 부처	日仏（にちふつ）	Japan and France 日本和法国 일본과 프랑스
王	4画	オウ	国王（こくおう）	a king 国王 국왕	王子（おうじ）	a prince 王子 왕자
			王女（おうじょ）	a princess 公主 왕녀	女王（じょおう）	a queen 女王 여왕
銅	14画	ドウ	銅（どう）	copper/bronze 铜 동	銅像（どうぞう）	a bronze statue 铜像 동상
塔	12画	トウ	塔（とう）	a tower/pagoda 塔 탑	五重の塔（ごじゅうのとう）	a five-storied pagoda 五重塔 오층탑
			～塔（とう）	… Pagoda ～塔 ～탑		

漢字	画数	読み	語	意味	語	意味
絵	12画	エ カイ	絵（え）	a picture 画 그림	絵の具（えのぐ）	paints/colors 图画用颜料 그림 물감
			絵画（かいが）	a painting 绘画 회화, 그림		
略	11画	リャク	略（りゃく）	an abbreviation 概略 생략	略す（りゃくす）	abbreviate 省略 생략하다, 줄이다
			省略（しょうりゃく）	abbreviation/abridgment 省略 생략	略歴（りゃくれき）	a profile 简历 약력
順	12画	ジュン	順（じゅん）	order 次序 순서	順路（じゅんろ）	a route 顺路 길의 순서
			順番（じゅんばん）	a turn/order 顺序 차례	順調（じゅんちょう）	smooth/favorable 顺利 순조
版	8画	ハン	出版（しゅっぱん）	a publication 出版 출판	出版社（しゅっぱんしゃ）	publishing company 出版社 출판사
			版画（はんが）	a print / an engraving 版画 판화		
芸	7画	ゲイ	芸術（げいじゅつ）	art 艺术 예술	工芸（こうげい）	industrial arts 工艺 공예
			芸能（げいのう）	public entertainments 表演艺术的总称 예능	園芸（えんげい）	gardening 园艺 원예
複	14画	フク	複製（ふくせい）	a duplicate/replica 复制 복제	複雑(な)（ふくざつ）	complex/complicated 复杂 복잡
			複写（ふくしゃ）	a duplicate/copy 复写 복사	複数（ふくすう）	the plural (number) 复数 복수
刊	5画	カン	刊行物（かんこうぶつ）	a publication 发行物 간행물	朝刊（ちょうかん）	a morning newspaper 早报 조간
			週刊（しゅうかん）	weekly publication 周刊 주간	月刊（げっかん）	monthly publication 月刊 월간

練習 正しいほうを選びなさい。

▶答え（こたえ）は p.113、読み（よみ）は別冊（べっさつ）p.10

① 仕事ではなく（a. 観光　b. 観察）でパリに行きました。

② この建物は（a. 財産　b. 国宝）に指定されています。

③ 渋谷（しぶや）駅の犬の（a. 銅像　b. 仏像）の前で会いましょう。

④ あの国には3人の（a. 王子　b. 玉子）がいます。

⑤ 有名な絵画の（a. 複写　b. 複製）を部屋にかざる。

⑥ これに関する説明は複雑なため、ここでは（a. 省略　b. 節約）します。

⑦ 出版社の（a. 順番　b. 刊行物）の案内を見て、注文する。

⑧ 昨日、デパートでテレビによく出ている（a. 芸能　b. 役者）人を見かけた。

p.109 の答え：①a　②a　③a　④a　⑤a　⑥b　⑦a　⑧b

みる ②

どっち？

Which One?
哪一个?
어느쪽?

学習日
月　日(　)

Q. ＿＿＿の読みは？
極細

ごくさい
ごくぼそ
きょくさい

一束、一皿、一山、
一箱、一粒などは
「ひと～」と読みます。

見ておぼえましょう

漢字	画数	読み	語	意味	語	意味
層	14画	ソウ	高層（こうそう）	the upper layers 高层 고층	低層（ていそう）	the lower layers 低层 저층
			一層（いっそう）	more / still more 一层 한층 더, 더욱		
束	7画	ソク たば	約束（やくそく）	promise/appointment 约定 약속	束（たば）	a bunch/bundle 束 다발, 묶음
			花束（はなたば）	bunch of flowers 花束 꽃다발	束ねる（たば）	bind in a bunch/bundle 捆、扎 묶다, 통솔하다
甘	5画	あま-い あま-やかす	甘い（あま）	sweet 甜 달다, 엄하지 않다	甘口（あまくち）	the sweet side 带甜味的 비교적 단 맛이 강함
			甘やかす（あま）	spoil (a child) 娇养 응석을 받아주다		
辛	7画	から-い	辛い（から）	(spicy) hot 辣 맵다, 얼큰하다	辛口（からくち）	the dry side 辣味 매콤함
皿	5画	さら	皿（さら）	plate 盘子 접시	～皿（さら）	...plates ～盘 ～접시
			大皿（おおざら）	a big plate 大盘子 큰 접시	小皿（こざら）	a small plate 小盘子 작은 접시
綿	14画	メン わた	綿（めん）	cotton 棉 면, 면사	木綿（もめん）	cotton / ctton cloth 木棉 면화, 솜
			綿（わた）	cotton (wool) / a cotton plant 棉花 솜		
旧	5画	キュウ	旧館（きゅうかん）	the older building 旧馆 구관	旧姓（きゅうせい）	a maiden name 原来的姓 s 결혼 전의 성
			復旧（ふっきゅう）	restoration 恢复 복구		

漢字	画数	読み	語	意味	語	意味
厚	9画	コウ あつ-い	厚生労働省（こうせいろうどうしょう）	Ministry of Health / Labour and Welfare 福利劳工部 후생노동성		☞ 労（p.140）
			厚い（あつ）	thick 厚 두껍다	厚切り（あつぎ）	thick slice 厚片 두껍게 자름
			厚かましい（あつ）	impudent 厚颜无耻 뻔뻔하다	厚手（あつで）	a thickly made article 质地厚 두께가 두꺼움
薄	16画	うす-い うす-める	薄い（うす）	thin (material) / light (color) / weak (drink) 薄 얇다, 열다, 싱겁다	薄切り（うすぎ）	thin slice 薄片 얇게 자름
			薄手（うすで）	a thinly made article 质地薄 얇음, 얄팍함	薄める（うす）	dilute 弄淡 연하게 하다, 싱겁게 하다
粒	11画	つぶ	粒（つぶ）	grain 颗粒 알	～粒（つぶ）	... grains ~粒 ~알
極	12画	キョク ゴク	北極（ほっきょく）	the North Pole 北极 북극	南極（なんきょく）	the South Pole 南极 남극
			積極的（せっきょくてき）	active/positive 积极地 적극적	消極的（しょうきょくてき）	passive/negative 消极地 소극적
			❗極（ごく）	very/extremely 非常 극		
革	9画	カク かわ	改革（かいかく）	a reform 改革 개혁	革命（かくめい）	a revolution 革命 혁명 ☞ 命（p.141）
			革（かわ）	leather 皮革 가죽	革製（かわせい）	made of leather 使用皮革制作 피혁제품
苦	8画	ク くる-しい くる-しむ にが-い	苦痛（くつう）	pain/suffering 痛苦 고통	苦しい（くる）	distressful/trying 痛苦 괴롭다
			苦しむ（くる）	suffer 感到痛苦 괴로워하다, 고생하다	苦い（にが）	bitter 味苦 （맛이）쓰다, 괴롭다

練習 正しいほうを選びなさい。 ▶答え（こた）は p.115、読み（よ）は別冊（べっさつ） p.10

① バラを花束にすると一層（a. 甘い　b. 辛い）香りがする。

② 肌が弱い人は、（a. 綿　b. 毛）のシャツを着るとよいでしょう。

③ 当店のスパゲティは（a. 一皿　b. 一山）が２人前の量です。

④ 今は田中ですが、（a. 前名　b. 旧姓）は 林です。

⑤ みそ汁（しる）、味が（a. 薄い　b. 厚い）から、今度からもう少し濃（こ）くして。

⑥ このキャンディーは（a. 一層　b. 一粒）で口の中がスッキリします。

⑦ 教育制度（きょういくせいど）の改革に（a. 消極的　b. 積極的）に取り組もう！

⑧ フランス（a. 革命　b. 改革）は 1789 年に起きた。

p.111 の答え：①a　②b　③a　④a　⑤b　⑥a　⑦b　⑧a

第6週 7日目

みる ②

復習＋もっと
ふくしゅう

Review quiz + more
复习＋更加
복습 + 더

学習日 月 日( )

復習しましょう

Q1．どの漢字を入れると、反対語になりますか。漢字の読みも書きましょう。

例(れい)) 高層 (こうそう) ⇆ [c]層 (ていそう)

① [ ]料 ( ) ⇆ 無料 ( )

② 厚い ( ) ⇆ [ ]い ( )

③ [ ]極的 ( ) ⇆ 消極的 ( )

④ 甘口 ( ) ⇆ [ ]口 ( )

⑤ 新館 ( ) ⇆ [ ]館 ( )

a 積　b 幸　~~c 低~~　d 辛　e 有　f 旧　g 古　h 薄

Q2．正しい読みはどれですか。○をつけましょう。

① 募る（a つのる　b つげる）

② 値　（a ひたい　b あたい）

③ 有無（a ゆうむ　b うむ）

④ 無事（a ぶじ　b むじ）

⑤ 省く（a かぶく　b はぶく）

⑥ 改革　（a けいかく　b かいかく）

⑦ 現象（a げんしょう　b げんぞう）

⑧ 詰める（a こめる　b つめる）

⑨ 承る（a たまわる　b うけたまわる）

⑩ 反省　（a はんせい　b はんしょう）

Q3．正しい漢字はどれですか。○をつけましょう。

① とみ　（a 富　b 宝）

② つぶ　（a 束　b 粒）

③ くつ　（a 鞄　b 靴）

④ くさ　（a 草　b 麦）

⑤ いずみ（a 泉　b 純）

⑥ かいかく（a 計画　b 改革）

見た目が似ている漢字

Kanjis that look the same at first glance　表面上看起来很像的汉字　겉보기에 닮은 한자

次の言葉を漢字で書くと、どれでしょうか。(答えはp.118)

①こまる　a. 困　b. 因　c. 囚

ヒント：木がもっと大きくなりたいのになれなくてこまっています。

②こおり　a. 水　b. 氷　c. 永

③おっと　a. 天　b. 未　c. 夫　d. 末

④はさむ　a. 挟　b. 狭　c. 峡

ヒント：「はさむ」という動作は「手」でしますよね。狭い↔広い

⑤知しき　a. 職　b. 識　c. 織

ヒント：知しきは「言」葉の意味をよく知っておぼえていきます。仕事は目で見て、「耳」で聞いて、おぼえていきます。

⑥むれ　a. 群　b. 郡

ヒント：羊(ひつじ)は「むれ」をつくりますね。

⑦そ先　a. 組　b. 粗　c. 祖

⑧ぐう然　a. 隅　b. 偶　c. 遇

ヒント：ぐう然、「人」と会った、とおぼえておきましょう。

漢字	画数	読み	語	意味
困	7画	コン こま-る		
氷	5画	こおり		
永	5画	エイ	永久(えいきゅう)	permanence 永久 영구
夫	4画	フ フウ おっと		
狭	9画	せま-い		
挟	9画	はさ-む はさ-まる	挟む(はさむ)	pinch/insert 夹　끼우다
識	19画	シキ		
群	13画	グン む-れ		
祖	9画	ソ	祖先(そせん)	ancestors 祖先　조상
隅	12画	すみ		「すみ」と「かど」に注意。 「隅」は部屋の隅、「角」は角部屋、曲がり角
偶	11画	グウ	偶数(ぐうすう)	２で割り切れる数字

p.113の答え：①a　②a　③a　④b　⑤a　⑥b　⑦b　⑧a

みる ②

月　日（　）

まとめの問題

Summary questions
综合问题
정리 문제

制限時間：20分
1問4点×25問
答えは p.118
読みは別冊 p.10～11

点数　／100

問題1　＿＿＿の言葉の読み方として最もよいものを、１・２・３・４から一つ選びなさい。

1　経験の<u>有無</u>は問いません。

1　あむ　　2　ゆうむ　　3　うむ　　4　ゆうぶ

2　料理の手間を<u>省く</u>ために電子レンジを活用する。

1　のぞく　　2　はぶく　　3　いだく　　4　ほどく

3　<u>入居者</u>を募集しています。

1　いりおしゃ　　2　にゅうこしゃ　　3　いりいしゃ　　4　にゅうきょしゃ

4　駅から<u>徒歩</u>3分のところに住んでいます。

1　とぽ　　2　そぽ　　3　とほ　　4　そほ

5　富を<u>得る</u>ことが幸せとは限らない。

1　ある　　2　いる　　3　える　　4　おる

6　この<u>辺り</u>に財布が落ちていませんでしたか。

1　とおり　　2　へんり　　3　まわり　　4　あたり

7　<u>木綿</u>のシャツを着る。

1　こめん　　2　きわた　　3　もめん　　4　こわた

8　長い髪はゴムで<u>束ねて</u>ください。

1　たばねて　　2　たまねて　　3　そこねて　　4　そくねて

9　放置自転車は市が<u>処分</u>します。

1　こぶん　　2　しょぶん　　3　きょぶん　　4　ちょぶん

10　燃えている家の中にいた子供は<u>無事</u>助け出された。

1　むごと　　2　むじ　　3　みごと　　4　ぶじ

問題2　＿＿＿の言葉を漢字で書くとき、最もよいものを１・２・３・４から一つ選びなさい。

11　私のふるさとは自然がゆたかです。

1　富か　　2　豊か　　3　財か　　4　泉か

12　手がすべって、おさらを割ってしまった。

1　器　　2　皿　　3　甘　　4　宝

13　今日は牛肉がお買いどくです。

1　説　　2　特　　3　得　　4　読

14　日本でいちばん大きいみずうみはどこにありますか。

1　湖　　2　谷　　3　湾　　4　岸

15　１位の選手には賞金がおくられます。

1　募られ　　2　遅られ　　3　屠られ　　4　贈られ

16　A「わーすごい！魚のむれだ！」
B「うん、水族館って楽しいね。」

1　郡れ　　2　詳れ　　3　都れ　　4　群れ

17　A「ちしきも必要だけど…。」
B「ええ、経験も大事ですよね。」

1　知職　　2　知織　　3　知識　　4　知幟

18　A「ぐうすうって何ですか。」
B「２で割り切れる数字ですよ。」

1　偶数　　2　隅数　　3　遇数　　4　寓数

19　A「サンドイッチに何をはさむ？」
B「ハムがいいな。」

1　狭む　　2　挟む　　3　峡む　　4　侠む

20　A「何を調べているの？」
B「人類のそせんについてです。」

1　粗先　　2　組先　　3　租先　　4　祖先

問題3　（　　）に入れるのに最もよいものを、1・2・3・4から一つ選びなさい。

21 乾電池のプラスとマイナスの（　　）をつなぐと電気が流れます。

1　角　　2　局　　3　曲　　4　極

22 美術館に国宝（　　）を見に行ってきました。すばらしかったです。

1　園　　2　展　　3　芸　　4　財

23 新聞の朝（　　）を読む。

1　版　　2　刊　　3　組　　4　編

24 この図書は（　　）館にあります。

1　次　　2　古　　3　支　　4　旧

25 （　　）エネのため、使わない電気のコンセントは抜いてあります。

1　節　　2　略　　3　省　　4　消

復習＋もっと（p.114～115）の答え：

復習　Q1　①e　**ゆうりょう・むりょう**　②h　**あつい・うすい**
③a　**せっきょくてき・しょうきょくてき**　④d　**あまくち・からくち**
⑤f　**しんかん・きゅうかん**

Q2　①a　②b　③b　④a　⑤b　⑥b　⑦a　⑧b　⑨b　⑩a

Q3　①a　②b　③b　④a　⑤a　⑥b

もっと　①　a　②　b　③　c　④　a　⑤　b　⑥a　⑦c　⑧b

まとめの問題（p.116～118）の答え：

問題1　1 3　2 2　3 4　4 3　5 3　6 4　7 3　8 1　9 2　10 4

問題2　11 2　12 2　13 3　14 1　15 4　16 4　17 3　18 1　19 2　20 4

問題3　21 4　22 2　23 2　24 4　25 3

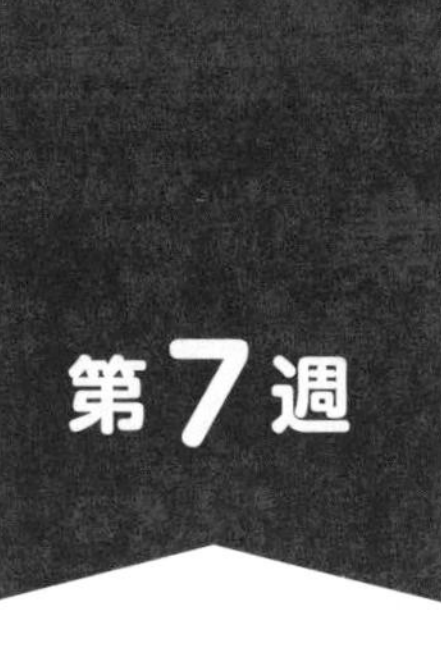

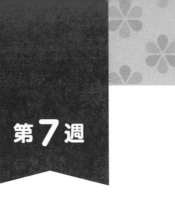

よむ②

Read ②
读②
읽다②

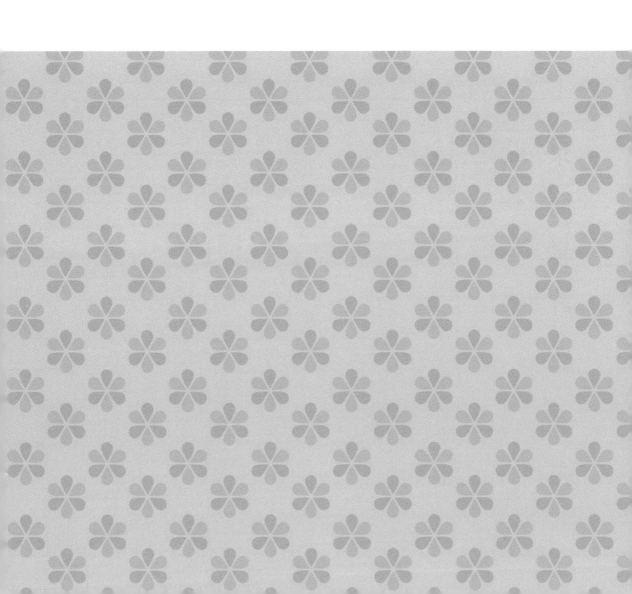

よむ ②

求人・募集
きゅうじん ぼしゅう

'Help Wanted', Recruitment
招聘・招募
구인・모집

学習日 月 日( )

Q. ＿＿の読みは？
求める

読んでおぼえましょう

◆ **求人情報**（きゅうじんじょうほう） 'Help Wanted' 招聘信息 구인정보

スタッフ急募！ 簡単な仕事です。
資格：年齢・経験不問。普通自動車免許あればなお可。
給与：時給 1000 円～
勤務：土日祝日できる方歓迎（かん）。勤務日・時間は相談に応じます。
応募：電話連絡の上、履（り）歴書ご持参ください。面接日は追って※連絡します。

※追って：後（のち）ほど

漢字	画数	読み	語	意味	語	意味
求	7画	キュウ もと-める	求人（きゅうじん）	'Help Wanted' 招聘人员 구인	要求（ようきゅう）	a demand / request 要求 요구
			請求書（せいきゅうしょ）	a bill, an invoice 账单 청구서	求める（もと）	demand/request 要求 구하다
簡	18画	カン	簡単(な)（かんたん）	easy 简单 간단 ↔ 複雑(な)	☞ 複 (p.111)	
単	9画	タン	単語（たんご）	a word 单词 단어	単位（たんい）	a unit / credit 单位；学分 단위，학점
			単に（たん）	merely/simply 单 단지	単なる（たん）	mere/simple 仅仅 단순한
許	11画	キョ ゆる-す	許可（きょか）	permission 允许 허가	免許（めんきょ）	a permit / license 执照 면허
			❶許す（ゆる）	permit/allow 准许 허락하다		
給	12画	キュウ	給料（きゅうりょう）	a wage, salary 薪水 급료	支給（しきゅう）	a payment 支付 지급
			供給（きょうきゅう）	supply/provision 供给 공급	月給（げっきゅう）	a monthly wage 月薪 월급
			週給（しゅうきゅう）	a weekly wage 周薪 주급	日給（にっきゅう）	a daily wage 日薪 일당
与	3画	ヨ あた-える	給与（きゅうよ）	an allowance 支付金钱和物品 급여		
			❶与える（あた）	give, present 给与 주다		
応	7画	オウ	応募（おうぼ）	an application 应募 응모	応じる（おう）	respond 接受 응하다
			一応（いちおう）	tentatively 大略 일단	応用（おうよう）	putting to practical use 应用 응용

◆ **生徒募集**（せいとぼしゅう）
Student Recruitment
招收学员　학생모집

アスク日本語学校

昼間部専門課程募集中
☆☆☆
奨学金（しょう）制度有り
短期集中講座受付中
初級コース　中級コース　上級コース
基礎（そ）からていねいに指導します。

漢字	画数	読み	語	意味	語	意味
課	15画	カ	課（か）	a lesson / section 课　과	課長（かちょう）	a section chief 科长　과장
			日課（にっか）	a daily lesson/task 每天必做的事情　일과		
程	12画	テイ	課程（かてい）	a course / curriculum 课程　과정	過程（かてい）	a process / course 过程　과정
			程度（ていど）	degree/amount 程度　정도	日程（にってい）	a schedule 日程　일정
制	8画	セイ	制度（せいど）	a system 制度　제도	制限（せいげん）	a restriction / limitation 限制　제한
			制作（せいさく）	work/production 制作　제작	体制（たいせい）	a system / structure 体制　체제
講	17画	コウ	講座（こうざ）	a class / course 讲座　강좌	講義（こうぎ）	a lecture 讲义　강의
			講演（こうえん）	a lecture 演讲　강연	講師（こうし）	a lecturer 讲师　강사
級	9画	キュウ	初級（しょきゅう）	beginning level 初级　초급	中級（ちゅうきゅう）	intermediate level 中级　중급
			上級（じょうきゅう）	advanced level 高级　상급	高級（こうきゅう）	high class/grade 高级　고급
基	11画	キ	基本（きほん）	a foundation / the basics 基本　기본	基礎（きそ）	a foundation / groundwork 基础　기초
			基準（きじゅん）	a standard/criterion 基准　기준	基地（きち）	a base 基地　기지
導	15画	ドウ みちび-く	指導（しどう）	leadership/guidance 指导　지도	導入（どうにゅう）	an introduction 导入　도입
			❗導く（みちび）	lead 指引　안내하다		

練習 **正しいほうを選びなさい。**　▶答え（こた）はp.123、読（よ）みは別冊（べっさつ）p.11

① 「アルバイト求む※」という、（a. 求人　b. 応募）広告を見た。　※求む：「求める」の古語

② （a. 支給　b. 時給）1000円です。

③ ここに駐車するには会社の（a. 免許　b. 許可）が必要です。

④ 勤務時間は相談に（a. 応じます　b. 与えます）。

⑤ 機械を（a. 指導　b. 導入）して作業のスピードを上げる。

⑥ 毎朝のランニングをするのが、私の（a. 日課　b. 日程）です。

⑦ （a. 制限　b. 過程）時間内に問題を解く練習をする。

⑧ ラジオ（a. 講演　b. 講座）で日本語を勉強する。

よむ ②

掲示板・地域新聞
けいじばん　ちいきしんぶん

Notice Boards, Local Newspapers　公告栏・地区报纸　게시판・지역신문

学習日
月　日（　）

Q. ＿＿＿の読みは？
灰皿

読んでおぼえましょう

アルバイトを探している
みなさん！
家庭教師をしませんか？
ご応募お待ちしています。

個別教育のアシスト
☎03-5678-XXXX

猫を預かっています。灰色。赤い首輪。
3日の晩にうちの庭に迷い込んで来ました。
お心当たりの方はご連絡ください。

TEL070-1234-XXXX
本田

漢字	画数	読み	語	意味	語	意味
庭	10画	テイ にわ	校庭（こうてい）	a (school) playground/schoolyard　校园　교정	家庭（かてい）	a home/family/household　家庭　가정
			庭（にわ）	a garden　庭院　정원		
育	8画	イク そだ-つ そだ-てる	教育（きょういく）	education　教育　교육	体育（たいいく）	physical education　体育　체육
			育児（いくじ）	childcare/nursing　育儿　육아		
			育つ（そだ）	grow　成长　자라다	育てる（そだ）	raise / bring up　养育　기르다
猫	11画	ねこ	猫（ねこ）	a cat　猫　고양이		
探	11画	タン さが-す さぐ-る	探検（たんけん）	an exploration/expedition　探险　탐험		
			探す（さが）	search / look for　寻找　찾다	❗探る（さぐ）	prove into　探索　탐색하다
灰	6画	はい	灰（はい）	ash　灰　재	灰色（はいいろ）	gray　灰色　회색
			灰皿（はいざら）	an ashtray　烟灰缸　재떨이		
輪	15画	リン わ	車輪（しゃりん）	a (car) wheel　车轮　바퀴		
			指輪（ゆびわ）	a ring　戒指　반지	首輪（くびわ）	a collar　项链　목걸이
晩	12画	バン	今晩（こんばん）	tonight　今晚　오늘 밤	晩御飯（ばんごはん）	dinner　晚饭　저녁밥
			毎晩（まいばん）	every night　每晚　매일 밤		

イベント情報

「踊ろう！」

劇団さくら　第 10 回公演

5 月 10 日　PM6：00～
市民音楽ホール

飼い主さん、募集中！

子犬。雑種オス、白 1 匹。メス、茶 2 匹。
Tel.0125-23-XXXX 渡辺

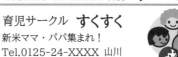

メンバー募集

乗馬クラブ **スズカ**
馬の好きな方！
初心者歓迎！
Tel.0125-22-XXXX 石橋

育児サークル **すくすく**
新米ママ・パパ集まれ！
Tel.0125-24-XXXX 山川

漢字	画数	読み	語	意味	語	意味
劇	15 画	ゲキ	劇（げき）	a drama/play 剧　극	劇団（げきだん）	a theatrical company 剧团　극단
			劇場（げきじょう）	a theater, playhouse 剧场 극장	演劇（えんげき）	a (theatrical) play　戏剧　연극
公	4 画	コウ	公園（こうえん）	a park 公园　공원	公演（こうえん）	a public performance 公演　공연
			公共（こうきょう）	public/communal　公共 공공	公務員（こうむいん）	a civil servant / government employee 公务员　공무원
踊	14 画	ヨウ おど-る おど-り	日本舞踊（にほんぶよう）	traditional Japanese dance 日本舞蹈　일본무용		
			踊る（おど）	dance 跳舞　춤추다	踊り（おど）	a dance 舞蹈　춤
種	14 画	シュ たね	種類（しゅるい）	type/kind 种类　종류	人種（じんしゅ）	a race (of people) 人种　인종
			雑種（ざっしゅ）	a hybrid 杂种　잡종	❗種（たね）	a seed 种子　씨, 혈통
匹	4 画	ヒツ ひき	匹敵する（ひってき）	compare with, rival 匹敌　필적하다		
			～匹（ひき）	(counter for small animals) ～只　~마리		
渡	12 画	ト わた-る わた-す	渡米（とべい）	going to America 到美国去　도미	渡る（わた）	cross over　渡过　건너다
			渡す（わた）	hand over 交给 건네다, 넘기다	渡辺（わたなべ）	（人名）
馬	10 画	バ うま	乗馬（じょうば）	horse riding 骑马　승마		
			馬（うま）	a horse 马　말		

練習 正しいほうを選びなさい。 ▶答え（こた）は p.125、読み（よ）は別冊（べっさつ） p.11

① デパートで気に入った指輪を（a. 探す　b. 探る）。
② 地域全体で子供たちを（a. 育ち　b. 育て）ましょう。
③ 多くの駅では、禁煙になって（a. 灰　b. 灰皿）がなくなった。
④ 朝早くから（a. 校庭　b. 家庭）を走っているのは運動部の生徒です。
⑤（a. 公共　b. 公園）の場では互いにルールを守ろう。
⑥ 歩行者は横断歩道を（a. 渡し　b. 渡り）ましょう。
⑦ この店ではたくさんの（a. 種類　b. 書類）の花の種を売っている。
⑧ 人気のある劇団の（a. 講演　b. 公演）を見に行く。

p.121 の答え：①a　②b　③b　④a　⑤b　⑥a　⑦a　⑧b

よむ ②

メニュー・成分表示

Menus, Ingredient Labels　菜单・成分表示　메뉴・성분표시

学習日　月　日(　)

Q. ＿＿＿の読みは？
炭

読んでおぼえましょう

◆ **メニュー**　Menus　菜单　메뉴

竹の子ご飯
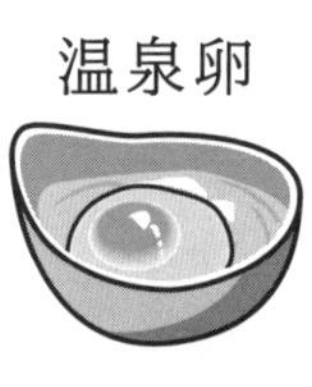

A：ん～おいしい！　これは何かな？　え～っと……アサリガイノサケ……
B：あさり貝のさ・か・む・し…ね。

漢字	画数	読み	語	意味	語	意味
貝	7画	かい	貝（かい）	a shell/shellfish　贝　조개	貝がら（かい）	shell　贝壳　조개껍질
酒	10画	シュ / さけ / さか	～酒（しゅ）	... liquor　～酒　～주	酒（さけ）	alcohol/liquor　酒　술
			❗酒屋（さかや）	a liquor store　酒店　술집	居酒屋（いざかや）	Japanese pub　小酒馆　선술집
蒸	13画	ジョウ / む-す	蒸発（じょうはつ）	evaporation　蒸发　증발	水蒸気（すいじょうき）	water vapor / steam　水蒸气　수증기
			❗蒸す（む）	steam　蒸　찌다	蒸し暑い（む　あつ）	humid/sultry　闷热的　무덥다
干	3画	ほ-す / ひ-る	干す（ほ）	hang　晾　말리다		
			❗干物（ひもの）	dried food　晒干的鱼贝类等　건어물		
竹	6画	たけ	竹（たけ）	a bamboo　竹子　대나무	竹の子（たけ　こ）	a bamboo shoot　笋　죽순（筍（たけのこ））
卵	7画	ラン / たまご	卵黄（らんおう）	a yolk　蛋黄(卵黄)　노른자（난황）		
			卵（たまご）	an egg　卵、鸡蛋　계란		
根	10画	コン / ね	大根（だいこん）	a Japanese white radish　白萝卜　무		
			根（ね）	a root　根　뿌리	屋根（やね）	a roof　屋顶　지붕

◆ 食品（しょくひん）の成分表示（せいぶんひょうじ）

Food Ingredient Labels
食品的成分表　식품의 성분표시

名　称（しょう）：魚肉ソーセージ
原材料名：魚肉、植物性油脂、食塩、砂糖（とう）

（原材料の一部に小麦、卵、乳成分、大豆（だいず）を含む）

栄養成分表示［1本100g当たり］			
エネルギー	153kcal	ナトリウム	568mg
炭水化物	11.2g	糖質	5.7g
タンパク質	12.4g		

漢字	画数	読み	語	意味	語	意味
材	7画	ザイ	材料（ざいりょう）	ingredients/materials 材料　재료	原材料（げんざいりょう）	raw materials 原材料　원재료
			材質（ざいしつ）	material properties 材质　재질	教材（きょうざい）	teaching materials 教材　교재
植	12画	ショク う-える	植物（しょくぶつ）	plant 植物　식물	植（う）える	plant/grow 种植　심다
			植木（うえき）	potted plants, garden shrubs 栽的树木　정원수	田植（たう）え	rice planting 插秧　모내기
砂	9画	サ すな	砂糖（さとう）	sugar 砂糖　설탕	砂漠（さばく）	desert 沙漠　사막
			❗砂（すな）	sand 沙　모래		
乳	8画	ニュウ ちち	牛乳（ぎゅうにゅう）	(cow's) milk 牛奶　우유	乳製品（にゅうせいひん）	dairy products 乳制品　유제품
			乳児（にゅうじ）	a baby (under 1 year old) 婴儿　유아	❗乳（ちち）	milk / the breasts 乳　젖
含	7画	ふく-む ふく-める	含（ふく）む	be included 含有　포함하다	含（ふく）める	include 包含　포함시키다
炭	9画	タン すみ	炭水化物（たんすいかぶつ）	carbohydrate 碳水化合物　탄수화물	石炭（せきたん）	coal 煤炭　석탄
			❗炭（すみ）	charcoal 木炭　숯		
脂	10画	シ あぶら	脂肪（しぼう）	fat/grease 脂肪　지방	脂質（ししつ）	lipids/fats 类脂质　지방분
			油脂（ゆし）	fats and oils 油脂　유지	❗脂（あぶら）	fat/lard 脂肪　지방

練習 正しいほうを選びなさい。　▶答（こた）えは p.127、読（よ）みは別冊（べっさつ） p.11

① 梅雨（つゆ）の時期は（a. 蒸し　b. 干し）暑い。
② 猫が家の（a. 屋根　b. 羽根）の上を歩いている。
③（a. 酒屋　b. 居酒屋）で新入社員の歓迎会（かんげいかい）をする。
④ 海辺で拾った（a. 貝　b. 具）でアクセサリーを作る。
⑤ この価格に消費税は（a. 込まれて　b. 含まれて）おりません。
⑥ ガスより（a. 炭　b. 材）で焼いたほうが、肉も魚もおいしい。
⑦ 貝を濃（こ）い塩水にしばらくつけておいて（a. 砂　b. 脂）を抜く。
⑧（a. 干物　b. 植物）を育てる。

p.123 の答え：①a　②b　③b　④a　⑤a　⑥b　⑦a　⑧b

第7週 4日目

よむ ②

受験案内（じゅけんあんない）

Entrance Examination Information
应试指南
수험안내

学習日　月　日(　)

Q. ＿＿＿の読みは？
述べる

読んでおぼえましょう

受験に必要な書類

願書　返信用封筒　卒業証明書　成績証明書　卒業論文※　研究計画書
志望動機を～字以内で述べたもの

※卒業論文が手元にない場合はそれに代わる論文でも構わない。

受験の注意

- 30分以上の遅刻は認めません。
- 受験票を忘れた人は「仮受験票」の発行を申し出てください。

注 意

1. 受験票を机の上に置いてください。
2. この冊子は持ち帰ってはいけません。解答はすべてマークシートに書きます。マークがはみ出たり、薄いと採点されません。HBやB等の濃い鉛筆で例のように正しくマークします。

漢字	画数	読み	語	意味	語	意味
筒	12画	トウ つつ	封筒（ふうとう） ❗筒（つつ）	an envelope 信封 봉투 a pipe/tube 筒 통	水筒（すいとう）	a canteen / a water bottle 水壶 물통
卒	8画	ソツ	卒業（そつぎょう）	graduation 毕业 졸업	卒業証明書（そつぎょうしょうめいしょ）	a diploma 毕业证书 졸업증명서
績	17画	セキ	成績（せいせき） 実績（じっせき）	results/record 成绩 성적 actual results / an achievement 实际成效、绩效 실적	業績（ぎょうせき）	an achievement / business results 业绩 업적

漢字	画数	読み	語	意味	語	意味
論	15画	ロン	論文(ろんぶん)	a thesis/treatise 论文 논문	議論(ぎろん)	an argument / discussion / debate 争论 의논
			結論(けつろん)	a conclusion 结论 결론	論じる(ろん)	argue/discuss/debate 论述 논하다
志	7画	シ	志望(しぼう)	wish/desire 志愿 지망	意志(いし)	will/volition 意志 의지
述	8画	ジュツ の-べる	記述(きじゅつ)	a description 记述 기술	口述(こうじゅつ)	verbal statement 口述 구술
			前述(ぜんじゅつ)	the aforementioned/above-mentioned 前述 전술	述べる(の)	state/mention 说明 말하다
構	14画	コウ かま-う	結構(けっこう)	splendid/nice 很好 꽤, 제법	構成(こうせい)	composition 构成 구성
			構内(こうない)	a campus / grounds 设施的范围内 구내	❗構う(かま)	mind / care about 介意 상관하다
遅	12画	チ おそ-い おく-れる	遅刻(ちこく)	tardiness 迟到 지각		
			遅い(おそ)	slow 慢 느리다	❗遅れる(おく)	be late 慢 늦다
仮	6画	カ かり	仮名(かな)	Japanese syllabary 假名 가나(일본의 표음문자)	振り仮名(ふりがな)	kana syllables written beside Chinese characters 汉字旁注的假名 한자의 읽기 표시
			仮定(かてい)	assumption/supposition 假设 가정	❗仮(かり)	temporary/provisional 临时 임시
机	6画	つくえ	机(つくえ)	a desk 桌子 책상		
冊	5画	サツ	～冊(さつ)	counter for books ～本、～册 ~권	冊子(さっし)	a booklet/pamphlet 册子 책자
採	11画	サイ と-る	採点(さいてん)	grading/marking 评分 채점	採用(さいよう)	adoption/employment 采用 채용
			採集(さいしゅう)	collecting/gathering 搜集 채집	採る(と)	adopt (a measure/proposal) 采取 채집하다
濃	16画	ノウ こ-い	濃度(のうど)	concentration/density 浓度 농도		
			濃い(こ)	concentrated/dark (color) 浓 진하다		
筆	12画	ヒツ ふで	鉛筆(えんぴつ)	a pencil 铅笔 연필	筆者(ひっしゃ)	a writer / an author 笔者 필자
			筆記(ひっき)	(taking) notes/copying 笔记 필기	筆(ふで)	a writing brush 毛笔 붓

練習 正しいほうを選びなさい。 ▶答え(こた)は p.129、読み(よ)は別冊(べっさつ) p.11 ～ 12

① 明日のハイキングには必ず（a. 水筒　b. 筒）と お弁当(べんとう)を持参すること。

② この試験はマークシートではなく、（a. 前述　b. 記述）式です。

③ この論文は（a. 構内　b. 構成）が非常に良い。

④ 彼は（a. 志望　b. 意志）が弱くて、お酒がやめられない。

⑤ 夏休みの自由研究で植物（a. 採集　b. 採点）をした。

⑥ 前を走っている車には（a. 仮免許　b. 仮採用）練習中と書いてある。

⑦ 兄は新聞（a. 筆者　b. 記者）です。

⑧ ノートは（a. 机　b. 筆）の引き出しに入っています。

p.125 の答え：①a　②a　③b　④a　⑤b　⑥a　⑦a　⑧b

よむ ②

学習日 月 日( )

交通情報（こうつうじょうほう）

Traffic Information
交通信息
교통정보

Q. ＿＿＿の読みは？
船便

読んでおぼえましょう

◆ 航空機（こうくうき）
Aircraft, Airplane
飞机 항공기

ASS	PAS407便	欠航	エンジントラブルのため
ASS	PNS105便	欠航	ドア損傷（しょう）のため
STS	PAS410便	変更	強風・横風のため到着地を変更 高松（たかまつ）空港に着陸

◆ 船（ふね）
Boat 船 배

	高速かもめ丸	欠航	悪天候のため

漢字	画数	読み	語	意味	語	意味
航	10画	コウ	航空（こうくう）	aviation/flying 航空 항공	運航（うんこう）	operation (e.g. ships, aircraft) 航运 운항
			欠航（けっこう）	suspension of service (船、飞机)停开 결항		
陸	11画	リク	陸（りく）	land/shore 陆地 육지	着陸（ちゃくりく）	a landing / touchdown 着陆 착륙
			大陸（たいりく）	a continent 大陆 대륙	陸上（りくじょう）	the land / being on the land 陆上 육상
損	13画	ソン	損（そん）	loss/disadvantage 损失 손해	損傷（そんしょう）	damage/injury 损坏 손상
			損害（そんがい）	damage/injury/loss 损失 손해 ☞害(p.141)	損得（そんとく）	loss and gain 损益 손실과 이익
候	10画	コウ	気候（きこう）	climate 气候 기후	天候（てんこう）	weather 天气 일기, 날씨
船	11画	セン ふね	風船（ふうせん）	a balloon 气球 풍선	造船（ぞうせん）	shipbuilding 造船 조선
			船（ふね）	a boat/ship 船 배	❗船便（ふなびん）	surface / sea mail 海运 배편
丸	3画	まる まる-い	丸（まる）	a circle 圆形 원	～丸（まる）	〈船の名前〉
			丸い（まるい）	round/circular/spherical 圆的 둥글다		

◆ **電車**でんしゃ
Train
电车 전철

お知らせ 人身事故のためダイヤが乱れています。ご了承ください。

お知らせ
混雑が予想されますので、あらかじめ帰りの切符をお買い求めください。
○○電鉄

お知らせ
大雨による河川の増水のため川中～水森駅間の上下線で終日運転を見合わせております。バスによる代行輸送を行っておりますのでご利用ください。
○○電鉄

漢字	画数	読み	語	意味	語	意味
混	11画	コン まｰじる/ざる まｰぜる こｰむ	混雑（こんざつ）	confusion/congestion 混杂、拥挤 혼잡	混じる/ざる（ま）	be mixed 夹杂/掺混 섞이다/섞이다
			かき混ぜる（ま）	stir 搅拌 뒤섞다	混む（こ）	get crowded 拥挤 섞이다/혼잡하다
想	13画	ソウ	予想（よそう）	anticipation/forecast 预想 예상	感想（かんそう）	impressions/thoughts 感想 감상
			想像（そうぞう）	imagination/guess 想象 상상	理想（りそう）	ideal 理想 이상
故	9画	コ	事故（じこ）	an accident 事故 사고	故障（こしょう）	breakdown/failure 故障 고장
			故郷（こきょう）	hometown/birthplace 故乡 고향		
乱	7画	ラン みだｰれる	混乱（こんらん）	disorder/confusion 混乱 혼란	乱暴(な)（らんぼう）	rude/violent/rough 粗暴 난폭 ☞ 暴 (p.139)
			❗乱れる（みだ）	fall into disorder 乱 혼란해지다		
河	8画	カ かわ	運河（うんが）	a canal/waterway 运河 운하	❗河川（かせん）	a river 河川 하천
			河（かわ）	a river/stream 河川 강		
輸	16画	ユ	輸出（ゆしゅつ）	exportation 出口 수출	輸入（ゆにゅう）	importation 进口 수입
			輸血（ゆけつ）	a blood transfusion 输血 수혈	輸送（ゆそう）	transportation 输送 수송

練習 正しいほうを選びなさい。 ▶答え（こた）はp.131、読み（よ）は別冊（べっさつ）p.12

① たくさんの（a. 風船　b. 造船）が空高く舞い上がる。

② 船便は遅いから（a. 航空　b. 空港）便でお願いします。

③（a. 陸上　b. 大陸）の気候は降水量※が少ない。※降水量：precipitation 降雨量 강수량

④ 火事や事故などに備えて（a. 損害　b. 公害）保険に入る。

⑤ 現金（a. 郵送　b. 輸送）車が事故を起こした。

⑥（a. 理想　b. 感想）と現実にはギャップ※がある。※ギャップ：a gap (观念 ... 等的) 差距 간격

⑦ 人身事故でダイヤが（a. 乱れて　b. 混じって）います。

p.127 の答え：①a　②b　③b　④b　⑤a　⑥a　⑦b　⑧a

第7週 6日目

よむ②

気象情報(きしょうじょうほう)

Weather Information
天气预报
기상정보

学習日 月 日( )

Q. ＿＿＿の読みは？
吹雪

読んでおぼえましょう

	6時	9時	12時	15時	18時	21時	24時	降水確率(%)
山形(やまがた)	☀	☁	☁	☁	☁	☁	☁	20
仙台(せんだい)	☀	☀	☁	☁	☾	☾	☾	10
福島(ふくしま)	☀	☀	☁	☀	☾	☾	☾	0
新潟(にいがた)	☁	☁	☁	☁	☾	☾	☾	20
宇都宮(うつのみや)	☀	☀	☁	☁	☁	☾	☾	0
前橋(まえばし)	☀	☀	☁	☁	☾	☾	☾	0
水戸(みと)	☀	☀	☁	☁	☾	☾	☾	0

天気図

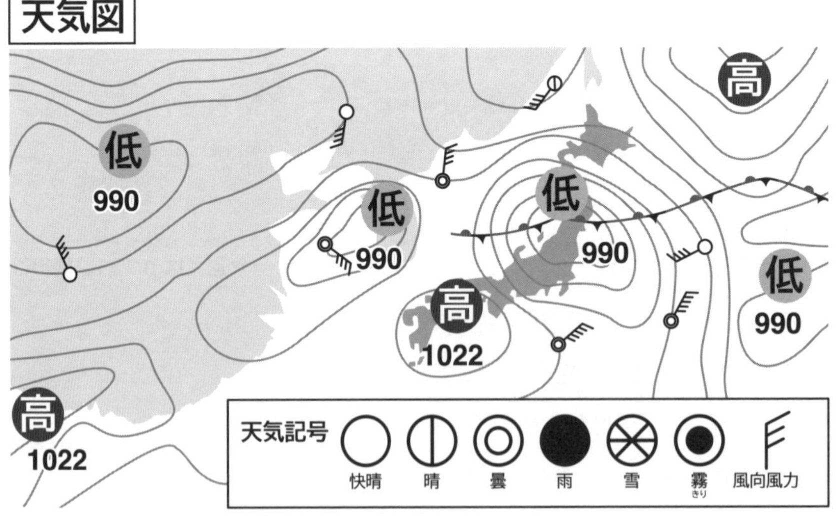

沖縄(おきなわ)から東北南部にかけて晴天に恵まれます。西日本は春の陽気となるでしょう。東北北部と北海道では朝のうちは雲が多く、雨のところもありますが、次第に天気は回復に向かうでしょう。

漢字	画数	読み	語	意味	語	意味
率	11画	リツ ソツ	率(りつ) 確率(かくりつ) ❗率直(そっちょく)	a rate / ratio 比率 비율 probability 概率 확률 frankness/candor 坦率 솔직	利率(りりつ) 能率(のうりつ)	interest rate 利率 이율 efficiency 效率 능률
宇	6画	ウ	宇宙(うちゅう)	the universe / outer space 宇宙 우주	☞宙 (p.149) 宇都宮(うつのみや)	〈地名〉
戸	4画	コ と	～戸(こ) 戸(と) 水戸(みと)	counter for houses ～户 ~세대 a door 门 문 〈地名〉	一戸建て(いっこだて) ❗雨戸(あまど)	a detached house 独门独户的房子 단독주택 a sliding storm door 防雨板 빈지문
晴	12画	セイ は-れる	晴天(せいてん) ↔雨天(うてん) 晴れる(は)	fine weather / clear sky 晴天 맑게 갠 하늘 rainy weather 阴雨天气 우천, 비오는 날 be sunny 晴 날씨가 개다	快晴(かいせい) ❗素晴らしい(すば)	good weather 晴朗 쾌청 wonderful/magnificent 极优秀 멋지다
曇	16画	くも-る	曇り(くも)	cloudy weather 阴天 흐림	曇る(くも)	become cloudy 阴 흐리다
雪	11画	セツ ゆき	積雪(せきせつ) 雪(ゆき)	(an accumulation of) snow 积雪 적설 snow 雪 눈	❗吹雪(ふぶき) 大雪(おおゆき)	a snowstorm 暴风雪 눈보라 heavy snow 大雪 대설
恵	10画	エ ケイ めぐ-む	知恵(ちえ) 恵まれる(めぐ)	wisdom 智慧 지혜 be blessed with 被赋予… 모자람이 없다	恩恵(おんけい)	benefits 恩惠 은혜
陽	12画	ヨウ	太陽(たいよう)	the sun 太阳 태양	陽気(ようき)	① weather 阳气 날씨 ② cheerfulness （性格）爽朗、开朗 명랑함
雲	12画	くも	雲(くも)	clouds 云 구름	❗雨雲(あまぐも)	rain clouds 雨云、阴云 비구름

練習 正しいほうを選びなさい。 ▶答(こた)えはp.133、読(よ)みは別冊(べっさつ)p.12

① (a. 率業　b. 卒業) 記念に校庭に木を植える。

② 今日は良いお天気に (a. 恵まれて　b. 晴れて) 春のような陽気でした。

③ 疲れたときはちょっと休んだほうが (a. 利率　b. 能率) が上がる。

④ メガネが湯気で (a. 曇って　b. 雲って) 何も見えない。

⑤ 昔の人は、便利な機械がない代わりに (a. 知恵　b. 予想) を使って生活した。

⑥ 都心のマンションから郊外の (a. 一戸建て　b. 家庭) に引っ越した。

p.129 の答え：①a　②a　③b　④a　⑤b　⑥a　⑦a

第7週 7日目

よむ ②

復習(ふくしゅう)＋もっと

Review quiz + more
复习＋更加
복습＋더

学習日 月 日( )

復習しましょう

Q1. どの漢字を入れると、反対語になりますか。漢字の読みも書きましょう。

例(れい)) 雨天 (うてん) ⇆ [a]天 (せいてん)

① [ ]数 ( ) ⇆ 複数 ( )

② [ ]い ( ) ⇆ 薄い ( )

③ 入学 ( ) ⇆ [ ]業 ( )

④ 得 ( ) ⇆ [ ] ( )

⑤ [ ]単 ( ) ⇆ 複雑 ( )

~~a 晴~~ b 損 c 簡 d 関 e 単 f 率 g 濃 h 卒

Q2. 正しい読みはどれですか。○をつけましょう。

① 与える (a さかえる b あたえる)

② 導く (a たなびく b みちびく)

③ 乱れる (a みだれる b すたれる)

④ 率直 (a そっちょく b すなお)

⑤ 応じる (a おうじる b ほうじる)

⑥ 欠航 (a かっこう b けっこう)

⑦ 造船 (a ぞうせん b ふうせん)

⑧ 給料 (a きゅうりょう b きゅうりゅう)

⑨ 恵まれる(a ふくまれる b めぐまれる)

⑩ 一戸建て(a いっこだて b いっとだて)

Q3. 正しい漢字はどれですか。○をつけましょう。

① ゆるす (a 蒸す b 許す)

② そだてる (a 育てる b 建てる)

③ たね (a 種 b 砂)

④ くもる (a 雲る b 曇る)

⑤ つつ (a 炭 b 筒)

⑥ さがす (a 探す b 渡す)

読(よ)みを推測(すいそく)する

Guessing the Reading　推测读法　읽기를 예측하다

漢字の一部に同じ部分があると、読みが同じになる場合があります。

魚(ギョ)　金魚(きんぎょ)→漁船(ぎょせん)
広(コウ)　広告(こうこく)→鉱山(こうざん)
皮(ヒ)　皮膚(ひふ)→彼岸(ひがん)
則(ソク)　規則(きそく)→側面(そくめん)、測定(そくてい)
受(ジュ)　受験(じゅけん)→授業(じゅぎょう)
令(レイ)　冷凍(れいとう)→零下(れいか)、命令(めいれい)　☞ 令(p.141)
氐(テイ)　低下(ていか)→海底(かいてい)
啇(テキ)　適当(てきとう)→水滴(すいてき)
韋(イ)　違反(いはん)→偉大(いだい)

漢字	画数	読み	語	意味	語	意味
漁	14画	ギョ リョウ	漁船(ぎょせん)	a fishing boat　渔船　어선	漁師(りょうし)	a fisherman　渔夫　어부
底	8画	テイ そこ	海底(かいてい) ＝海(うみ)の底(そこ)	the sea bottom　海底　해저		
鉱	13画	コウ	鉱山(こうざん)	a mine (e.g. coal mine) 矿山　광산	炭鉱(たんこう)	a coal mine / coal pit 煤矿　탄광
彼	8画	ヒ かれ かの	彼岸(ひがん)	the week of the equinox 春分、秋分　춘분 , 추분		
			彼(かれ)	he/him/boyfriend　他　그	彼女(かのじょ)	she/her/girlfriend　她　그녀
則	9画	ソク	規則(きそく)	rule/regulation　规则　규칙		
測	12画	ソク はか-る	測定(そくてい)	a measurement　测量　측정	測(はか)る	measure/weigh　量　재다
授	11画	ジュ	授業(じゅぎょう)	a class/lesson　授课　수업		
零	13画	レイ	零下(れいか)	being sub-zero　零下　영하		
滴	14画	テキ	水滴(すいてき)	a waterdrop　水滴　물방울		
偉	12画	イ えら-い	偉大(いだい)(な) ＝偉(えら)い	great　伟大　위대 (한)		

p.131 の答え：①b　②a　③b　④a　⑤a　⑥a

よむ ②

月　日（　）

まとめの問題

Summary questions
综合问题
정리 문제

制限時間：20分
1問4点×25問
答えは p.136
読みは別冊 p.12

点数
／100

問題1　＿＿＿の言葉の読み方として最もよいものを、1・2・3・4から一つ選びなさい。

1 相手に考える時間を与える。

1　きたえる　2　こたえる　3　あたえる　4　つたえる

2 濃い目のコーヒーが好きだ。

1　ぬいめ　2　のいめ　3　こいめ　4　すいめ

3 人々を幸せな未来へと導く。

1　たなびく　2　みちびく　3　ながびく　4　ささやく

4 自らの主張を明確に述べる。

1　のべる　2　すべる　3　なべる　4　くべる

5 乱筆乱文お許しください。

1　おゆるし　2　おためし　3　おすごし　4　おさっし

6 宇宙旅行が夢ではなくなった。

1　ゆちょう　2　うちょう　3　ふちゅう　4　うちゅう

7 率直な意見を聞かせてほしい。

1　すなお　2　じっちょく　3　りっちょく　4　そっちょく

8 材料をよく混ぜます。

1　まぜます　2　もぜます　3　みぜます　4　めぜます

9 受験の許可が出た。

1　けっか　2　きょか　3　ごうか　4　しちょか

10 今夜は吹雪になりそうです。

1　ふぶき　2　しぶき　3　はつゆき　4　なだれ

問題2 ＿＿＿の言葉を漢字で書くとき、最もよいものを１・２・３・４から一つ選びなさい。

11 手術でゆけつが必要となる場合があります。

1 輸血　　2 輸皿　　3 輪血　　4 輪皿

12 結果よりもかていのほうが大切だということもある。

1 仮定　　2 家庭　　3 課程　　4 過程

13 第一しぼうの大学に合格してうれしい。

1 脂肪　　2 志望　　3 死亡　　4 予防

14 花のたねをまく。

1 竹　　2 根　　3 灰　　4 種

15 かもめ丸は悪天候のためけっこうとなりました。

1 決行　　2 結構　　3 欠航　　4 血行

16 A「深い海のそこにはおもしろい魚がいるよね。」
B「ああ、深海魚ね。」

1 底　　2 低　　3 氏　　4 邸

17 A「どうして、あの学校は嫌なの？」
B「きそくがきびしいんだもん。」

1 規則　　2 視側　　3 規側　　4 視則

18 A「授業の予習復習は必ずします。」
B「えらいですね。」

1 違い　　2 緯い　　3 偉い　　4 韋い

19 A「どこへ行くの。」
B「おひがんの花を買いに…。」

1 悲岸　　2 彼岸　　3 皮岸　　4 飛岸

20 A「台風が来るって。」
B「じゃ、あまどを閉めよう。」

1 雨戸　　2 網戸　　3 水戸　　4 天戸

問題3 （　　）に入れるのに最もよいものを、１・２・３・４から一つ選びなさい。

21 雑誌を１（　　）買ってきてくれませんか。

1 刊　　2 冊　　3 杯　　4 枚

22 今から、口（　　）試験があります。

1 面　　2 筆　　3 記　　4 述

23 ここにずっと住むわけではなく、（　　）の住まいです。

1 仮　　2 公　　3 単　　4 応

24 仕事で業（　　）を上げれば給料も上がるだろう。

1 責　　2 積　　3 績　　4 漬

25 水（　　）にお茶を入れて持参する。

1 竹　　2 筒　　3 封　　4 包

復習（p.132）の答え：
Q１　①e　**たんすう・ふくすう**　②g　**こい・うすい**　③h　**にゅうがく・そつぎょう**
④b　**とく・そん**　⑤c　**かんたん・ふくざつ**
Q２　①b　②b　③a　④a　⑤a　⑥b　⑦a　⑧a　⑨b　⑩a
Q３　①b　②a　③a　④b　⑤b　⑥a

まとめの問題（p.134～136）の答え：
問題１　1 3　2 3　3 2　4 1　5 1　6 4　7 4　8 1　9 2　10 1
問題２　11 1　12 4　13 2　14 4　15 3　16 1　17 1　18 3　19 2　20 1
問題３　21 2　22 4　23 1　24 3　25 2

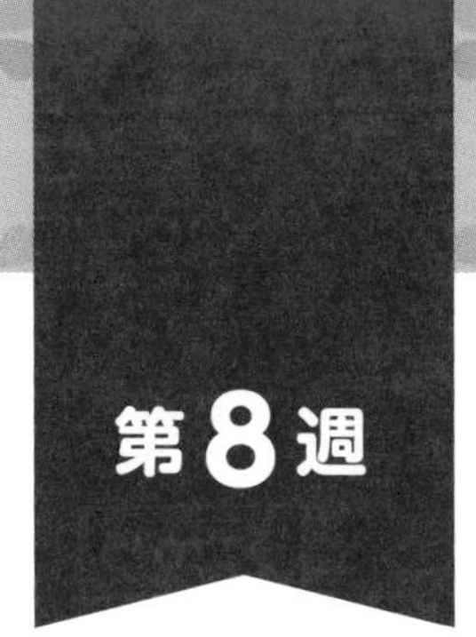

第8週

しる

Know
知道
알다

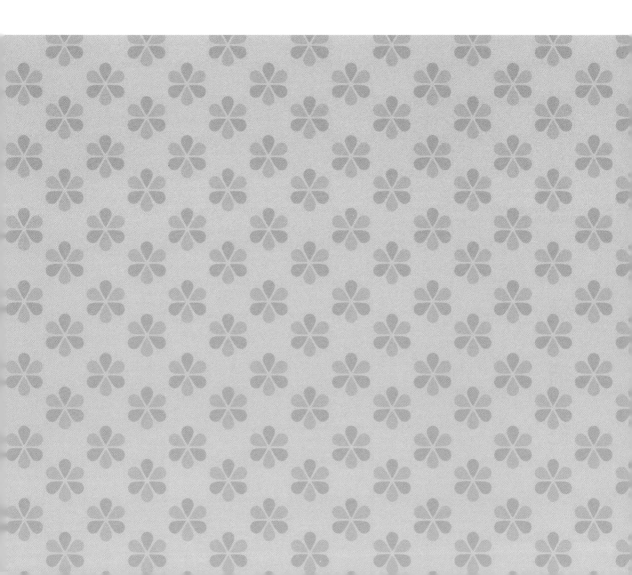

しる

速報（そくほう）

News Flash
快报
속보

学習日
月　日(　)

Q. ＿＿の読みは？
疑う

読んでおぼえましょう

○時○分北九州でやや強い地震が有りました。各地の震度は・・・この地震による津波の心配は有りません。

XX強盗殺人事件で逃走中の○○容疑者が逮捕されました。
OONEWS

○月○日より連絡を絶っていた漁船が○時○分頃XXで発見されました。
OONEWS

漢字	画数	読み	語	意味	語	意味
州	6画	シュウ	本州（ほんしゅう）	Honshu (main island of Japan) 本州 혼슈	九州（きゅうしゅう）	
			〜州（しゅう）(例：テキサス州)	a state (e.g. the state of Texas) ～州 ~주		
波	8画	ハ / なみ	電波（でんぱ）	a radio 电波 전파	津波（つなみ）	a tsunami 海啸 해일
			波（なみ）	a wave 波 파도		
盗	11画	トウ / ぬす-む	強盗（ごうとう）	a robbery 强盗 강도	盗難（とうなん）	a theft 被盗、失盗 도난
			❗盗む（ぬす）	steal 盗窃、欺瞒 훔치다		
逃	9画	トウ / に-げる / に-がす / のが-す	逃走（とうそう）	an escape/flight 逃跑 도주	逃げる（に）	escape 逃走、逃避 도망치다
			逃がす（に）	release/let go 放走 놓치다	逃す（のが）	let slip 错过、放过 놓아주다
疑	14画	ギ / うたが-う	疑問（ぎもん）	a question/doubt 疑问 의문	容疑（ようぎ）	suspicion (犯罪)嫌疑 용의
			❗疑う（うたが）	doubt/suspect 怀疑、疑惑 의심하다		
捕	10画	ホ / つか-まる / つか-まえる / と-る / と-らえる	逮捕（たいほ）	arrest/capture 逮捕 체포		
			捕まる（つか）	be arrested / be caught 被捉拿 잡히다, 붙잡히다	捕まえる（つか）	arrest/catch 抓住、捕捉 잡다, 붙잡다
			捕る（と）	take/catch (fish) 捕、捉 잡다, 포획하다	捕らえる（と）	seize/grasp/arrest 捉拿 잡다, 파악하다
絶	12画	ゼツ / た-える / た-つ	絶対（ぜったい）(に)	absolutely/definitely 绝对、一定 절대(로)	絶えず（た）	constantly 不断地 끊임없이
			❗絶つ（た）	sever / cut off / suppress 断绝 끊다, 그만두다		

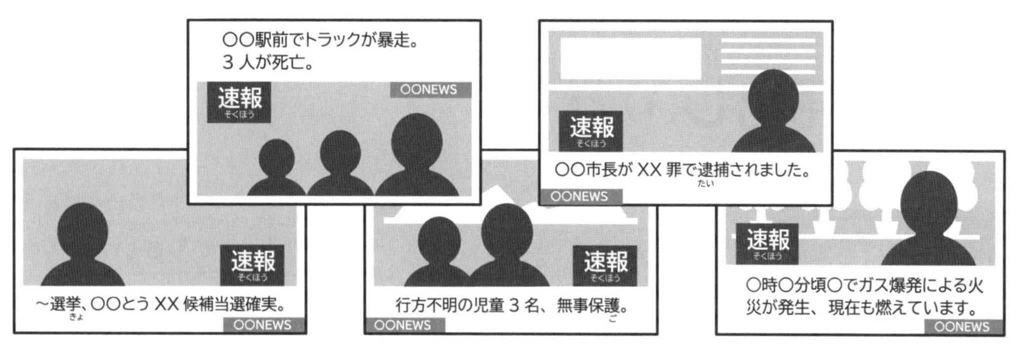

漢字	画数	読み	語	意味	語	意味
党	10画	トウ	政党（せいとう）	a political party 政党 정당 ☞ 政 (p.149)	～党（とう）	a party (political) ～党 ～당
			与党（よとう）	the ruling party 执政党 여당	野党（やとう）	the opposition party 在野党 야당
補	12画	ホ おぎな-う	候補（者）（こうほ（しゃ））	a candidate 候补 후보(자)	補足（ほそく）	supplement/complement 补充、补足 보충
			補助（ほじょ）	assistance/support 补助、辅助 보조	❗補う（おぎなう）	compensate for / supplement 补充 보충하다
童	12画	ドウ	児童（じどう）	children/juvenile 儿童 아동	童話（どうわ）	a fairy tale 童话 동화
爆	19画	バク	爆発（ばくはつ）	an explosion 爆炸、爆发 폭발		
暴	15画	ボウ あば-れる	暴走（ぼうそう）	running wildly 狂奔 폭주	乱暴（な）（らんぼう）	rude/violent 蛮横 난폭
			❗暴れる（あばれる）	behave violently 乱闹 광란		
亡	3画	ボウ な-い	死亡（しぼう）	death 死亡 사망		
			亡くなる（なくなる）	die 死去 죽다	亡くす（なくす）	lose someone 死去 여의다
罪	13画	ザイ つみ	～罪（ざい）	crime of ... ～罪 ～죄	無罪（むざい）	innocent 无罪 무죄
			有罪（ゆうざい）	guilty 有罪 유죄	❗罪（つみ）	a crime 罪 죄

練習 正しいほうを選びなさい。 ▶答え（こたえ）は p.141、読み（よみ）は別冊（べっさつ）p.12～13

① 猫がネズミを（a. 捕る　b. 捕まる）。

② この辺は携帯（けいたい）の（a. 電話　b. 電波）が届かないようだ。

③ 盗みの（a. 疑い　b. 疑問）をかけられる。

④ 店長は（a. 絶えず　b. 絶えて）客や店員に気を配らねばならない。

⑤ この健康補助食品はカルシウムを（a. 絶つ　b. 補う）のに最適です。

⑥ 男が酒を飲んで居酒屋で（a. 逃げて　b. 暴れて）います。

⑦ 私には支持（a. 政党　b. 政府）はないが、支持する候補者はいる。

⑧ 昨夜、都心でガス（a. 爆発　b. 暴走）がありました。

第8週 2日目

しる

見出し①（みだし）

Headlines ①
标题①
표제①

学習日　　月　　日(　)

Q. ＿＿の読みは？ 被害

きがい

読んでおぼえましょう

新型ウイルス　欧米型急増
厚生労働省調査

貿易赤字　2兆円超
財務省調査

農業散布を
完全自動化

※ドローン：drone
无人机　드론

漢字	画数	読み	語	意味	語	意味
型	9画	ケイ／かた	典型的(な)（てんけいてき）	typical/model/ideal 典型的　전형적인		
			大型（おおがた）	a large/jumbo size　大型　대형	～型（がた）	model/style/shape ～型　～형
欧	8画	オウ	欧米（おうべい）	Europe and America / the West 欧美　구미	欧州（おうしゅう）	Europe　欧洲　구주
労	7画	ロウ	苦労（くろう）	troubles/hardships　辛苦、操心　고생		
			ご苦労様（くろうさま）	Thank you very much (said by a senior person to someone junior for doing a job) 您辛苦了　수고하셨습니다		
			厚生労働省（こうせいろうどうしょう）	Ministry of Health / Labour and Welfare　福利劳工部　후생노동성		
兆	6画	チョウ	兆（ちょう）	sign / omen; trillion (American) / billion (British) / 10^{12} (数)兆、万亿　조		
貿	12画	ボウ	貿易（ぼうえき）	(foreign) trade　贸易　무역		
易	8画	イ／エキ／やさ-しい	容易（ようい）	easy/plain/simple　容易　손쉬움	安易(な)（あんい）	easy-going　安逸　안이(한)
			貿易（ぼうえき）	trade　贸易　무역	易しい（やさ）	easy/plain/simple 容易　쉽다
農	13画	ノウ	農業（のうぎょう）	agriculture　农业　농업	農家（のうか）	a farmer / farm family 农户　농가
			農産物（のうさんぶつ）	agricultural produce　农产品　농산물	農薬（のうやく）	Agricultural chemicals　农药　농약

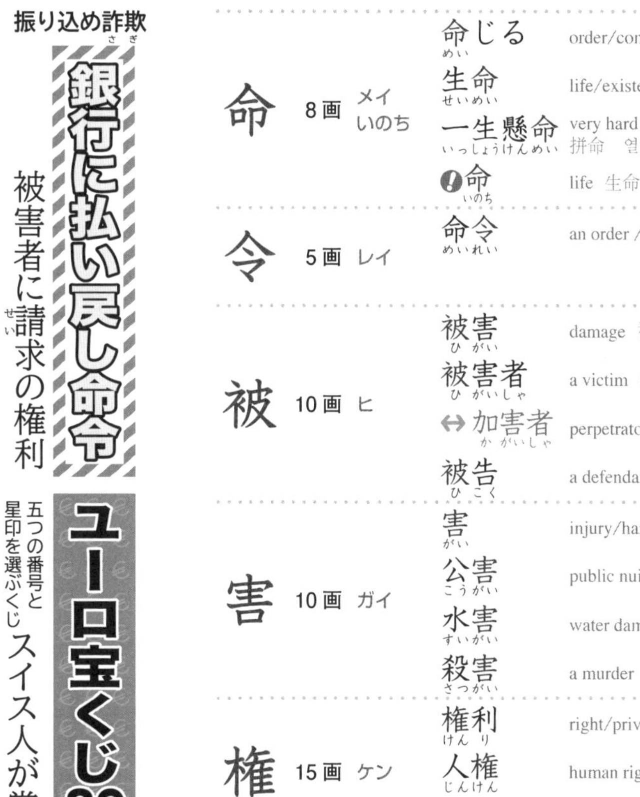

振り込め詐欺(さぎ)
銀行に払い戻し命令
被害者に請(せい)求の権利
ユーロ宝くじ89億円
スイス人が賞金記録
五つの番号と星印を選ぶくじ

宝くじ、いいな～

漢字	画数	読み	語彙	意味
命	8画	メイ / いのち	命じる(めい)	order/command 命令、任命 명하다
			生命(せいめい)	life/existence 生命 생명
			一生懸命(いっしょうけんめい)	very hard / with utmost effort 拼命 열심임
			❗命(いのち)	life 生命 목숨
令	5画	レイ	命令(めいれい)	an order / command 命令 명령
被	10画	ヒ	被害(ひがい)	damage 被害 피해
			被害者(ひがいしゃ)	a victim 受害者 피해자
			↔加害者(かがいしゃ)	perpetrator 加害人 가해자
			被告(ひこく)	a defendant 被告 피고
害	10画	ガイ	害(がい)	injury/harm/damage 害 해로움, 손해
			公害(こうがい)	public nuisance / pollution 公害 공해
			水害(すいがい)	water damage / flood disaster 水灾 수해
			殺害(さつがい)	a murder 杀害 살해
権	15画	ケン	権利(けんり)	right/privilege 权利 권리
			人権(じんけん)	human rights / civil liberties 人权 인권
			～権(けん)	authority/right ～权力 ～권
億	15画	オク	億(おく)	a hundred million / 10⁸ 亿 억
星	9画	セイ / ほし	星座(せいざ)	a constellation 星座 별자리
			星(ほし)	a star 星 별
			星印(ほしじるし)	a star / an asterisk 星的符号 별표

練習 正しいほうを選びなさい。 ▶答(こた)えは p.143、読(よ)みは別冊(べっさつ) p.13

① 文部(もんぶ)科学省の前年度予算は6(a. 兆　b. 逃)円を超えている。

② あなたの国と日本は昔から(a. 貿易　b. 容易)をしています。

③ まず、(a. 安い　b. 易しい)問題から解いてみましょう。

④ 私のふるさとは(a. 農業　b. 農家)がさかんです。

⑤ 大型台風により、各地で(a. 水害　b. 公害)などの被害が出ています。

⑥ 被害者の(a. 人権　b. 苦労)を守ろう。

⑦ 一度しかない人生、(a. 命　b. 令)は大切にしましょう。

⑧ 日本の人口は約1(a. 奥　b. 億)3千万人です。

p.139 の答え：①a　②b　③a　④a　⑤b　⑥b　⑦a　⑧a

第8週 3日目

しる

見出し②(みだし)

Headlines ②
标题②
표제②

学習日 月 日( )

Q. ＿＿＿の読みは？
失敗

読んでおぼえましょう

トピックス

- XX 武器輸出解禁問題 
- SEC 社長巨額の資金を運用 
- ビール販売競争に買ったのは？ 
- サッカー日本代表 4 連敗 
- 高校野球○X 逆転優勝！ 
- 山川投手 今シーズン 2 勝目

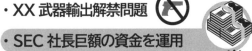

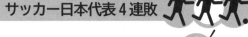

ガンバレ～！

漢字	画数	読み	語	意味	語	意味
武	8画	ブ	武器(ぶき)	weapon/arms 武器 무기	武力(ぶりょく)	military power 武力 무력
			武士(ぶし)	a warrior/samurai 武士 무사		
巨	5画	キョ	巨大(な)(きょだい)	huge/gigantic 巨大 거대	巨額(きょがく)	a great sum 巨额 거액
競	20画	キョウ ケイ きそ-う	競争(きょうそう)	a competition/contest 竞争 경쟁	❗競馬(けいば)	horse racing 赛马赌博 경마
			❗競う(きそう)	emulate/compete with 竞争 경쟁하다		
敗	11画	ハイ やぶ-れる	失敗(しっぱい)	a failure/mistake 失败 실패，실수	連敗(れんぱい)	a series of defeats 连败 연패
			❗敗れる(やぶれる)	be defeated 败 패하다，지다		
逆	9画	ギャク さか-らう	逆(ぎゃく)	the reverse/opposite 相反 반대	逆転(ぎゃくてん)	a (sudden) change / reversal 逆转 역전
			❗逆さ(さかさ)	upside down / inversion 相反 거꾸로 됨	❗逆らう(さからう)	oppose/defy 违背 거스르다
勝	12画	ショウ か-つ	優勝(ゆうしょう)	a victory/championship 优胜 우승	勝負(しょうぶ)	a match/contest/game 胜负 승부
			勝敗(しょうはい)	victory or defeat 胜败 승패	勝つ(かつ)	win 胜 이기다
投	7画	トウ な-げる	投手(とうしゅ)	a (baseball) pitcher 投手 투수	投書(とうしょ)	a letter to the editor 投稿 투서
			投資(とうし)	a investment 投资 투자	投げる(なげる)	throw 投 던지다

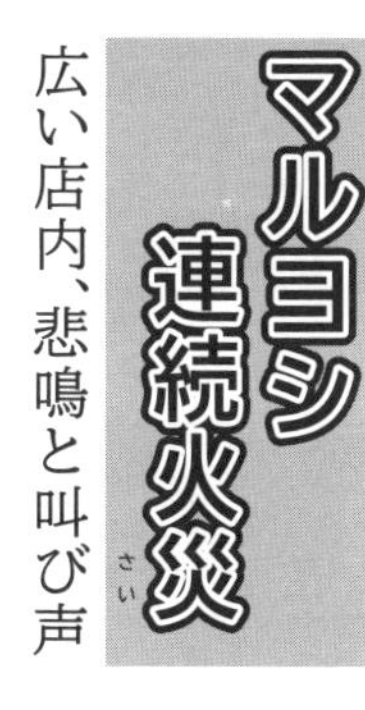

マルヨコシ連続火災(さい)
広い店内、悲鳴と叫び声

○軍の兵士(し)死亡で捜査

強風雨で転倒事故、1人骨折

首相「基本方針変えない」

漢字	画数	読み	語	意味	語	意味
軍	9画	グン	軍(ぐん)	army / troops / the military authorities 军队　군, 군대	～軍(ぐん)	suffix for military force ～军　~군
			軍隊(ぐんたい)	army/troops 军队　군대		
兵	7画	ヘイ	兵士(へいし)	a soldier 士兵　병사	～兵(へい)	suffix for soldier ～兵　~병
			兵隊(へいたい)	a soldier / an army 军队、士兵　병사		
捜	10画	ソウ さが-す	捜査(そうさ)	a search/investigation 搜查　수사		
			捜(さが)す	search/seek 寻找　찾다		
倒	10画	トウ たお-れる たお-す	転倒(てんとう)	falling down / upset / turnover 跌倒；颠倒　넘어짐 ; 전도됨	面倒(めんどう)	① trouble/difficulty 麻烦　귀찮음, 성가심 ② care/attention 照顾、照料　돌봄, 보살핌
			倒(たお)れる	collapse / break down 倒塌　넘어지다	倒(たお)す	throw down / beat 倒　넘어뜨리다
骨	10画	コツ ほね	骨折(こっせつ)	a bone fracture 骨折　골절		
			骨(ほね)	a bone 骨头、骨架　뼈		
針	10画	シン はり	方針(ほうしん)	a principle/policy 方针　방침	針路(しんろ)	a course/direction 航向、前进方向　침로, 항로
			❗針(はり)	a needle 针　바늘	針金(はりがね)	a wire 铁丝　철사
叫	6画	さけ-ぶ	叫(さけ)び	a shout /scream 呼喊　외침	叫(さけ)ぶ	shout / cry out 呼喊　외치다

練習 正しいほうを選びなさい。 ▶答(こた)えは p.145、読(よ)みは別冊(べっさつ) p.13

① (a. 巨額　b. 巨大) 魚がどこかの海岸で捕れたそうだ。

② (a. 勝負　b. 競争) がつかず、試合を延長する。

③ 新聞に意見を (a. 投書　b. 投資) する。

④ (a. 武士　b. 武力) ではなく、話し合いで解決したい。

⑤ 警察は事件の (a. 捜査　b. 針路) を進めている。

⑥ 強風で傘(かさ)の骨が (a. 折れた　b. 倒れた)。

⑦ 救急車を (a. 叫んで　b. 呼んで) ください。

⑧ この魚は頭も (a. 針　b. 骨) も全部食べられます。

しっぱい

p.141 の答え：①a　②a　③b　④a　⑤a　⑥a　⑦a　⑧b

第8週 4日目

しる

記事(きじ)① Articles① 报道① 기사①

学習日　月　日(　)

Q. ＿＿＿ の読みは？
雇う

読んでおぼえましょう

日A首脳会談

……。様々な問題を抱えた両国首脳は、双方の意見を尊重し協力し合うことで合意した。……

B社スト決行

○月×日、B社の従(じゅう)業員50人が、雇用条件の改善を要求してストライキを決行、現在も続いている。……

漢字	画数	読み	語	意味	語	意味
脳	11画	ノウ	頭脳(ずのう)	a brain/intellect 头脑 두뇌	首脳(しゅのう)	head/brains (of a group of people) 领导人 수뇌
抱	8画	だ-く いだ-く かか-える	抱く(だく)	embrace/hold 抱 안다, 품다	❗抱く(いだく)	embrace / hold / entertain (a hope/doubt, etc) 怀有 안다, 품다
			❗抱える(かかえる)	hold/have (a responsibility/problem) 抱、夹 안다, 껴안다		
双	4画	ソウ ふた	双方(そうほう)	both parties 双方 쌍방		
			双子(ふたご)	twins 双胞胎 쌍둥이		
尊	12画	ソン	尊重(そんちょう)	respect/esteem 尊重 존중	尊敬(そんけい)	respect/esteem/reverence 尊敬 존경 ☞ 敬(p.146)
雇	12画	コ やと-う	雇用(こよう)	employment (long term) / hire 雇用 고용	解雇(かいこ)	a dismissal 解雇 해고
			❗雇う(やとう)	employ/hire 雇用 고용하다		
条	7画	ジョウ	条件(じょうけん)	conditions/terms 条件 조건	条約(じょうやく)	a treaty 条约 조약
善	12画	ゼン	改善(かいぜん)	an improvement 改善 개선	善悪(ぜんあく)	good and evil / right and wrong 善恶 선악
			親善(しんぜん)	friendship/goodwill 亲善 친선		

解雇は不当 Aさん B社を訴える

……。B社社員Aさんは3週間の病気休暇をとって出社すると解雇されていた。これを法律で禁止されている不当解雇にあたるとし、……

○○情勢

……。戦争での恐怖体験を兵士は語った。……

荒れた休耕地が美しい風景に変身

……。荒れた景観を改善するため、市民ボランティアが土を掘り返した耕した休耕地は、美しい菜の花畑に生まれ変わった。

漢字	画数	読み	語	意味	語	意味
律	9画	リツ	法律（ほうりつ）	law/legislation 法律 법률	規律（きりつ）	order/discipline/rule 纪律 규율
勢	13画	セイ いきお-い	情勢（じょうせい） 姿勢（しせい）	condition/situation 形势 정세 posture/attitude 姿势 자세	大勢（おおぜい） ❗勢い（いきおい）	a crowd / a great number of people 许多人 대세 momentum/force/might 气势 기세 , 기운
怖	8画	フ こわ-い	恐怖（きょうふ） 怖い（こわい）	a fear 恐怖 공포 scary 可怕 무섭다		
荒	9画	あら-い あ-れる あ-らす	荒い（あらい） 荒らす（あらす）	rough/rude/wild 粗暴 거칠다 devastate/damage 使……荒废 어지럽게 하다	荒れる（あれる）	be stormy / be rough 荒废 거칠어지다
耕	10画	コウ たがや-す	耕地（こうち） ❗耕す（たがやす）	arable land 耕地 경작지 farm/till/cultivate 耕作 논・밭을 갈다	休耕地（きゅうこうち）	land out of cultivation 休耕地 휴경지
景	12画	ケイ	風景（ふうけい） 景気（けいき）	scenery 风景 풍경 business climate/condition 景气 경기	光景（こうけい） ⊖景色（けしき）	a scene/spectacle 景象 광경 a scene/landscape 景色 경치
掘	11画	ほ-る	掘る（ほる）	dig 挖 파다	掘り返す（ほりかえす）	dig up (把埋着的东西) 挖出 파서 일구다

練習 正しいほうを選びなさい。　▶答え（こた）は p.147、読み（よ）は別冊（べっさつ） p.13

① 国際（a. 親善　b. 改善）を目的とした試合が行われる。

② 多少（a. 条件　b. 尊重）が悪くても、雇ってほしいと思っている。

③ あの双子は兄弟そろって素晴らしい（a. 頭脳　b. 首脳）を持っている。

④ 両国はさまざまな問題を（a. 抱いて　b. 抱えて）いる。

⑤ 犬が庭の土を（a. 埋めて　b. 掘って）何かを隠（かく）した。

⑥ この馬は気が（a. 怖い　b. 荒い）。

⑦ 優勝したチームは今回とても（a. 勢い　b. 景気）があった。

⑧ 寮（りょう）※では（a. 規律　b. 法律）正しい生活をしている。

※寮：dorm 宿舍 기숙사

p.143の答え：①b　②a　③a　④b　⑤a　⑥a　⑦b　⑧b

記事②(きじ)

Articles ②
报道②
기사②

学習日
月　日(　)

Q. ＿＿の読みは？
賢い

読んでおぼえましょう

日A関係改善へ第一歩

森下首相　来月訪A

森下首相はA国との関係改善を図るため、来月A国を訪問し、〇〇首相と直接会談することを決定した。

…対A政策(さく)に関して首相に批判的な立場をとっていた村木外務大臣は、「賢明で勇気ある決断に敬意を表したい」と評価した。

漢字	画数	読み	語	意味	語	意味
批	7画	ヒ	批判(ひはん)	a criticism / judgment　批判　비판	批評(ひひょう)	a criticism/review/commentary　批评　비평
判	7画	ハン バン	判断(はんだん) 裁判(さいばん)	judgment/decision　判断　판단 trial　裁判　재판	評判(ひょうばん)	fame/reputation　评论　평판
臣	7画	ジン	大臣(だいじん) 外務大臣(がいむだいじん)	a cabinet minister　大臣　대신，장관 Minister of Foreign Affairs　外务大臣　외무대신	総理大臣(そうりだいじん)	Prime Minister　总理大臣　총리대신
賢	16画	ケン かしこ-い	賢明(けんめい)(な) ❗賢(かしこ)い	wise/prudent　贤明　현명 wise/clever/smart　聪明的　현명하다		
勇	9画	ユウ いさ-む	勇気(ゆうき) ❗勇(いさ)ましい	courage/bravery　勇气　용기 brave/valiant　勇敢的　용감하다		
敬	12画	ケイ うやま-う	敬意(けいい) ❗敬(うやま)う	respect/honor　敬意　경의 show respect / honor　尊敬　존경하다	敬語(けいご)	honorific style of speech　敬语　경어
評	12画	ヒョウ	評価(ひょうか)	valuation/estimation　评价　평가	評論(ひょうろん)	a criticism/critique　评论（的文章）　평론

似顔絵でひったくり犯人捕まる

十日午前、山川駅付近の路上で中村しのさん（70）がひったくりにあったが、一緒にいた孫娘のさやかちゃん（5）が犯人の顔をよく覚えており、「毛糸の帽子をかぶって、テレビに出ている××に似ていた」と話した。山川警察署はさやかちゃんの話をもとに似顔絵を作成し、これが犯人逮捕につながった。調べに対し山本勇(いさむ)容疑者（21）は遊ぶ金欲しさにやったと自供(じきょう)している。

漢字	画数	読み	語	意味	語	意味
似	7画	に-る	似る（に） 似顔絵（にがおえ）	resemble 像 닮다, 비슷하다 a portrait 肖像画 초상화	似合う（にあ）	suit/match 相称 잘 맞다, 어울리다
犯	5画	ハン おか-す	犯人（はんにん） ❗犯す（おか）	an offender / a criminal 犯人 범인 commit/perpetrate 犯 범하다	犯罪（はんざい）	a crime 犯罪 범죄
孫	10画	ソン まご	子孫（しそん） 孫（まご）	descendants/posterity 子孙 손자 a grandchild 孙子 손자		
娘	10画	むすめ	娘（むすめ）	a daughter 女儿 딸	孫娘（まごむすめ）	a granddaughter 孙女 손녀
覚	12画	カク おぼ-える さ-ます さ-める	感覚（かんかく） ❗覚ます（さ） ❗覚める（さ）	a sense/sensation 感觉 감각 awaken 叫醒 깨우다 wake up 醒 잠이 깨다	覚える（おぼ） 目覚まし時計（めざましどけい）	remember 记住 외우다, 기억하다 an alarm clock 闹钟 알람시계
帽	12画	ボウ	帽子（ぼうし）	a hat 帽子 모자		

練習 正しいほうを選びなさい。 ▶答(こた)えは p.149、読(よ)みは別冊(べっさつ) p.13

① あの店は安くておいしいと（a. 評価　b. 評判）だ。

② 人間だから、（a. 賢い　b. 勇ましい）人でも判断を誤ることがある。

③（a. 敬語　b. 敬意）を正しく使うのはなかなか難しい。

④ 大臣の発言を国民は（a. 批評　b. 批判）的に受けとめた。

⑤ その帽子、あなたによく（a. 似て　b. 似合って）いますよ。

⑥ 朝早く目が（a. 覚めた　b. 覚ました）のに、起きられなかった。

⑦ あの娘さんは有名な武士(ぶし)の（a. 祖先　b. 子孫）だそうです。

⑧（a. 犯人　b. 判人）の顔や服装を覚えていますか。

かしこい

p.145 の答え：①a　②a　③a　④b　⑤b　⑥b　⑦a　⑧a

第8週 6日目

しる

記事③（きじ）

Articles ③
报道③
기사③

学習日　　月　　日(　)

Q. ＿＿＿の読みは？
技

読んでおぼえましょう

環境大臣に中田氏

環境大臣に○○党の中田一郎（いちろう）氏が就任した。中田氏は地球温暖化防止問題について記者の質問に対し、「地球全体で取り組むべき問題であり、わが国も温室効果ガスの削（さく）減に努めなければならない」と語（かた）った。

民間出身の長官に期待

文化庁長官には民間より秋田春子氏が就任した。秋田氏は「古い伝統を見直し、世界をリードする文化国を目指す」と述べた。

漢字	画数	読み	語	意味	語	意味
環	17画	カン	環境（かんきょう）	environment/circumstance　环境　환경		
			環状線（かんじょうせん）	a belt line, loop line/road (铁路、公路)环行线　환상선		
境	14画	キョウ さかい	境界（きょうかい）	a boundary/limit　边界　경계	国境（こっきょう）	a national or state border 国境　국경
			❗境（さかい）	a border/boundary　分界　경계	❗県境（けんざかい）	a prefectural border 县境　현과 현의 경계
減	12画	ゲン へ-る へ-らす	削減（さくげん）	a cut/reduction　削减　삭감	増減（ぞうげん）	increase and decrease 增减　증감
			加減（かげん）	an adjustment / modification / extent 加和减，情况　가감		
			減る（へ）	decrease　减少　줄다	減らす（へ）	decreas / reduce 使…减少　줄이다
努	7画	ド つと-める	努力（どりょく）	effort　努力　노력		
			❗努める（つと）	try (hard) / make efforts　努力　노력하다		
庁	5画	チョウ	～庁（ちょう）	suffix for government office / agency 官厅 ～청	県庁（けんちょう）	a prefectural office 县政府　현청
			文化庁（ぶんかちょう）	agency for cultural affairs　文化厅(局)　문화청	気象庁（きしょうちょう）	a meteorological agency 气象厅(局)　기상청
官	8画	カン	長官（ちょうかん）	a director/chief　长官　장관	警官（けいかん）	a police officer　警察　경관

ロボットと宇宙活動

宇宙機構が日本独自の長期ビジョン

宇宙航空研究開発機構（宇宙機構）は、十年後に有人ロケットの打ち上げを実現、二十年後には宇宙を行き来できる再生利用型宇宙船の開発を目指すと発表した。実現には技術面でも財政面でも課題が多く、各方面の理解と協力を求めていくとしている。……

一方、○○研究所は、未経験の状況に対して自分で考えて腕や足を動かすというAI（人工知能）技術の実験結果を発表、人間型ロボットにまた一歩近づけた。

漢字	画数	読み	語彙	意味	語彙	意味
宙	8画	チュウ	宇宙(うちゅう)	the universe / outer space 宇宙 우주		
独	9画	ドク ひと-り	独自(どくじ)	original/peculiar 独自 독자	独身(どくしん)	single/unmarried 单身 독신
			日独(にちどく)	Japan and Germany 日本和德国 일본과 독일	❗独り言(ひとりごと)	speaking oneself / a monologue 自言自语 혼잣말
技	7画	ギ わざ	技術(ぎじゅつ)	technique/technology/skill 技术 기술	技師(ぎし)	an engineer/technician 技师 기사
			競技(きょうぎ)	a game/match/contest 运动比赛 경기	演技(えんぎ)	acting/performance 演技 연기
			❗技(わざ)	an art / technique 技术 기술		
政	9画	セイ	財政(ざいせい)	fiscal and financial affairs 财政 재정	政治(せいじ)	politics/government 政治 정치
			政党(せいとう)	a political party 政党 정당	政府(せいふ)	government/administration 政府 정부
況	8画	キョウ	状況(じょうきょう)	a situation/circumstances 状况 상황	不況(ふきょう)	recession/depression 不景气 불황
腕	12画	ワン うで	腕力(わんりょく)	physical strength 腕力 완력		
			腕(うで)	arm 胳膊 팔，솜씨	腕前(うでまえ)	ability/skill 才干 솜씨

練習 **正しいほうを選びなさい。** ▶答え(こた)は p.151、読み(よ)は別冊(べっさつ) p.13

① この電車は（a. 境界線　b. 環状線）なので乗り越してもまた戻ってきます。

② ボランティア活動に（a. 国境　b. 環境）はない。

③ これはこの町の人口の（a. 削減　b. 増減）を表したグラフです。

④ あの方は気象庁（a. 警官　b. 長官）です。

⑤ 柔道の色々な（a. 技　b. 枝）を習う。

⑥（a. 不況　b. 財政）に負けずに景気回復に努めよう！

⑦ 相撲(すもう)は相撲でも指や（a. 腕　b. 碗）でする相撲もあります。

⑧ それは日本（a. 独身　b. 独自）の考え方だと思う。

p.147 の答え：①b　②a　③a　④b　⑤b　⑥a　⑦b　⑧a

復習＋もっと

ふくしゅう

Review quiz + more
复习＋更加
복습＋더

学習日
月　日(　)

復習しましょう

Q1. どの漢字を入れると、反対語になりますか。漢字の読みも書きましょう。

例)(れい) 雇用する（　こようする　）⇆ [b]雇する（　かいこする　）

① 加害者（　　）⇆ [　]害者（　　）

② 増える（　　）⇆ [　]る（　　）

③ [　]える（　　）⇆ 忘れる（　　）

④ [　]（　　）⇆ 悪（　　）

⑤ 失[　]（　　）⇆ 成功（　　）

a 敗　~~b 解~~　c 破　d 被　e 覚　f 減　g 無　h 善

Q2. 正しい読みはどれですか。○をつけましょう。

① 盗む（a ねすむ　b ぬすむ）　② 疑う（a うたがう　b したがう）

③ 補う（a おぎなう　b さからう）　④ 命令（a めいれい　b めいりょう）

⑤ 爆発（a まくはつ　b ばくはつ）　⑥ 暴れる（a まばれる　b あばれる）

⑦ 被害（a ひがい　b へいがい）　⑧ 人権（a にんげん　b じんけん）

⑨ 大臣（a たいしん　b だいじん）　⑩ 耕す（a たがやす　b あらす）

Q3. 正しい漢字はどれですか。○をつけましょう。

① つみ（a 非　b 罪）　②ほね（a 針　b 骨）

③ ちょう（a 億　b 兆）　④いきおい（a 勢い　b 荒い）

⑤ なげる（a 逃げる　b 投げる）　⑥ほる（a 掘る　b 捕る）

もっと勉強しましょう

グラフや表を読む

I　グラフ

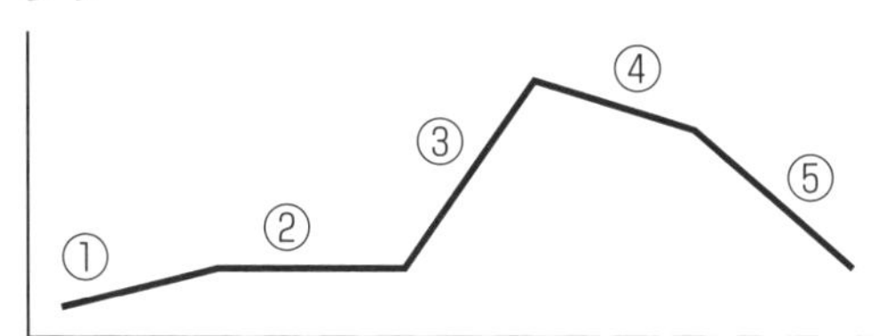

① 増加する／上昇する
② 横ばい／一定
③ 大幅に増加する／上昇する
④ 減少する／下降する
⑤ 著しく減少する／下降する
⑥ AはBを上回る
BはAを下回る
Aが１位を占める

II　表

	前年比較	平年比較		
	日数（日）	日数（日）	長さ	数
A地区	＋１	０	平年並み	やや少ない
B地区	－５	－３	やや長い	やや多い
C地区	－１	－２	やや短い	平年並み

漢字	画数	読み	語	意味	語	意味
昇	8画	ショウ のぼ-る	上昇（じょうしょう） 昇る（のぼ）	rising/ascending 上升 상승 rise 上升 오르다		
幅	12画	はば	幅（はば）	width/breadth 幅度 폭	大幅（な）（おおはば）	substantial/large-scale 大幅度 대폭
著	11画	チョ あらわ-す いちじる-しい	著者（ちょしゃ） ❗著す（あらわ）	an author/writer 作者 저자 write/publish 著作 저술하다	❗著しい（いちじる）	remarkable/considerable 显著的 현저하다
占	5画	し-める うらな-う	占める（し） ❗占う（うらな）	occupy 占有 차지하다 tell a person's fortune / forecast 算命 점치다		
比	4画	ヒ くら-べる	比較（ひかく） 比べる（くら）	a comparison 比较 비교 compare 比较 비교하다		
較	13画	カク	比較的（ひかくてき）	comparative 比较 비교적		
並	8画	なみ なら-べる なら-ぶ	平年並み（へいねんな） 並べる（なら）	an average year 同往年一样 평년과 같은 수준 line up / set out 排列 줄지어 놓다	並木（なみき） 並ぶ（なら）	a row of trees 成排的树 가로수 stand in a line 排列 줄을 서다

p.149の答え：①b　②a　③b　④b　⑤a　⑥a　⑦a　⑧b

月　日(　)

まとめの問題

Summary questions
综合问题
정리 문제

制限時間：20分
1問4点×25問
答えはp.154
読みは別冊p.13～14

点数
／100

問題1　＿＿＿の言葉の読み方として最もよいものを、1・2・3・4から一つ選びなさい。

1　コンサート会場は<u>大勢</u>のファンで超満員になった。

1　だいせい　2　おおせい　3　たいせい　4　おおぜい

2　母は<u>典型的</u>な古い日本の女性です。

1　もはんてき　2　りそうてき　3　でんとうてき　4　てんけいてき

3　子供の意志も<u>尊重</u>すべきです。

1　けいじゅう　2　そんじゅう　3　けいちょう　4　そんちょう

4　現代人は他人を<u>敬う</u>気持ちに欠けているのではないだろうか。

1　さからう　2　うやまう　3　あしらう　4　したがう

5　<u>補足</u>説明をさせて頂きます。

1　ふそく　2　ほそく　3　ふぞく　4　ほぞく

6　兄は<u>県庁</u>で職員として働いています。

1　けんちょう　2　けんてい　3　けんしょう　4　けんしょ

7　<u>被告</u>は無罪を主張している。

1　はこく　2　ひこく　3　ふこく　4　へこく

8　<u>犯した</u>罪をつぐなってほしい。

1　ほんした　2　おこした　3　はんした　4　おかした

9　<u>環境</u>問題について考える。

1　けんきょう　2　かんきょう　3　かんきゅう　4　けんきゅう

10　各国の選手たちは技を<u>競い</u>合った。

1　きそい　2　あらそい　3　うばい　4　うやまい

問題2 ＿＿＿の言葉を漢字で書くとき、最もよいものを１・２・３・４から一つ選選びなさい。

11 会社の信頼を回復するようつとめる。

1 務める　2 勤める　3 努める　4 勉める

12 日本チームは決勝でやぶれた。

1 敗れた　2 破れた　3 折れた　4 倒れた

13 湯かげんはいかがですか。

1 増減　2 加減　3 削減　4 過減

14 不況のため、社員の半数がかいこされた。

1 解子　2 解放　3 解雇　4 解戸

15 奥さんの料理のうでまえはすごいですね。

1 腕毎　2 腕力　3 腕米　4 腕前

16 A「この商品は人気じょうしょう中ですね。」
B「CM のおかげかな。」

1 上場　2 上声　3 上昇　4 上回

17 A「今年はずいぶん寒いですね。」
B「でも、平年なみだそうですよ。」

1 波　2 並　3 均　4等

18 A「他社の製品とくらべて、価格はどうですか。」
B「やや高いですね。」

1 北べて　2 似べて　3 以べて　4 比べて

19 A「食費の支出にしめる割合はどのくらいですか。」
B「えーっと…。」

1 閉める　2 求める　3 占める　4 覚める

20 A「彼の成績を見てください。」
B「ほう、成長いちじるしいですね。」

1 著しい　2 珍しい　3 等しい　4 貧しい

問題3 （　　）に入れるのに最もよいものを、１・２・３・４から一つ選びなさい。

21 新（　　）インフルエンザが流行している。

1 米　　2 型　　3 兵　　4 星

22 外国人には選挙（　　）がありますか。

1 件　　2 令　　3 条　　4 権

23 大雨のため、各地で水（　　）が起きている。

1 害　　2 絶　　3 爆　　4 暴

24 米国のカリフォルニア（　　）から来ました。

1 週　　2 集　　3 州　　4 宗

25 野（　　）から首相の発言に対して批判の声が上がった。

1 党　　2 軍　　3 童　　4 覚

復習（p.150）の答え：

Q１　①d　かがいしゃ・ひがいしゃ　②f　ふえる・へる　③e　おぼえる・わすれる
④h　ぜん・あく　⑤a　しっぱい・せいこう

Q２　①b　②a　③a　④a　⑤b　⑥b　⑦a　⑧b　⑨b　⑩a

Q３　①b　②b　③b　④a　⑤b　⑥a

まとめの問題（p.152～154）の答え：

問題１　1 4　2 4　3 4　4 2　5 2　6 1　7 2　8 4　9 2　10 1

問題２　11 3　12 1　13 2　14 3　15 4　16 3　17 2　18 4　19 3　20 1

問題３　21 2　22 4　23 1　24 3　25 1

模擬試験(もぎしけん)

答え(こた)・正解文(せいかいぶん)の読(よ)みは別冊(べっさつ)にあります。

Answers and readings of correct sentences can be found in the separate booklet.
答案和正确词句的读法在附录的别册里。
대답 · 올바른 문장 읽기 는별책에 있습니다 .

１回分(かいぶん)の問題数(もんだいすう)は、実際(じっさい)の「日本語能力試験(にほんごのうりょくしけん)」よりも多(おお)くなっています。

The number of questions for one test is more than the actual "Japanese Language Proficiency Test".
考一回的试题量比实际的"日本语能力考试"要多。
1 회분 문제집은 , 실제의「일본어능력시험」보다 많아지고 있습니다 .

月　日(　)

模擬試験

第1回

制限時間：15分
1問5点×20問
答えは別冊 p.14

点数　／100

問題1

1 わかり次第、ご連絡申し上げます。

1 じたい　2 しでい　3 しだい　4 じてい

2 夢を抱いて留学する。

1 いだいて　2 かかいて　3 えがいて　4 かこいて

3 責任を果たして、安心しました。

1 みたして　2 はたして　3 かたして　4 ふたして

4 海外から天然ガスを輸入する。

1 てんれん　2 てんねん　3 てんぜん　4 てんめん

5 布製の収納ボックスを買う。

1 ふせい　2 るのせい　3 ぬのせい　4 ほせい

6 きれいな紙でプレゼントを包む。

1 くるむ　2 はさむ　3 たたむ　4 つつむ

7 しばらく会っていない家族が恋しい。

1 こいしい　2 いとしい　3 さみしい　4 ひさしい

8 超特価とは非常に安いということです。

1 しょうとっか　2 しゅうとっか　3 ちゅうとっか　4 ちょうとっか

9 あの看板が読めますか。

1 かんぱん　2 かばん　3 かんばん　4 けんばん

10 会議で鋭い質問をされた。

1 ずるい　2 しぶとい　3 するどい　4 きつい

問題2

11 このバスはうんちんを先に払います。

1 運費　　2 運賃　　3 運貨　　4 運貸

12 この本は上中下の３かんから成っている。

1 券　　2 巻　　3 件　　4 冊

13 大雨の音で目がさめた。

1 冷めた　　2 覚めた　　3 開めた　　4 驚めた

14 かんきょう問題を考える。

1 観光　　2 健康　　3 研究　　4 環境

15 さいふを忘れて、家にもどった。

1 毛布　　2 財宝　　3 財布　　4 抱負

16 これは古い新聞などをさいせいした紙です。

1 最生　　2 際生　　3 清生　　4 再生

17 もうそんな仕事ができるなんて、たのもしい。

1 楽もしい　　2 頼もしい　　3 勇もしい　　4 愉もしい

18 うちには犬が３びきいます。

1 四　　2 西　　3 匹　　4 酉

19 現代日本語のしょ問題について話し合う。

1 緒　　2 渚　　3 猪　　4 諸

20 その花は来月の初めにはさくでしょう。

1 咲く　　2 割く　　3 笑く　　4 朔く

月　　日（　）

模擬試験

第2回

制限時間：15分
1問5点×20問
答えは別冊 p.14 ~ 15

点数　　／100

問題1

1 <u>幼い</u>子供の命を守る。

1　あどけない　　2　なさけない　　3　おさない　　4　いたいけない

2 <u>絵画展</u>を見に行く。

1　えいがてん　　2　かいかくてん　　3　えがてん　　4　かいがてん

3 準備は全て<u>整った</u>。

1　そろった　　2　ととのった　　3　うらなった　　4　すくった

4 飛行機が<u>着陸</u>に失敗した。

1　じょうりく　　2　ちょくりく　　3　ちゃくりく　　4　りりく

5 風で髪が<u>乱れた</u>。

1　ちぢれた　　2　みだれた　　3　たおれた　　4　やぶれた

6 ここにゴミを<u>捨てて</u>はいけません。

1　つてて　　2　たてて　　3　すてて　　4　してて

7 兄は大好きだが、からかわれると<u>憎らしい</u>。

1　あいらしい　　2　いじらしい　　3　ほこらしい　　4　にくらしい

8 アパートから<u>一戸建て</u>に引っ越す。

1　いっとだて　　2　いっこだて　　3　いちこだて　　4　いちどだて

9 係員は親切で<u>笑顔</u>がすてきな人だった。

1　えがお　　2　すがお　　3　えくぼ　　4　ほほえみ

10 レシートではなく、<u>領収書</u>を書いてください。

1　れいしゅうしょ　　2　ろうしゅうしょ　　3　りょうしゅうしょ　　4　りゅうしゅうしょ

問題2

11 こちらはかわせいのバッグです。

1　皮製　　2　川生　　3　革製　　4　河生

12 あの家は１おく円するそうです。

1　奥　　2　億　　3　憶　　4　意

13 お湯をわかして、お茶を入れる。

1　溶かして　　2　解かして　　3　沸かして　　4　鳴かして

14 会社へ行くとちゅう、飲み物を買った。

1　道中　　2　徐中　　3　徒中　　4　途中

15 これは水をきれいにするそうちです。

1　装置　　2　処置　　3　物置　　4　操置

16 リサイクルするようにつねに気をつけている。

1　定に　　2　割に　　3　常に　　4　毎に

17 長時間の使用は低温やけどのおそれがあります。

1　怖れ　　2　破れ　　3　危れ　　4　恐れ

18 駅の近くにラーメン屋が２けんある。

1　軒　　2　件　　3　店　　4　戸

19 ちらかっていますが、どうぞお入りください。

1　乱らかって　　2　汚らかって　　3　散らかって　　4　恥らかって

20 エアコンの設定をじょしつにする。

1　徐湿　　2　叙湿　　3　余湿　　4　除湿

月　日(　)

模擬試験

第3回

制限時間：15分
1問5点×20問
答えは別冊 p.15

問題1

1 火を止めてから粉末スープを加える。

1　かえる　　2　そえる　　3　くわえる　　4　こわえる

2 チャンスを逃してはいけないと思った。

1　ねがして　　2　さがして　　3　のがして　　4　もらして

3 言うのは容易だが、実行するのは難しい。

1　ようえき　　2　ようい　　3　ゆうえき　　4　あんい

4 新聞や雑誌の求人情報を探す。

1　きゅうじん　　2　くうじん　　3　きょうじん　　4　くうにん

5 この筒の中には設計図が入っています。

1　はこ　　2　つつ　　3　くだ　　4　かん

6 なぜあんな物が売れるのか、不思議だ。

1　ふちぎ　　2　ぶしぎ　　3　ぶちぎ　　4　ふしぎ

7 このダイヤルで温度調節をしてください。

1　ちゅうせつ　　2　ちょうせつ　　3　しょうせつ　　4　しゅうせつ

8 総理大臣のことを首相とも言う。

1　しゅしょう　　2　しゅちょう　　3　くびちょう　　4　しゅそう

9 父は漁師です。

1　りょうし　　2　ぎょし　　3　ぎょうし　　4　りゅうし

10 トイレや浴室の備品を点検する。

1　ぶひん　　2　そしな　　3　びひん　　4　べっぴん

問題2

11 両者とも強く、なかなか<u>しょうぶ</u>がつかない。

1 競争　2 勝敗　3 競技　4 勝負

12 今晩、知人宅に<u>とめて</u>もらいます。

1 辞めて　2 宿めて　3 泊めて　4 貯めて

13 引っ越しの荷物を運んで、<u>こし</u>が痛くなった。

1 肩　2 腰　3 節　4 骨

14 うがいや手洗いで風邪を<u>よぼう</u>する。

1 予防　2 予報　3 余病　4 要望

15 あの旅館は<u>ひょうばん</u>がいい。

1 表版　2 批判　3 平版　4 評判

16 車を持たない若者が<u>ふえて</u>いるそうだ。

1 映えて　2 整えて　3 増えて　4 数えて

17 ベビーカーを<u>おり</u>たたむ。

1 折り　2 祈り　3 降り　4 塗り

18 2で割れる数を<u>ぐうすう</u>と言う。

1 隅数　2 遇数　3 偶数　4 愚数

19 資料をそこに<u>ならべて</u>ください。

1 比べて　2 並べて　3 較べて　4 述べて

20 部下に仕事を<u>まかせる</u>。

1 負せる　2 責せる　3 任せる　4 担せる

模擬試験 第4回

制限時間(せいげんじかん)：15分(ふん)
1問(もん)5点(てん)×20問(もん)
答(こた)えは別冊(べっさつ)p.15～16

点数(てんすう)　／100

問題1

1 賞味期限は少し過ぎていても食べられる。

1　しょうひきげん　2　しょうみきかん　3　しょうみきげん　4　しょうひきかん

2 これは書道で使う筆です。

1　ふで　2　ふだ　3　さお　4　ぴつ

3 お土産に魚の干物を買いました。

1　ほしもの　2　かんもつ　3　ほぶつ　4　ひもの

4 …というわけです。以下省略します。

1　せいりゃく　2　しょうりゃく　3　ちゅうらく　4　しゅうらく

5 これは帯、そして、これは足袋です。

1　おび　2　たび　3　げた　4　ぞうり

6 日本にはどこにでも自動販売機がある。

1　はんばいき　2　へんばいき　3　はんまいき　4　へんまいき

7 この毛布は手洗いしてください。

1　ふとん　2　けいと　3　もうふ　4　けいぷ

8 祖父の家には馬が１頭います。

1　あたま　2　ず　3　かしら　4　とう

9 気象庁長官はラニーニャ現象について説明した。

1　げんぞう　2　げんちょう　3　げんじょう　4　げんしょう

10 外は寒くて凍えそうだ。

1　こおえそう　2　とうえそう　3　こごえそう　4　ころえそう

問題2

11 取りに来ない忘れ物を<u>しょぶん</u>する。

1 緒分　2 省分　3 諸分　4 処分

12 これを<u>そくたつ</u>で送ってください。

1 早速　2 速達　3 戸建　4 束達

13 その便は成田空港を<u>けいゆ</u>します。

1 経由　2 軽油　3 計油　4 景由

14 両国の<u>しゅのう</u>がオンラインで話し合った。

1 主能　2 首悩　3 首脳　4 主王

15 「<u>かべ</u>に耳あり」とはどういう意味ですか。

1 柱　2 窓　3 壁　4 床

16 この<u>しょうひんけん</u>は現金とは交換できません。

1 製品権　2 消費限　3 賞期限　4 商品券

17 かぎはテーブルの上に<u>おいて</u>ある。

1 置いて　2 抜いて　3 直いて　4 庫いて

18 あなたとの約束が<u>はたせて</u>、ほっとしました。

1 保たせて　2 満たせて　3 果たせて　4 異たせて

19 痛いところに、これを<u>ぬって</u>ください。

1 触って　2 余って　3 途って　4 塗って

20 この価格に消費税は<u>ふくまれて</u>いません。

1 包まれて　2 服まれて　3 含まれて　4 有まれて

模擬試験

漢字・語彙リスト（かんじ・ごい）

Kanji and Vocabulary List　汉字・词汇目录　한자· 어휘 리스트

※漢字（かんじ）の並び順（ならびじゅん）：画数（かくすう）→音読み（おんよ）のあいうえお順（じゅん）

※ 例（れい））　一：初級（しょきゅう）　了：中級（ちゅうきゅう）　冗：上級（じょうきゅう）

漢字	熟語	ページ
人	人権（じんけん）	141

4画

漢字	語	読み	ページ
仏	仏像	ぶつぞう	110
	日仏	にちふつ	110
分	分割	ぶんかつ	21
	分担	ぶんたん	51
	分布	ぶんぷ	88
	分量	ぶんりょう	37
	分類	ぶんるい	41
	処分	しょぶん	105
	成分	せいぶん	25
	部分	ぶぶん	67
	余分	よぶん	85
文	文化	ぶんか	15
	文化財	ぶんかざい	110
	文化庁	ぶんかちょう	148
	文章	ぶんしょう	74
	文法	ぶんぽう	58
	論文	ろんぶん	127
片	片～	かた	30
	片付ける	かたづ	30
	片道	かたみち	43
	片道切符	かたみちきっぷ	30
	破片	はへん	30,105
方	方角	ほうがく	107
	方針	ほうしん	143
	方法	ほうほう	58
	方面	ほうめん	94
	双方	そうほう	144
	他方	たほう	50
	両方	りょうほう	20
毛	毛	け	87
	毛糸	けいと	87
	毛皮	けがわ	87
	毛布	もうふ	88
	羽毛	うもう	25
	髪の毛	かみ け	89
	羊毛	ようもう	87
木	木綿	もめん	112
	植木	うえき	125
	並木	なみき	151
友	友達	ともだち	23
	友情	ゆうじょう	72
予	予算	よさん	37
	予習	よしゅう	37
	予想	よそう	129
	予定	よてい	37
	予備	よび	37
	予報	よほう	95
	予防	よぼう	89
	予約	よやく	37
5画			
圧	圧力	あつりょく	79
	高血圧	こうけつあつ	79
以	以内	いない	15
永	永久	えいきゅう	70,115
央	中央	ちゅうおう	41
加	加害者	かがいしゃ	141
	加減	かげん	148
	加速	かそく	56
	加える	くわ	56
	加わる	くわ	56
	参加	さんか	56
	増加	ぞうか	21,151
	追加	ついか	70
可	可	か	92
	可決	かけつ	92
	可燃	かねん	54
	可能	かのう	40,92
	可能性	かのうせい	67
	許可	きょか	120
	不可	ふか	92
外	外相	がいしょう	53
	外務大臣	がいむだいじん	146
	外科	げか	22
	郊外	こうがい	59
	例外	れいがい	75
刊	刊行物	かんこうぶつ	111
	月刊	げっかん	111
	週刊	しゅうかん	111
	朝刊	ちょうかん	111
甘	甘い	あま	112
	甘口	あまくち	112
	甘やかす	あま	112
旧	旧館	きゅうかん	112
	旧姓	きゅうせい	112
	復旧	ふっきゅう	112
去	去年	きょねん	61
	過去	かこ	52
	消去	しょうきょ	33
巨	巨額	きょがく	142
	巨大	きょだい	142
玉	玉	たま	35
	十円玉	じゅうえんだま	35
	水玉	みずたま	35
広	広告	こうこく	102
号	～号車	ごうしゃ	19
	記号	きごう	57
	信号	しんごう	19
	番号	ばんごう	19
	符号	ふごう	19
込	込む	こ	49
	思い込む	おも こ	49
	申し込み	もう こ	67
	申し込む	もう こ	49
	突っ込む	つ こ	72
	飛び込む	と こ	49
	払い込む	はら こ	49
冊	冊子	さっし	127
	～冊	さつ	127
札	1万円札	まんえんさつ	18
	改札口	かいさつぐち	18
	札	ふだ	18
皿	皿	さら	112
	～皿	さら	112
	大皿	おおざら	112
	小皿	こざら	112
	灰皿	はいざら	122
司	司会	しかい	97
史	～史	し	76
	歴史	れきし	39,76
四	四季	しき	106
	四捨五入	ししゃごにゅう	13
示	示す	しめ	31
	掲示	けいじ	31
	指示	しじ	31
	展示	てんじ	105
	表示	ひょうじ	31
失	失う	うしな	73
	失業	しつぎょう	73
	失敗	しっぱい	142
	失望	しつぼう	66,73
	失礼	しつれい	69,73
写	複写	ふくしゃ	111
主	主張	しゅちょう	69
	主婦	しゅふ	22
出	出荷	しゅっか	50
	出勤	しゅっきん	67
	出欠	しゅっけつ	68
	出身	しゅっしん	92
	出席	しゅっせき	21
	出張	しゅっちょう	69
	出版	しゅっぱん	111
	出版社	しゅっぱんしゃ	111
	支出	ししゅつ	32
	出迎え	でむか	106
	差出人	さしだしにん	94
	届け出	とど で	50
	飛び出す	と だ	13
	呼び出す	よ だ	95
	輸出	ゆしゅつ	129
処	処置	しょち	105
	処分	しょぶん	105
	処理	しょり	105
召	召し上がる	め あ	93
申	申請	しんせい	67
	申し上げる	もう あ	67
	申し込み	もう こ	67
	申す	もう	67
正	正直	しょうじき	74
	正面	しょうめん	94
	正式	せいしき	41
	改正	かいせい	18
	修正	しゅうせい	40
生	生活	せいかつ	71
	生存	せいぞん	41
	生徒	せいと	107
	生命	せいめい	141
	一生懸命	いっしょうけんめい	141
	厚生労働省	こうせいろうどうしょう	140
	再生	さいせい	22
石	石	いし	13
	石段	いしだん	15
	石炭	せきたん	125
	石油	せきゆ	85
	磁石	じしゃく	13
	宝石	ほうせき	110
	落石	らくせき	13
占	占う	うらな	151
	占める	し	151
他	他動詞	たどうし	75
	他人	たにん	50
	他方	たほう	50
	その他	た/ほか	50
打	打ち合わせ	う あ	73
	打つ	う	73
	打者	だしゃ	73

漢字	語彙	読み	ページ
台	灯台	とうだい	85
	舞台	ぶたい	69
庁	〜庁	ちょう	148
	県庁	けんちょう	148
	文化庁	ぶんかちょう	148
	気象庁	きしょうちょう	148
田	田植え	たう	125
冬	冬季	とうき	106
白	白髪	しらが	89
半	半島	はんとう	109
犯	犯す	おか	147
	犯罪	はんざい	147
	犯人	はんにん	147
皮	皮	かわ	22
	皮肉	ひにく	22
	皮膚	ひふ	22
	毛皮	けがわ	87
必	必ず	かなら	54
	必死	ひっし	54
	必要	ひつよう	54
氷	氷	こおり	115
付	〜付き	つ	14
	受付	うけつけ	14
	追い付く	おつ	70
	片付ける	かたづ	30
	寄付	きふ	21
	備え付け	そなつ	16
	日付	ひづけ	14
	付近	ふきん	14
布	布団	ふとん	34
	布	ぬの	88
	財布	さいふ	110
	座布団	ざぶとん	88
	分布	ぶんぷ	88
	毛布	もうふ	88
払	払い込む	はらこ	49
	払い戻し	はらもど	32
払	払う	はら	32
	支払う	しはら	32
	支払機	しはらいき	32
平	平ら	たい	55
	平等	びょうどう	55
	平仮名	ひらがな	55
	平気	へいき	55
	平均	へいきん	102
	平日	へいじつ	55
	平成	へいせい	55
	平年並み	へいねんな	151
	平米	へいべい	107
	平和	へいわ	77
辺	辺り	あた	108
	海辺	うみべ	108
	この辺	へん	108
	周辺	しゅうへん	108
	渡辺〈人名〉	わたなべ じんめい	123
弁	弁当	べんとう	51
包	包む	つつ	23
	包装	ほうそう	55
	包帯	ほうたい	23
	小包	こづつみ	23
北	北極	ほっきょく	113
本	本州	ほんしゅう	138
	基本	きほん	121
	日本式	にほんしき	41
	日本舞踊	にほんぶよう	123
	標本	ひょうほん	37
末	末	すえ	93
	末っ子	すえこ	93
	月末	げつまつ	93
	粉末	ふんまつ	93
未	未〜	み	34
	未婚	みこん	68
	未知	みち	34
	未定	みてい	34
未	未満	みまん	34
	未来	みらい	34
目	目覚まし時計	めざ どけい	147
	目印	めじるし	41
	目的	もくてき	91
	目標	もくひょう	37
	効き目	きめ	53
	役目	やくめ	108
	〜両目	りょうめ	20
由	経由	けいゆ	20
	自由席	じゆうせき	31
	不自由	ふじゆう	20
	理由	りゆう	20
幼	幼い	おさな	34
	幼児	ようじ	34
用	用件	ようけん	38
	用途	ようと	88
	応用	おうよう	120
	活用	かつよう	71
	雇用	こよう	144
	採用	さいよう	127
	雑用	ざつよう	55
	専用	せんよう	76
	費用	ひよう	92
	利用	りよう	48
立	立ち寄る	たよ	21
	埋め立てる	うた	55
令	命令	めいれい	141
礼	礼儀	れいぎ	69
	お礼	れい	69
	失礼	しつれい	69,73
6画			
安	安易	あんい	140
	安静	あんせい	12
	安全	あんぜん	12
	安全性	あんぜんせい	67
衣	衣装	いしょう	55
衣	衣食住	いしょくじゅう	50
	衣服	いふく	50
	衣料品	いりょうひん	50
	衣類	いるい	50
	更衣室	こういしつ	59
	浴衣	ゆかた	91
印	印刷	いんさつ	41
	印象	いんしょう	103
	印	しるし	41
	星印	ほしじるし	141
	認め印	みといん	41
	目印	めじるし	41
因	原因	げんいん	84
	要因	よういん	84
宇	宇宙	うちゅう	131,149
	宇都宮〈地名〉	うつのみや ちめい	131
羽	羽毛	うもう	25
	羽根	はね	25
	羽	はね	25
汚	汚染	おせん	49
	汚い	きたな	49
	汚す	よご	49
	汚れる	よご	49
仮	仮定	かてい	127
	仮名	かな	127
	仮	かり	127
	平仮名	ひらがな	55
	振り仮名	ふがな	127
会	会議室	かいぎしつ	15
	会談	かいだん	91
	委員会	いいんかい	68
	協会	きょうかい	57
	残高照会	ざんだかしょうかい	32
	司会	しかい	97
	自治会	じちかい	68
	展覧会	てんらんかい	105
	同窓会	どうそうかい	18
会	閉会	へいかい	17
	忘年会	ぼうねんかい	52
回	回収	かいしゅう	49
	回数券	かいすうけん	30
	回復	かいふく	30
	上回る	うわまわ	151
	下回る	したまわ	151
灰	灰	はい	122
	灰色	はいいろ	122
	灰皿	はいざら	122
各	各〜	かく	58
	各自	かくじ	58
	各地	かくち	58
	〜各位	かくい	58
汗	汗	あせ	91
缶	缶詰	かんづめ	104
危	危ない	あぶ	12
	危うい	あや	12
	危機	きき	12,30
	危険	きけん	12
机	机	つくえ	127
気	気候	きこう	128
	気象庁	きしょうちょう	148
	気の毒	きどく	61
	気配	けはい	51
	換気	かんき	36
	景気	けいき	145
	湿気	しけ	36
	水蒸気	すいじょうき	124
	平気	へいき	55
	勇気	ゆうき	146
	湯気	ゆげ	84
	陽気	ようき	131
休	休耕地	きゅうこうち	145
	休息	きゅうそく	79
	定休日	ていきゅうび	16
	連休	れんきゅう	50

漢字	語彙	読み	ページ
同	同封	どうふう	58
	同様	どうよう	48
肉	皮肉	ひにく	22
任	任務	にんむ	59
	任せる	まか	52
	委任状	いにんじょう	68
	責任	せきにん	52
	担任	たんにん	52
年	年老いた	としお	34,43
	年寄り	としよ	21
	年賀状	ねんがじょう	68
	年齢	ねんれい	67
	去年	きょねん	61
	昨年	さくねん	61
	再来年	さらいねん	22
	前年	ぜんねん	61
	築～年	ちく ねん	107
	平年並み	へいねんな	151
	忘年会	ぼうねんかい	52
	翌年／翌年	よくねん／よくとし	61
	来年	らいねん	61
肌	肌	はだ	87
	肌着	はだぎ	87
米	米	こめ	107
	欧米	おうべい	107,140
	新米	しんまい	107
	渡米	とべい	123
	平米	へいべい	107
忙	忙しい	いそが	69
	多忙	たぼう	69
毎	毎晩	まいばん	122
名	名刺	めいし	90
	名詞	めいし	75
	仮名	かな	127
	件名	けんめい	38
	署名	しょめい	66
	姓名	せいめい	67

漢字	語彙	読み	ページ
名	平仮名	ひらがな	55
	振り仮名	ふりがな	127
有	有無	うむ	103
	有効	ゆうこう	53
	有罪	ゆうざい	139
	有利	ゆうり	48
羊	羊毛	ようもう	87
両	両～	りょう	20
	両替	りょうがえ	20
	両側	りょうがわ	21
	両親	りょうしん	20
	両方	りょうほう	20
	～両目	りょうめ	20
列	列	れつ	94
	列車	れっしゃ	94
	列島	れっとう	94,109
	行列	ぎょうれつ	94
老	老人	ろうじん	34,43
	年老いた	としお	34,43
7画			
位	～位	い	58,151
	位置	いち	84
	位	くらい	58
	～各位	かくい	58
	単位	たんい	120
	地位	ちい	58
囲	囲む	かこ	75
	周囲	しゅうい	75
医	医師	いし	91
	医療	いりょう	22
	歯医者	はいしゃ	89
応	応じる	おう	120
	応募	おうぼ	103,120
	応用	おうよう	120
	一応	いちおう	120
花	花粉	かふん	93
	花束	はなたば	112

漢字	語彙	読み	ページ
花	花畑	はなばたけ	59
	草花	くさばな	104
快	快速	かいそく	19
	快い	こころよ	19
改	改める	あらた	18
	改革	かいかく	113
	改札口	かいさつぐち	18
	改正	かいせい	18
	改善	かいぜん	144
	改造	かいぞう	92
	改良	かいりょう	77
貝	貝	かい	124
	貝がら	かい	124
角	角度	かくど	107
	角	かど	107
	三角	さんかく	107
	方角	ほうがく	107
完	完成	かんせい	40
	完全	かんぜん	52
	完備	かんび	40
	完了	かんりょう	40
含	含む	ふく	125
	含める	ふく	125
希	希望	きぼう	66
技	技師	ぎし	91,149
	技術	ぎじゅつ	108,149
	技	わざ	149
	演技	えんぎ	104,149
	競技	きょうぎ	149
却	返却	へんきゃく	35
求	求人	きゅうじん	120
	求める	もと	120
	請求書	せいきゅうしょ	120
	要求	ようきゅう	120
局	結局	けっきょく	58
	放送局	ほうそうきょく	23
	薬局	やっきょく	23

漢字	語彙	読み	ページ
局	郵便局	ゆうびんきょく	23
均	均一	きんいつ	102
	均等	きんとう	102
	平均	へいきん	102
近	近郊	きんこう	59
	最近	さいきん	74
	接近	せっきん	86
	付近	ふきん	14
君	君	きみ	70
	～君	くん	70
形	形	かたち	75
	形式	けいしき	75
	形容詞	けいようし	75
	固形	こけい	104
	人形	にんぎょう	75
	図形	ずけい	75
芸	芸術	げいじゅつ	108,111
	芸能	げいのう	111
	園芸	えんげい	111
	工芸	こうげい	111
迎	迎える	むか	106
	出迎え	でむか	106
	歓迎	かんげい	106
	送迎	そうげい	106
決	決まる	き	39
	決める	き	39
	決定	けってい	39
	可決	かけつ	92
	解決	かいけつ	107
	準決勝	じゅんけっしょう	16
見	お見舞い	みま	69
	拝見	はいけん	73
言	言葉	ことば	55
	伝言	でんごん	38
	独り言	ひとごと	149
攻	専攻	せんこう	76
更	更衣室	こういしつ	59

漢字	語彙	読み	ページ
更	更新	こうしん	59
	変更	へんこう	59
告	告げる	つ	102
	警告	けいこく	102
	広告	こうこく	102
	被告	ひこく	141
	報告	ほうこく	102
困	困る	こま	115
	困難	こんなん	56
材	材質	ざいしつ	125
	材料	ざいりょう	125
	教材	きょうざい	125
	原材料	げんざいりょう	125
	取材	しゅざい	33
坂	坂	さか	108
	～坂	ざか	108
作	作法	さほう	58
	制作	せいさく	121
	操作	そうさ	94
	豊作	ほうさく	106
伺	伺う	うかが	73
志	志望	しぼう	127
	意志	いし	127
私	私鉄	してつ	18
似	似合う	にあ	147
	似顔絵	にがおえ	147
	似る	に	147
児	児童	じどう	34,139
	育児	いくじ	122
	小児科	しょうにか	34
	乳児	にゅうじ	125
	幼児	ようじ	34
社	社内	しゃない	15
	出版社	しゅっぱんしゃ	111
	神社	じんじゃ	90
車	車庫	しゃこ	92
	車輪	しゃりん	122

漢字	語（読み）	ページ
車	〜号車（ごうしゃ）	19
	降車口（こうしゃぐち）	20
	乗車券（じょうしゃけん）	30
	駐車（ちゅうしゃ）	13
	駐車場（ちゅうしゃじょう）	13
	停車（ていしゃ）	36
	歯車（はぐるま）	89
	列車（れっしゃ）	94
住	住宅（じゅうたく）	67
	衣食住（いしょくじゅう）	50
初	初級（しょきゅう）	121
	初診（しょしん）	22
	初めて（はじ）	22
	初恋（はつこい）	22
	初雪（はつゆき）	22
	最初（さいしょ）	74
助	助詞（じょし）	75
	助手（じょしゅ）	75
	助かる（たす）	75
	助ける（たす）	75
	救助（きゅうじょ）	75
	補助（ほじょ）	139
床	床の間（とこ ま）	88
	床屋（とこや）	88
	床（ゆか）	88
	起床（きしょう）	88
条	条件（じょうけん）	144
	条約（じょうやく）	144
状	状況（じょうきょう）	149
	状態（じょうたい）	68
	〜状（じょう）	68
	委任状（いにんじょう）	68
	環状線（かんじょうせん）	148
	現状（げんじょう）	68
	年賀状（ねんがじょう）	68
伸	伸ばす（の）	70
	伸びる（の）	70

漢字	語（読み）	ページ
伸	伸びをする（の）	70
	追伸（ついしん）	70
臣	外務大臣（がいむだいじん）	146
	総理大臣（そうりだいじん）	146
	大臣（だいじん）	146
身	身体（しんたい）	92
	身長（しんちょう）	92
	黄身（卵の）（きみ たまご）	86
	刺身（さしみ）	92
	自身（じしん）	92
	出身（しゅっしん）	92
	独身（どくしん）	149
	中身（なかみ）	92
辛	辛い（から）	112
	辛口（からくち）	112
	香辛料（こうしんりょう）	87
図	図形（ずけい）	75
吹	吹く（ふ）	97
	吹雪（ふぶき）	131
赤	赤ん坊（あか ぼう）	97
折	折り曲げる（お ま）	49
	折る（お）	91
	折れる（お）	91
	骨折（こっせつ）	91,143
走	逃走（とうそう）	138
	暴走（ぼうそう）	139
束	束（たば）	112
	束ねる（たば）	112
	花束（はなたば）	112
	約束（やくそく）	37,112
足	足し算（た ざん）	18
	足袋（たび）	54
	補足（ほそく）	139
	満足（まんぞく）	34
体	体育（たいいく）	122
	体温計（たいおんけい）	35
	体制（たいせい）	121

漢字	語（読み）	ページ
体	体操（たいそう）	94
	器械体操（きかいたいそう）	49
	具体的（ぐたいてき）	91
	固体（こたい）	104
	自治体（じちたい）	68
	柔軟体操（じゅうなんたいそう）	87
	身体（しんたい）	92
	団体（だんたい）	34
対	〜対〜（たい）	74
	対照的（たいしょうてき）	32,74
	対象（たいしょう）	103
	対する（たい）	74
	対（つい）	74
	絶対（ぜったい）	138
	反対（はんたい）	43,74
択	選択（せんたく）	39
谷	谷（たに）	109
	谷間（たにま）	109
	谷川（たにがわ）	109
	渓谷（けいこく）	109
男	男性（だんせい）	67
沈	沈む（しず）	43
	沈んでいる（しず）	43
低	低層（ていそう）	112
努	努める（つと）	148
	努力（どりょく）	148
投	投資（とうし）	142
	投手（とうしゅ）	142
	投書（とうしょ）	142
	投げる（な）	142
売	自動券売機（じどうけんばいき）	30
	自動販売機（じどうはんばいき）	31
	商売（しょうばい）	53
	販売（はんばい）	31
麦	麦畑（むぎばたけ）	104
	小麦粉（こむぎこ）	93,104
抜	抜群（ばつぐん）	89

漢字	語（読み）	ページ
抜	抜く（ぬ）	89
	抜ける（ぬ）	89
	追い抜く（お ぬ）	89
判	判断（はんだん）	146
	裁判（さいばん）	146
	批判（ひはん）	146
	評判（ひょうばん）	146
否	否定（ひてい）	43
批	批判（ひはん）	146
	批評（ひひょう）	146
兵	兵士（へいし）	143
	兵隊（へいたい）	143
	〜兵（へい）	143
別	個別（こべつ）	53
	差別（さべつ）	94
	性別（せいべつ）	67
返	返す（かえ）	35
	返却（へんきゃく）	35
	返金（へんきん）	35
	返済（へんさい）	38
	返事（へんじ）	35
	掘り返す（ほ かえ）	145
坊	赤ん坊（あか ぼう）	97
	寝坊（ねぼう）	85
忘	忘年会（ぼうねんかい）	52
	忘れ物（わす もの）	52
	忘れる（わす）	52
防	防ぐ（ふせ）	89
	防止（ぼうし）	89
	防虫剤（ぼうちゅうざい）	89
	消防（しょうぼう）	89
	消防署（しょうぼうしょ）	66
	予防（よぼう）	89
戻	戻る（もど）	32
	払い戻し（はら もど）	32
	早戻し（はやもど）	32
役	役者（やくしゃ）	108

漢字	語（読み）	ページ
役	役所（やくしょ）	108
	役目（やくめ）	108
	現役（げんえき）	108
余	余る（あま）	85
	余計（よけい）	85
	余分（よぶん）	85
	余裕（よゆう）	85
来	来年（らいねん）	61
	再来年（さらいねん）	22
	将来（しょうらい）	77
	未来（みらい）	34
乱	乱れる（みだ）	129
	乱暴（らんぼう）	129,139
	混乱（こんらん）	129
卵	卵（たまご）	124
	卵黄（らんおう）	86,124
利	利用（りよう）	48
	利率（りりつ）	131
	金利（きんり）	48
	権利（けんり）	141
	便利（べんり）	48
	有利（ゆうり）	48
良	良い（よ）	77
	改良（かいりょう）	77
冷	冷ます（さ）	35
	冷める（さ）	35
	冷たい（つめ）	35
	冷える（ひ）	35
	冷やす（ひ）	35
	冷水（れいすい）	43
	冷静（れいせい）	35
	冷蔵（れいぞう）	51
	冷蔵庫（れいぞうこ）	92
	冷凍（れいとう）	51
	冷房（れいぼう）	43
労	苦労（くろう）	140
	ご苦労様（くろうさま）	140

漢字	語彙	ページ
労	厚生労働省（こうせいろうどうしょう）	140
8画		
依	依頼（いらい）	66
委	委員（いいん）	68
	委員会（いいんかい）	68
	委任状（いにんじょう）	68
易	易しい（やさ）	56,140
	安易（あんい）	140
	貿易（ぼうえき）	140
	容易（ようい）	140
育	育児（いくじ）	122
	育つ（そだ）	122
	育てる（そだ）	122
	教育（きょういく）	122
	体育（たいいく）	122
雨	雨具（あまぐ）	88
	雨靴（あまぐつ）	103
	雨雲（あまぐも）	131
	雨戸（あまど）	131
	雨天（うてん）	131
泳	泳ぐ（およ）	13
	水泳（すいえい）	13
	遊泳（ゆうえい）	13
延	延期（えんき）	56
	延長（えんちょう）	56
	延ばす（の）	56
	延びる（の）	56
炎	鼻炎（びえん）	79
往	往復（おうふく）	30,43
押	押さえる（お）	16
	押し入れ（おい）	16
	押す（お）	16
欧	欧州（おうしゅう）	140
	欧米（おうべい）	107,140
価	価格（かかく）	102
	価値（かち）	103
	定価（ていか）	102
価	評価（ひょうか）	146
	物価（ぶっか）	102
果	果実（かじつ）	58
	果物（くだもの）	58
	果たす（は）	58
	結果（けっか）	58
	効果（こうか）	53,58
河	河川（かせん）	129
	河（かわ）	129
	運河（うんが）	129
画	画像（がぞう）	40
	画面（がめん）	94
	絵画（かいが）	111
	版画（はんが）	111
	録画（ろくが）	37
拡	拡大（かくだい）	41
学	学部（がくぶ）	67
	化学（かがく）	15
	科学（かがく）	22
	高等学校（こうとうがっこう）	51
	在学（ざいがく）	48
	数学（すうがく）	30
	退学（たいがく）	72
	入学式（にゅうがくしき）	41
	留学（りゅうがく）	38
官	警官（けいかん）	95,148
	長官（ちょうかん）	148
岸	岸（きし）	109
	海岸（かいがん）	109
	川岸（かわぎし）	109
	彼岸（ひがん）	133
	湾岸（わんがん）	109
岩	岩（いわ）	97
	溶岩（ようがん）	86
祈	祈り（いの）	71
	祈る（いの）	71
	祈願（きがん）	71
季	季節（きせつ）	106
	四季（しき）	106
	冬季（とうき）	106
泣	泣く（な）	97
居	居酒屋（いざかや）	124
	居眠り（いねむ）	79,106
	居間（いま）	106
	居る（い）	106
	入居（にゅうきょ）	106
京	京都府〈地名〉（きょうとふ ちめい）	66
供	供給（きょうきゅう）	120
	子供（こども）	103
	提供（ていきょう）	103
協	協会（きょうかい）	57
	協定（きょうてい）	57
	協力（きょうりょく）	57
況	状況（じょうきょう）	149
	不況（ふきょう）	149
金	金額（きんがく）	48
	金庫（きんこ）	92
	金利（きんり）	48
	現金（げんきん）	32
	資金（しきん）	55
	賞金（しょうきん）	92
	税金（ぜいきん）	102
	貯金（ちょきん）	23
	針金（はりがね）	143
	返金（へんきん）	35
	募金（ぼきん）	103
	預金（よきん）	32
苦	苦痛（くつう）	90,113
	苦労（くろう）	140
	苦しい（くる）	113
	苦しむ（くる）	113
	苦い（にが）	113
	ご苦労様（くろうさま）	140
具	具合（ぐあい）	88
具	具体的（ぐたいてき）	91
	雨具（あまぐ）	88
	絵の具（えぐ）	111
	家具（かぐ）	88
	道具（どうぐ）	88
空	空港（くうこう）	20
	航空（こうくう）	128
券	回数券（かいすうけん）	30
	自動券売機（じどうけんばいき）	30
	乗車券（じょうしゃけん）	30
	整理券（せいりけん）	31
	定期券（ていきけん）	31
	発券（はっけん）	30
	旅券（りょけん）	30
肩	肩（かた）	90
	肩書き（かたが）	90
呼	呼吸（こきゅう）	79,95
	呼び出す（よだ）	95
	呼ぶ（よ）	95
固	固い（かた）	104
	固まる（かた）	104
	固形（こけい）	104
	固体（こたい）	104
	固定（こてい）	104
効	効き目（きめ）	53
	効く（き）	53
	効果（こうか）	53,58
	有効（ゆうこう）	53
幸	幸運（こううん）	73
	幸福（こうふく）	73
	幸い（さいわ）	73
	幸せ（しあわ）	73
	不幸（ふこう）	73
肯	肯定（こうてい）	43
刻	刻む（きざ）	19
	時刻（じこく）	19
	時刻表（じこくひょう）	31
刻	深刻（しんこく）	20
	遅刻（ちこく）	127
国	国王（こくおう）	110
	国際（こくさい）	23
	国宝（こくほう）	110
	国境（こっきょう）	148
	純国産（じゅんこくさん）	104
	全国（ぜんこく）	52
妻	妻（つま）	69
	夫妻（ふさい）	69
刷	印刷（いんさつ）	41
参	参加（さんか）	56
	参考書（さんこうしょ）	50
	参拝者（さんぱいしゃ）	73
	参る（まい）	50
	お参り（まい）	50
	持参（じさん）	50
刺	刺さる（さ）	90
	刺身（さしみ）	92
	刺す（さ）	90
	刺激（しげき）	90
	名刺（めいし）	90
枝	枝（えだ）	54
	小枝（こえだ）	54
祉	福祉（ふくし）	73
事	事件（じけん）	38
	事故（じこ）	129
	事実（じじつ）	94
	事情（じじょう）	72
	事務（じむ）	59
	事務所（じむしょ）	59
	記事（きじ）	57
	返事（へんじ）	35
	無事（ぶじ）	103
	領事館（りょうじかん）	49
治	治療（ちりょう）	22
	治す（なお）	68

漢字	語彙	読み	ページ
表	表	ひょう	31
	表現	ひょうげん	32
	表示	ひょうじ	31
	表情	ひょうじょう	72
	裏表	うらおもて	95
	時刻表	じこくひょう	31
	辞表	じひょう	94
	発表	はっぴょう	31
府	京都府〈地名〉	きょうとふ ちめい	66
	政府	せいふ	149
	都道府県	とどうふけん	66
怖	怖い	こわ	145
	恐怖	きょうふ	84, 145
武	武器	ぶき	142
	武士	ぶし	142
	武力	ぶりょく	142
服	服装	ふくそう	55
	衣服	いふく	50
沸	沸騰	ふっとう	93
	沸かす	わ	93
	沸く	わ	93
物	物価	ぶっか	102
	物置	ものおき	84
	編み物	あ もの	40
	贈り物	おく もの	105
	貨物	かもつ	33
	刊行物	かんこうぶつ	111
	果物	くだもの	58
	植物	しょくぶつ	125
	宝物	たからもの	110
	炭水化物	たんすいかぶつ	125
	動物園	どうぶつえん	109
	荷物	にもつ	50
	農産物	のうさんぶつ	140
	干物	ひもの	124
	宝物館	ほうもつかん	110
	忘れ物	わす もの	52
並	並木	なみき	151
	並ぶ	なら	151
	並べる	なら	151
	平年並み	へいねんな	151
歩	歩道橋	ほどうきょう	77
	横断歩道	おうだんほどう	84
	散歩	さんぽ	97
	徒歩	とほ	107
宝	宝物	たからもの	110
	宝石	ほうせき	110
	宝物館	ほうもつかん	110
	国宝	こくほう	110
抱	抱く	いだ	144
	抱える	かか	144
	抱く	だ	144
放	放す	はな	16
	放送	ほうそう	16
	放送局	ほうそうきょく	23
	解放	かいほう	107
	開放	かいほう	16
	開放厳禁	かいほうげんきん	16
法	法人	ほうじん	58
	法律	ほうりつ	145
	違法	いほう	33
	作法	さほう	58
	文法	ぶんぽう	58
	方法	ほうほう	58
房	暖房	だんぼう	36, 43
	冷房	れいぼう	43
肪	脂肪	しぼう	125
枚	枚数	まいすう	30
	～枚	まい	30
味	賞味期限	しょうみきげん	92
明	明日／明日／明日	あした あす みょうにち	61
	明晩	みょうばん	61
	明確	めいかく	33
	明細	めいさい	48
	賢明	けんめい	146
	照明	しょうめい	32
	卒業証明書	そつぎょうしょうめいしょ	126
命	命	いのち	141
	命じる	めい	141
	命令	めいれい	141
	一生懸命	いっしょうけんめい	141
	革命	かくめい	113
	生命	せいめい	141
免	免許	めんきょ	120
門	専門	せんもん	76
夜	昨夜	さくや	61
	深夜	しんや	20
	前夜	ぜんや	61
油	油	あぶら	85
	油脂	ゆし	125
	油断	ゆだん	85
	原油	げんゆ	85
	石油	せきゆ	85
	灯油	とうゆ	85
例	例えば	たと	75
	例える	たと	75
	例	れい	75
	例外	れいがい	75
	実例	じつれい	75
和	和菓子	わがし	105
	和式	わしき	77
	平和	へいわ	77
9画			
為	為替	かわせ	20
胃	胃	い	79
	胃腸	いちょう	79
映	映像	えいぞう	40
栄	栄養	えいよう	93
	栄える	さか	93
	繁栄	はんえい	93
屋	屋根	やね	124
	居酒屋	いざかや	124
	酒屋	さかや	124
	床屋	とこや	88
	部屋	へや	67
音	音量	おんりょう	37
	観音	かんのん	110
	雑音	ざつおん	55
	同音異義語	どうおんいぎご	58
	録音	ろくおん	37
科	科学	かがく	22
	外科	げか	22
	産婦人科	さんふじんか	22
	歯科	しか	89
	耳鼻科	じびか	79
	小児科	しょうにか	34
	内科	ないか	22
架	架け橋	か はし	77
海	海	うみ	133
	海辺	うみべ	108
	海岸	かいがん	109
	海水浴	かいすいよく	91
	海底	かいてい	133
界	境界	きょうかい	148
	限界	げんかい	53
皆	皆	みな	70
	皆さん	みな	70
革	革命	かくめい	113
	革	かわ	113
	革製	かわせい	113
	改革	かいかく	113
活	活字	かつじ	71
	活発	かっぱつ	71
	活用	かつよう	71
	生活	せいかつ	71
巻	巻く	ま	61
	～巻	かん	61
看	看護師	かんごし	25
	看板	かんばん	25
	看病	かんびょう	25
客	客席	きゃくせき	48
	お客様	きゃくさま	48
	観客	かんきゃく	110
	乗客	じょうきゃく	48
逆	逆	ぎゃく	142
	逆転	ぎゃくてん	142
	逆さ	さか	142
	逆らう	さか	142
級	高級	こうきゅう	121
	初級	しょきゅう	121
	上級	じょうきゅう	121
	中級	ちゅうきゅう	121
急	救急	きゅうきゅう	22
	準急	じゅんきゅう	16
挟	挟む	はさ	115
狭	狭い	せま	115
軍	軍	ぐん	143
	軍隊	ぐんたい	143
	～軍	ぐん	143
係	係	かかり	12
	係員	かかりいん	12
	関係	かんけい	12
型	～型	がた	140
	大型	おおがた	140
	典型的	てんけいてき	140
計	計算	けいさん	18
	設計	せっけい	36
	総計	そうけい	25
	体温計	たいおんけい	35
	目覚まし時計	めざ どけい	147
	余計	よけい	85
建	建築	けんちく	107
	一戸建て	いっこだ	131
県	県境	けんざかい	148
	県庁	けんちょう	148

漢字	語彙	読み	ページ
展	発展	はってん	105
徒	徒歩	とほ	107
	生徒	せいと	107
途	途端	とたん	88
	途中	とちゅう	88
	中途	ちゅうと	88
	用途	ようと	88
倒	倒す	たお	143
	倒れる	たお	143
	転倒	てんとう	143
	面倒	めんどう	143
党	～党	とう	139
	政党	せいとう	139, 149
	野党	やとう	139
	与党	よとう	139
凍	凍る	こお	51
	凍える	こご	51
	冷凍	れいとう	51
島	島	しま	109
	～島	とう	109
	半島	はんとう	109
	列島	れっとう	94, 109
悩	悩み	なや	89
	悩む	なや	89
納	納得	なっとく	102
能	能率	のうりつ	131
	能力	のうりょく	40
	可能	かのう	40, 92
	可能性	かのうせい	67
	機能	きのう	40
	芸能	げいのう	111
	才能	さいのう	97
破	破格	はかく	105
	破産	はさん	105
	破片	はへん	30, 105
	破る	やぶ	105
	破れる	やぶ	105
馬	馬	うま	123
	競馬	けいば	142
	乗馬	じょうば	123
配	配る	くば	51
	配達	はいたつ	51
	気配	けはい	51
	心配	しんぱい	51
倍	倍	ばい	37
	～倍	ばい	37
般	一般	いっぱん	34
	諸般	しょはん	72
	全般	ぜんぱん	34
疲	疲れる	つか	79
被	被害	ひがい	141
	被害者	ひがいしゃ	141
	被告	ひこく	141
病	看病	かんびょう	25
	歯周病	ししゅうびょう	89
	総合病院	そうごうびょういん	25
浮	浮かれている	う	43
	浮く	う	43
粉	粉	こな	93
	粉末	ふんまつ	93
	花粉	かふん	93
	小麦粉	こむぎこ	93, 104
捕	捕まえる	つか	138
	捕まる	つか	138
	捕らえる	と	138
	捕る	と	138
	逮捕	たいほ	138
埋	埋まる	う	55
	埋める	う	55
	埋め立てる	う た	55
眠	睡眠	すいみん	79
	眠い	ねむ	79
	眠る	ねむ	79
	居眠り	いねむ	79, 106
娘	娘	むすめ	147
	孫娘	まごむすめ	147
容	容易	ようい	140
	容器	ようき	55
	容疑	ようぎ	138
	形容詞	けいようし	75
	内容	ないよう	55
	美容	びよう	55, 108
浴	浴びる	あ	91
	浴衣	ゆかた	91
	浴室	よくしつ	91
	海水浴	かいすいよく	91
	入浴	にゅうよく	91
流	流す	なが	17
	流れ	なが	17
	流れる	なが	17
	流行	りゅうこう	17
	交流	こうりゅう	53
	清流	せいりゅう	17
留	留学	りゅうがく	38
	留守	るす	38
	書留	かきとめ	38
	停留所	ていりゅうじょ	38
	保留	ほりゅう	38
旅	旅券	りょけん	30
料	衣料品	いりょうひん	50
	給料	きゅうりょう	120
	原材料	げんざいりょう	125
	原料	げんりょう	84
	香辛料	こうしんりょう	87
	材料	ざいりょう	125
	資料	しりょう	55
	燃料	ねんりょう	54
	無香料	むこうりょう	87
	無料	むりょう	103
涙	涙	なみだ	61
恋	恋	こい	71
	恋しい	こい	71
	恋人	こいびと	71
	恋愛	れんあい	71, 77
	初恋	はつこい	22
連	連れる	つ	50
	連休	れんきゅう	50
	連続	れんぞく	50
	連敗	れんぱい	142
	連絡	れんらく	50
	関連	かんれん	50
11画			
悪	善悪	ぜんあく	144
異	異常	いじょう	58
	異変	いへん	58
	異なる	こと	58
	同音異義語	どうおんいぎご	58
移	移転	いてん	59
	移動	いどう	59
	移す	うつ	59
	移る	うつ	59
域	区域	くいき	76
	地域	ちいき	76
液	血液	けつえき	79
黄	黄色	きいろ	86
	黄身（卵の）	きみ たまご	86
	卵黄	らんおう	86, 124
菓	菓子	かし	105
	洋菓子	ようがし	105
	和菓子	わがし	105
貨	貨物	かもつ	33
	硬貨	こうか	33
	雑貨	ざっか	55
	通貨	つうか	33
械	機械	きかい	49
	器械体操	きかいたいそう	49
掛	腰掛け	こしか	90
	腰掛ける	こしか	90
乾	乾かす	かわ	88
	乾く	かわ	88
	乾燥	かんそう	91
	乾電池	かんでんち	88
	乾杯	かんぱい	93
基	基準	きじゅん	121
	基礎	きそ	121
	基地	きち	121
	基本	きほん	121
寄	寄付	きふ	21
	立ち寄る	た よ	21
	年寄り	としよ	21
	取り寄せる	と よ	21
規	規則	きそく	133
	規定	きてい	39
	規律	きりつ	145
	定規	じょうぎ	16
	新規	しんき	39
救	救急	きゅうきゅう	22
	救助	きゅうじょ	75
	救う	すく	22
球	球	たま	77
	地球	ちきゅう	77
	電球	でんきゅう	77
	野球	やきゅう	77
許	許可	きょか	120
	許す	ゆる	120
	免許	めんきょ	120
強	強盗	ごうとう	138
教	教育	きょういく	122
	教訓	きょうくん	56
	教材	きょうざい	125
	教師	きょうし	91
	仏教	ぶっきょう	110
郷	故郷	こきょう	129
偶	偶数	ぐうすう	115
	偶然	ぐうぜん	115

漢字	語（読み）	ページ
掘	掘り返す（ほ かえ）	145
	掘る（ほ）	145
掲	掲示（けいじ）	31
渓	渓谷（けいこく）	109
経	経過（けいか）	52
	経験（けいけん）	52
	経済（けいざい）	52
	経由（けいゆ）	20
	経理（けいり）	52
	神経（しんけい）	90
蛍	蛍光灯（けいこうとう）	85
健	健康（けんこう）	71
	健康保険証（けんこうほけんしょう）	71
	健在（けんざい）	71
	健全（けんぜん）	71
	健やか（すこ）	71
険	険しい（けわ）	12
	危険（きけん）	12
	健康保険証（けんこうほけんしょう）	71
	保険（ほけん）	12,38
現	現れる（あらわ）	32
	現役（げんえき）	108
	現金（げんきん）	32
	現在（げんざい）	48
	現象（げんしょう）	103
	現状（げんじょう）	68
	現像（げんぞう）	40
	表現（ひょうげん）	32
康	健康（けんこう）	71
	健康保険証（けんこうほけんしょう）	71
黒	黒板（こくばん）	25
婚	婚約（こんやく）	68
	結婚（けっこん）	68
	新婚（しんこん）	68
	未婚（みこん）	68
混	混雑（こんざつ）	129
	混乱（こんらん）	129
混	混ざる（ま）	129
	混じる（ま）	129
	かき混ぜる（ま）	129
	混む（こ）	129
採	採集（さいしゅう）	127
	採点（さいてん）	127
	採用（さいよう）	127
	採る（と）	127
済	済む（す）	38
	～済み（ず）	38
	経済（けいざい）	52
	返済（へんさい）	38
祭	祭日（さいじつ）	76
	～祭（さい）	76
	（お）祭り（まつ）	76
細	細かい（こま）	48
	細い（ほそ）	48
	心細い（こころぼそ）	48
	明細（めいさい）	48
産	産婦人科（さんふじんか）	22
	原産（げんさん）	84
	財産（ざいさん）	110
	純国産（じゅんこくさん）	104
	農産物（のうさんぶつ）	140
	破産（はさん）	105
捨	捨てる（す）	13,43
	四捨五入（ししゃごにゅう）	13
授	授業（じゅぎょう）	133
終	終了（しゅうりょう）	40
習	習慣（しゅうかん）	71
	演習（えんしゅう）	104
	復習（ふくしゅう）	30
	予習（よしゅう）	37
	練習（れんしゅう）	56
週	週刊（しゅうかん）	111
	週給（しゅうきゅう）	120
宿	宿題（しゅくだい）	106
宿	宿泊（しゅくはく）	106
	宿（やど）	106
	下宿（げしゅく）	106
術	技術（ぎじゅつ）	108,149
	芸術（げいじゅつ）	108,111
	手術（しゅじゅつ）	108
	美術（びじゅつ）	108
商	商業（しょうぎょう）	53
	商店（しょうてん）	53
	商売（しょうばい）	53
	商品（しょうひん）	53
章	章（しょう）	74
	文章（ぶんしょう）	74
紹	紹介（しょうかい）	72
常	常識（じょうしき）	14
	常に（つね）	14
	異常（いじょう）	58
	日常（にちじょう）	14
	非常に（ひじょう）	14
	非常口（ひじょうぐち）	14
情	情勢（じょうせい）	145
	情報（じょうほう）	95
	情け（なさ）	72
	情けない（なさ）	72
	愛情（あいじょう）	77
	感情（かんじょう）	77
	事情（じじょう）	72
	純情（じゅんじょう）	104
	表情（ひょうじょう）	72
	友情（ゆうじょう）	72
深	深刻（しんこく）	20
	深夜（しんや）	20
	深い（ふか）	20
清	清い（きよ）	17
	清書（せいしょ）	17
	清掃（せいそう）	17
	清流（せいりゅう）	17
責	責める（せ）	52
	責任（せきにん）	52
接	接近（せっきん）	86
	接触（せっしょく）	85
	接続（せつぞく）	94
	間接（かんせつ）	86
	直接（ちょくせつ）	86
	面接（めんせつ）	86
設	設計（せっけい）	36
	設定（せってい）	36
	設備（せつび）	36
雪	雪（ゆき）	131
	大雪（おおゆき）	131
	積雪（せきせつ）	131
	初雪（はつゆき）	22
	吹雪（ふぶき）	131
船	船（ふね）	128
	船便（ふなびん）	128
	漁船（ぎょせん）	133
	造船（ぞうせん）	128
	風船（ふうせん）	128
組	組み合わせ（く あ）	103
	組合（くみあい）	103
	組織（そしき）	103
	番組（ばんぐみ）	103
掃	掃除（そうじ）	36
	掃く（は）	17
	清掃（せいそう）	17
窓	窓（まど）	18
	窓口（まどぐち）	18
	同窓会（どうそうかい）	18
側	側面（そくめん）	21
	～側（がわ）	21
	両側（りょうがわ）	21
袋	袋（ふくろ）	54
	足袋（たび）	54
	手袋（てぶくろ）	54
袋	レジ袋（ぶくろ）	54
逮	逮捕（たいほ）	138
第	第～（だい）	25
	次第（しだい）	74
	落第（らくだい）	13
探	探す（さが）	122
	探る（さぐ）	122
	探検（たんけん）	122
断	断る（ことわ）	57
	断水（だんすい）	57
	断定（だんてい）	57
	横断（おうだん）	57
	判断（はんだん）	146
	油断（ゆだん）	85
著	著す（あらわ）	151
	著しい（いちじる）	151
	著者（ちょしゃ）	151
張	張る（は）	69
	頑張る（がんば）	69
	主張（しゅちょう）	69
	出張（しゅっちょう）	69
	引っ張る（ひ ぱ）	69
	欲張り（よくば）	79
頂	頂く（いただ）	51
	頂上（ちょうじょう）	51
	頂点（ちょうてん）	51
停	停止（ていし）	36
	停車（ていしゃ）	36
	停電（ていでん）	36
	停留所（ていりゅうじょ）	38
転	転倒（てんとう）	143
	転落（てんらく）	13
	移転（いてん）	59
	運転切換（うんてんきりかえ）	36
	横転（おうてん）	84
	逆転（ぎゃくてん）	142
都	都道府県（とどうふけん）	66

漢字	語彙	読み	ページ
都	宇都宮〈地名〉	うつのみや　ちめい	131
	京都府	きょうとふ	66
盗	盗難	とうなん	138
	盗む	ぬす	138
	強盗	ごうとう	138
動	動詞	どうし	75
	動物園	どうぶつえん	109
	移動	いどう	59
	感動	かんどう	77
	自動券売機	じどうけんばいき	30
	自動詞	じどうし	75
	自動販売機	じどうはんばいき	31
	他動詞	たどうし	75
得	得	とく	102
	得る	う	102
	得る	え	102
	心得る	こころえ	102
	損得	そんとく	128
	納得	なっとく	102
軟	軟弱	なんじゃく	87
	軟らかい	やわ	87
	柔軟	じゅうなん	87
	柔軟体操	じゅうなんたいそう	87
猫	猫	ねこ	122
脳	首脳	しゅのう	144
	頭脳	ずのう	144
敗	敗れる	やぶ	142
	失敗	しっぱい	142
	勝敗	しょうはい	142
	連敗	れんぱい	142
販	販売	はんばい	31
	自動販売機	じどうはんばいき	31
貧	貧しい	まず	97
婦	婦人	ふじん	22
	産婦人科	さんふじんか	22
	主婦	しゅふ	22
符	符号	ふごう	19
	切符	きっぷ	18
	片道切符	かたみちきっぷ	30
部	部署	ぶしょ	66
	部長	ぶちょう	67
	部分	ぶぶん	67
	部屋	へや	67
	学部	がくぶ	67
	全部	ぜんぶ	67
副	副～	ふく	75
	副詞	ふくし	75
閉	閉まる	し	17
	閉める	し	17
	閉じる	と	17
	閉会	へいかい	17
	閉店	へいてん	17
訪	訪れる	おとず	95
	訪ねる	たず	95
	訪問	ほうもん	95
望	望遠鏡	ぼうえんきょう	66
	望む	のぞ	66
	希望	きぼう	66
	志望	しぼう	127
	失望	しつぼう	66,73
務	務める	つと	59
	外務大臣	がいむだいじん	146
	勤務	きんむ	67
	公務員	こうむいん	123
	事務	じむ	59
	事務所	じむしょ	59
	税務署	ぜいむしょ	66
	任務	にんむ	59
問	疑問	ぎもん	138
	検問	けんもん	17
	諸問題	しょもんだい	72
	訪問	ほうもん	95
野	野原	のはら	84
	野球	やきゅう	77
	野党	やとう	139
郵	郵送	ゆうそう	23
	郵便	ゆうびん	23
	郵便局	ゆうびんきょく	23
欲	欲しい	ほ	79
	欲張り	よくば	79
	食欲	しょくよく	79
翌	翌朝	よくあさ	61
	翌日	よくじつ	61
	翌年／翌年	よくねん　よくとし	61
理	理想	りそう	129
	理由	りゆう	20
	管理	かんり	57
	経理	けいり	52
	修理	しゅうり	40
	処理	しょり	105
	整理券	せいりけん	31
	総理大臣	そうりだいじん	146
陸	陸	りく	128
	陸上	りくじょう	128
	大陸	たいりく	128
	着陸	ちゃくりく	128
率	率直	そっちょく	131
	率	りつ	131
	確率	かくりつ	131
	能率	のうりつ	131
	利率	りりつ	131
略	略	りゃく	111
	略す	りゃく	111
	略歴	りゃくれき	111
	省略	しょうりゃく	105,111
粒	粒	つぶ	113
	～粒	つぶ	113
涼	涼しい	すず	97

12画

漢字	語彙	読み	ページ
偉	偉大	いだい	133
	偉い	えら	133
飲	湯飲み	ゆの	84
運	運河	うんが	129
	運航	うんこう	128
	運賃	うんちん	20
	運転切換	うんてんきりかえ	36
	幸運	こううん	73
雲	雲	くも	131
	雨雲	あまぐも	131
営	営業	えいぎょう	16
越	お越しの際	こ　さい	59
	追い越す	お　こ	70
	乗り越す	の　こ	59
	引っ越す	ひ　こ	59
奥	奥	おく	69
	奥様	おくさま	69
温	温かい	あたた	35
	温室	おんしつ	35
	温水	おんすい	43
	温泉	おんせん	106
	温帯	おんたい	38
	温暖	おんだん	36
	温度	おんど	35
	体温計	たいおんけい	35
	保温	ほおん	38
過	過去	かこ	52
	過程	かてい	121
	過ぎる	す	52
	過ごす	す	52
	経過	けいか	52
	超過	ちょうか	102
	通過	つうか	52
賀	年賀状	ねんがじょう	68
絵	絵	え	111
	絵の具	え　ぐ	111
	絵画	かいが	111
	似顔絵	にがおえ	147
開	開封	かいふう	58
	開放	かいほう	16
	開放厳禁	かいほうげんきん	16
	新装開店	しんそうかいてん	55
階	階段	かいだん	15
	～階	かい	15
	段階	だんかい	15
覚	覚える	おぼ	147
	覚ます	さ	147
	覚める	さ	147
	感覚	かんかく	147
	目覚まし時計	めざ　どけい	147
割	割引	わりびき	21
	割増	わりまし	21
	割れる	わ	21
	時間割	じかんわり	21
	分割	ぶんかつ	21
換	換気	かんき	36
	運転切換	うんてんきりかえ	36
	交換	こうかん	53
	乗り換え	の　か	36
	変換	へんかん	39
間	間接	かんせつ	86
	間違い	まちが	33
	間違える	まちが	33
	居間	いま	106
	期間	きかん	31
	時間割	じかんわり	21
	谷間	たにま	109
	床の間	とこ　ま	88
	仲間	なかま	77
喜	喜ぶ	よろこ	68
	喜んで	よろこ	68
期	期間	きかん	31
	期限	きげん	53
	延期	えんき	56
	賞味期限	しょうみきげん	92
	定期	ていき	31

漢字	語	読み	ページ
期	定期券	ていきけん	31
棋	将棋	しょうぎ	77
喫	喫煙所	きつえんじょ	14
	喫茶店	きっさてん	14
給	給与	きゅうよ	120
	給料	きゅうりょう	120
	供給	きょうきゅう	120
	月給	げっきゅう	120
	支給	しきゅう	120
	週給	しゅうきゅう	120
	日給	にっきゅう	120
極	極	ごく	113
	消極的	しょうきょくてき	113
	積極的	せっきょくてき	113
	南極	なんきょく	113
	北極	ほっきょく	113
勤	勤務	きんむ	67
	務める	つと	67
	出勤	しゅっきん	67
	通勤	つうきん	67
隅	隅	すみ	115
敬	敬う	うやま	146
	敬意	けいい	146
	敬語	けいご	146
	尊敬	そんけい	144
景	景色	けしき	145
	景気	けいき	145
	光景	こうけい	145
	風景	ふうけい	145
結	結果	けっか	58
	結局	けっきょく	58
	結構	けっこう	127
	結婚	けっこん	68
	結論	けつろん	127
	結ぶ	むす	58
検	検査	けんさ	76
	検問	けんもん	17
検	探検	たんけん	122
	点検	てんけん	17
減	減少	げんしょう	151
	減らす	へ	148
	減る	へ	148
	加減	かげん	148
	削減	さくげん	148
	増減	ぞうげん	148
湖	湖	みずうみ	109
	～湖	こ	109
雇	雇用	こよう	144
	雇う	やと	144
	解雇	かいこ	144
御	御／御～	お　ご	14
	御手洗い	おてあら	14
	御中	おんちゅう	14
	晩御飯	ばんごはん	122
港	港	みなと	20
	空港	くうこう	20
硬	硬い	かた	33
	硬貨	こうか	33
最	最近	さいきん	74
	最後	さいご	74
	最初	さいしょ	74
	最も	もっと	74
裁	裁判	さいばん	146
散	散歩	さんぽ	97
	解散	かいさん	107
詞	形容詞	けいようし	75
	自動詞	じどうし	75
	助詞	じょし	75
	他動詞	たどうし	75
	動詞	どうし	75
	副詞	ふくし	75
	名詞	めいし	75
歯	歯科	しか	89
	歯周病	ししゅうびょう	89
歯	歯医者	はいしゃ	89
	歯車	はぐるま	89
	歯磨き	はみが	89
	虫歯	むしば	89
湿	湿気	しっけ	36
	湿度	しつど	36
	湿る	しめ	36
	除湿	じょしつ	36
	保湿	ほしつ	38
集	集団	しゅうだん	34
	ゴミ集積所	しゅうせきじょ	54
	採集	さいしゅう	127
	収集	しゅうしゅう	49
	編集	へんしゅう	40
	募集	ぼしゅう	103
順	順	じゅん	111
	順調	じゅんちょう	111
	順番	じゅんばん	111
	順路	じゅんろ	111
暑	蒸し暑い	む　あつ	124
勝	勝つ	か	52,142
	勝敗	しょうはい	142
	勝負	しょうぶ	142
	準決勝	じゅんけっしょう	16
	優勝	ゆうしょう	142
焼	焼く	や	85
	焼ける	や	85
	燃焼	ねんしょう	85
粧	化粧室	けしょうしつ	15
証	健康保険証	けんこうほけんしょう	71
	卒業証明書	そつぎょうしょうめいしょ	126
象	象	ぞう	103
	印象	いんしょう	103
	気象庁	きしょうちょう	148
	現象	げんしょう	103
	対象	たいしょう	103
場	劇場	げきじょう	123
場	職場	しょくば	72
	駐車場	ちゅうしゃじょう	13
	登場	とうじょう	40
	飛行場	ひこうじょう	13
畳	畳	たたみ	107
	畳む	たた	107
	～畳	じょう	107
植	植える	う	125
	植木	うえき	125
	植物	しょくぶつ	125
	田植え	たう	125
診	診察	しんさつ	108
	診療	しんりょう	22
	再診	さいしん	22
	初診	しょしん	22
晴	晴天	せいてん	131
	晴れる	は	131
	快晴	かいせい	131
	素晴らしい	す　ば	131
税	税関	ぜいかん	102
	税金	ぜいきん	102
	税務署	ぜいむしょ	66
	課税	かぜい	102
	消費税	しょうひぜい	102
絶	絶対	ぜったい	138
	絶えず	た	138
	絶つ	た	138
善	善悪	ぜんあく	144
	改善	かいぜん	144
	親善	しんぜん	144
然	偶然	ぐうぜん	115
	自然	しぜん	72
	全然	ぜんぜん	72
	天然	てんねん	72
	当然	とうぜん	72
	突然	とつぜん	72
装	装置	そうち	84
装	衣装	いしょう	55
	新装開店	しんそうかいてん	55
	服装	ふくそう	55
	包装	ほうそう	55
測	測定	そくてい	133
	測る	はか	133
尊	尊敬	そんけい	144
	尊重	そんちょう	144
替	為替	かわせ	20
	着替える	き　が	20
	両替	りょうがえ	20
隊	軍隊	ぐんたい	143
	兵隊	へいたい	143
達	速達	そくたつ	23
	友達	ともだち	23
	配達	はいたつ	51
	発達	はったつ	23
短	短編	たんぺん	40
遅	遅れる	おく	127
	遅い	おそ	127
	遅刻	ちこく	127
着	着替える	き　が	20
	着信履歴	ちゃくしんりれき	39
	着陸	ちゃくりく	128
	到着	とうちゃく	66
	肌着	はだぎ	87
貯	貯金	ちょきん	23
	貯蔵	ちょぞう	51
朝	朝刊	ちょうかん	111
	翌朝	よくあさ	61
超	超える	こ	102
	超す	こ	102
	超～	ちょう	102
	超過	ちょうか	102
痛	痛い	いた	90
	痛む	いた	90
	苦痛	くつう	90,113

漢字	語彙	読み	ページ
路	通路	つうろ	19
	道路	どうろ	19
話	携帯電話	けいたいでんわ	38
	受話器	じゅわき	55
	神話	しんわ	90
	童話	どうわ	139
14画			
演	演技	えんぎ	104,149
	演劇	えんげき	123
	演習	えんしゅう	104
	演説	えんぜつ	104
	公演	こうえん	123
	講演	こうえん	121
	実演	じつえん	104
慣	慣れる	な	71
	習慣	しゅうかん	71
管	管理	かんり	57
	管	くだ	57
	水道管	すいどうかん	57
	保管	ほかん	57
関	関わる	かか	12
	関係	かんけい	12
	関心	かんしん	12
	関する	かん	12
	関節	かんせつ	90
	関連	かんれん	50
	交通機関	こうつうきかん	30,53
	税関	ぜいかん	102
疑	疑う	うたが	138
	疑問	ぎもん	138
	容疑	ようぎ	138
漁	漁船	ぎょせん	133
	漁師	りょうし	133
境	境界	きょうかい	148
	境	さかい	148
	環境	かんきょう	148
	県境	けんざかい	148
境	国境	こっきょう	148
銀	銀行口座	ぎんこうこうざ	21
語	敬語	けいご	146
	単語	たんご	120
	同音異義語	どうおんいぎご	58
誤	誤り	あやま	74
	誤解	ごかい	74
構	構う	かま	127
	構成	こうせい	127
	構内	こうない	127
	結構	けっこう	127
際	お越しの際	こ さい	59
	～の際	さい	23
	交際	こうさい	53
	国際	こくさい	23
	実際に	じっさい	23
察	観察	かんさつ	110
	警察	けいさつ	95,108
	診察	しんさつ	108
雑	雑音	ざつおん	55
	雑貨	ざっか	55
	雑誌	ざっし	55
	雑種	ざっしゅ	123
	雑草	ざっそう	104
	雑な	ざつ	55
	雑用	ざつよう	55
	混雑	こんざつ	129
	複雑	ふくざつ	111,120
算	計算	けいさん	18
	精算	せいさん	18
	足し算	た ざん	18
	引き算	ひ ざん	18
	予算	よさん	37
誌	雑誌	ざっし	55
	日誌	にっし	55
磁	磁石	じしゃく	13
種	種類	しゅるい	123
種	種	たね	123
	雑種	ざっしゅ	123
	人種	じんしゅ	123
緒	一緒	いっしょ	86
障	故障	こしょう	129
精	精算	せいさん	18
	精神	せいしん	18
製	製造	せいぞう	92
	製品	せいひん	55
	～製	せい	55
	革製	かわせい	113
	乳製品	にゅうせいひん	125
	複製	ふくせい	111
静	静か	しず	12
	静まる	しず	12
	安静	あんせい	12
	冷静	れいせい	35
説	演説	えんぜつ	104
	解説	かいせつ	107
層	一層	いっそう	112
	高層	こうそう	112
	低層	ていそう	112
総	総計	そうけい	25
	総合病院	そうごうびょういん	25
	総理大臣	そうりだいじん	146
像	映像	えいぞう	40
	画像	がぞう	40
	現像	げんぞう	40
	想像	そうぞう	129
	銅像	どうぞう	110
	仏像	ぶつぞう	110
増	増加	ぞうか	21
	増加する	ぞうか	151
	増減	ぞうげん	148
	増える	ふ	21
	割増	わりまし	21
憎	憎い	にく	77
憎	憎しみ	にく	77
	憎む	にく	77
	憎らしい	にく	77
態	状態	じょうたい	68
端	途端	とたん	88
滴	水滴	すいてき	133
適	適する	てき	74
	適切	てきせつ	74
	適度	てきど	74
	適当	てきとう	74
銅	銅	どう	110
	銅像	どうぞう	110
読	訓読み	くんよ	56
認	認め印	みと いん	41
	認める	みと	33
	確認	かくにん	33
	承認	しょうにん	105
髪	髪	かみ	89
	髪の毛	かみ け	89
	白髪	しらが	89
鼻	鼻	はな	79
	鼻水	はなみず	79
	鼻炎	びえん	79
	耳鼻科	じびか	79
複	複雑	ふくざつ	111,120
	複写	ふくしゃ	111
	複数	ふくすう	111
	複製	ふくせい	111
聞	聞き取り	き と	33
暮	暮らす	く	71
	暮れ	く	71
	お歳暮	せいぼ	71
	夕暮れ	ゆうぐ	71
鳴	鳴く	な	95
	鳴らす	な	95
	鳴る	な	95
	怒鳴る	どな	95
綿	綿	めん	112
	綿	わた	112
	木綿	もめん	112
様	様々	さまざま	48
	様子	ようす	48
	～様	さま	48
	お客様	きゃくさま	48
	奥様	おくさま	69
	神様	かみさま	90
	ご苦労様	くろうさま	140
	同様	どうよう	48
	殿様	とのさま	49
踊	踊り	おど	123
	踊る	おど	123
	日本舞踊	にほんぶよう	123
領	領事館	りょうじかん	49
	領収書	りょうしゅうしょ	49
	～領	りょう	49
	大統領	だいとうりょう	49
緑	緑（色）	みどり いろ	35
	緑茶	りょくちゃ	35
	新緑	しんりょく	35
歴	歴史	れきし	39,76
	着信履歴	ちゃくしんりれき	39
	履歴書	りれきしょ	39
	略歴	りゃくれき	111
練	練習	れんしゅう	56
	訓練	くんれん	56
15画			
鋭	鋭い	するど	43
横	横断	おうだん	57
	横断歩道	おうだんほどう	84
	横転	おうてん	84
	横	よこ	84
	横ばい	よこ	151
億	億	おく	141
課	課	か	121

漢字	語	読み	ページ
課	課税	かぜい	102
	課長	かちょう	121
	課程	かてい	121
	日課	にっか	121
確	確定	かくてい	33
	確認	かくにん	33
	確率	かくりつ	131
	確か	たし	33
	確かめる	たし	33
	的確	てきかく	91
	明確	めいかく	33
歓	歓迎	かんげい	106
器	器	うつわ	55
	器械体操	きかいたいそう	49
	楽器	がっき	55
	受話器	じゅわき	55
	食器	しょっき	55
	武器	ぶき	142
	容器	ようき	55
儀	礼儀	れいぎ	69
劇	劇	げき	123
	劇場	げきじょう	123
	劇団	げきだん	123
	演劇	えんげき	123
権	権利	けんり	141
	～権	けん	141
	人権	じんけん	141
賛	賛成	さんせい	43
質	材質	ざいしつ	125
	脂質	ししつ	125
	性質	せいしつ	67
諸	諸～	しょ	72
	諸般	しょはん	72
	諸問題	しょもんだい	72
賞	賞	しょう	92
	賞金	しょうきん	92
	賞品	しょうひん	92

漢字	語	読み	ページ
賞	賞味期限	しょうみきげん	92
審	審査	しんさ	76
震	震える	ふる	56
	地震	じしん	56
請	請求書	せいきゅうしょ	120
	申請	しんせい	67
線	線路	せんろ	19
	下線	かせん	19
	環状線	かんじょうせん	148
	曲線	きょくせん	49
	新幹線	しんかんせん	19
	直線	ちょくせん	74
	～番線	ばんせん	19
選	選ぶ	えら	39
	選考	せんこう	39
	選手	せんしゅ	39
	選択	せんたく	39
蔵	貯蔵	ちょぞう	51
	内蔵	ないぞう	51
	冷蔵	れいぞう	51
	冷蔵庫	れいぞうこ	92
談	会談	かいだん	91
	冗談	じょうだん	91
	相談	そうだん	91
駐	駐車	ちゅうしゃ	13
	駐車場	ちゅうしゃじょう	13
調	調べる	しら	31
	調査	ちょうさ	76
	調子	ちょうし	31
	調整	ちょうせい	31
	調節	ちょうせつ	90
	順調	じゅんちょう	111
敵	匹敵する	ひってき	123
導	導入	どうにゅう	121
	導く	みちび	121
	指導	しどう	121
熱	熱い	あつ	85

漢字	語	読み	ページ
熱	熱	ねつ	85
	熱心	ねっしん	85
	熱中	ねっちゅう	85
	熱湯	ねっとう	84
箱	箱詰め	はこづ	104
	ごみ箱	ばこ	39
	受信箱	じゅしんばこ	39
	送信箱	そうしんばこ	39
標	標準	ひょうじゅん	37
	標本	ひょうほん	37
	目標	もくひょう	37
膚	皮膚	ひふ	22
舞	舞台	ぶたい	69
	舞う	ま	69
	お見舞い	みま	69
	日本舞踊	にほんぶよう	123
編	編み物	あもの	40
	編集	へんしゅう	40
	短編	たんぺん	40
	長編	ちょうへん	40
暴	暴れる	あば	139
	暴走	ぼうそう	139
	乱暴	らんぼう	129,139
撲	相撲	すもう	53
養	栄養	えいよう	93
履	履歴書	りれきしょ	39
	着信履歴	ちゃくしんりれき	39
輪	首輪	くびわ	122
	車輪	しゃりん	122
	指輪	ゆびわ	122
論	論じる	ろん	127
	論文	ろんぶん	127
	議論	ぎろん	15,127
	結論	けつろん	127
	評論	ひょうろん	146

16画

漢字	語	読み	ページ
館	旧館	きゅうかん	112
	宝物館	ほうもつかん	110
	領事館	りょうじかん	49
機	機械	きかい	49
	機能	きのう	40
	危機	きき	12,30
	交通機関	こうつうきかん	30,53
	自動券売機	じどうけんばいき	30
	自動販売機	じどうはんばいき	31
	支払機	しはらいき	32
	洗濯機	せんたくき	86
	飛行機	ひこうき	30
橋	橋	はし	77
	架け橋	かはし	77
	鉄橋	てっきょう	77
	歩道橋	ほどうきょう	77
激	刺激	しげき	90
賢	賢い	かしこ	146
	賢明	けんめい	146
親	親善	しんぜん	144
	両親	りょうしん	20
整	整備	せいび	31
	整理券	せいりけん	31
	整う	ととの	31
	調整	ちょうせい	31
積	消極的	しょうきょくてき	113
	積雪	せきせつ	131
	積む	つ	54
	積もる	つ	54
	ゴミ集積所	しゅうせきじょ	54
	面積	めんせき	54,94
操	操作	そうさ	94
	器械体操	きかいたいそう	49
	柔軟体操	じゅうなんたいそう	87
	体操	たいそう	94
築	築～年	ちくねん	107
	建築	けんちく	107
糖	砂糖	さとう	125
頭	頭痛	ずつう	90
	頭脳	ずのう	144
曇	曇り	くも	131
	曇る	くも	131
燃	燃焼	ねんしょう	85
	燃料	ねんりょう	54
	燃やせる	も	54
	可燃	かねん	54
	不燃	ふねん	54
濃	濃い	こ	127
	濃度	のうど	127
薄	薄い	うす	113
	薄切り	うすぎ	113
	薄手	うすで	113
	薄める	うす	113
繁	繁栄	はんえい	93
避	避難	ひなん	56
壁	壁	かべ	88
磨	磨く	みが	89
	歯磨き	はみが	89
薬	薬局	やっきょく	23
	農薬	のうやく	140
輸	輸血	ゆけつ	129
	輸出	ゆしゅつ	129
	輸送	ゆそう	129
	輸入	ゆにゅう	129
頼	頼む	たの	66
	頼もしい	たの	66
	頼りない	たよ	66
	頼る	たよ	66
	依頼	いらい	66
	信頼	しんらい	66
録	録音	ろくおん	37
	録画	ろくが	37
	登録	とうろく	40

17画

漢字	語	読み	ページ
環	環境	かんきょう	148

漢字	語彙	ページ
環	環状線（かんじょうせん）	148
厳	開放厳禁（かいほうげんきん）	16
講	講演（こうえん）	121
	講義（こうぎ）	121
	講座（こうざ）	121
	講師（こうし）	121
縮	縮小（しゅくしょう）	41
績	業績（ぎょうせき）	126
	実績（じっせき）	126
	成績（せいせき）	126
燥	乾燥（かんそう）	91
濯	洗濯（せんたく）	86
	洗濯機（せんたくき）	86
優	優れる（すぐ）	21
	優しい（やさ）	21
	優勝（ゆうしょう）	142
	優先（ゆうせん）	21
覧	展覧会（てんらんかい）	105
療	医療（いりょう）	22
	診療（しんりょう）	22
	治療（ちりょう）	22
齢	高齢（こうれい）	67
	年齢（ねんれい）	67

18画

漢字	語彙	ページ
額	額（がく）	48
	額（ひたい）	48
	巨額（きょがく）	142
	金額（きんがく）	48
	限度額（げんどがく）	53
簡	簡単（かんたん）	120
観	観客（かんきゃく）	110
	観光（かんこう）	110
	観察（かんさつ）	110
	観音（かんのん）	110
	悲観（ひかん）	77
顔	笑顔（えがお）	61
	似顔絵（にがおえ）	147
験	一次試験（いちじしけん）	74
	経験（けいけん）	52
	実験（じっけん）	94
	受験（じゅけん）	14
織	組織（そしき）	103
職	職業（しょくぎょう）	72
	職人（しょくにん）	72
	職場（しょくば）	72
	退職（たいしょく）	72
礎	基礎（きそ）	121
贈	贈る（おく）	105
	贈り物（おくもの）	105
題	諸問題（しょもんだい）	72
	宿題（しゅくだい）	106
難	難しい（むずか）	56
	～し難い（がた）	56
	困難（こんなん）	56
	盗難（とうなん）	138
	避難（ひなん）	56
類	衣類（いるい）	50
	種類（しゅるい）	123
	書類（しょるい）	41
	人類（じんるい）	41
	分類（ぶんるい）	41

19画

漢字	語彙	ページ
願	願書（がんしょ）	57
	願う（ねが）	57
	祈願（きがん）	71
鏡	望遠鏡（ぼうえんきょう）	66
警	警官（けいかん）	95,148
	警告（けいこく）	102
	警察（けいさつ）	95,108
	警備（けいび）	95
	警報（けいほう）	95
識	常識（じょうしき）	14
	知識（ちしき）	115
臓	心臓（しんぞう）	79
	内臓（ないぞう）	79
爆	爆発（ばくはつ）	139

20画

漢字	語彙	ページ
議	議員（ぎいん）	15
	議論（ぎろん）	15,127
	会議室（かいぎしつ）	15
	不思議（ふしぎ）	15
競	競う（きそ）	142
	競技（きょうぎ）	149
	競争（きょうそう）	76,142
	競馬（けいば）	142
懸	一生懸命（いっしょうけんめい）	141
護	介護（かいご）	72
	看護師（かんごし）	25
騰	沸騰（ふっとう）	93

イラスト　株式会社アトリエ・ジュエ／花色木綿
翻訳・翻訳校正　Rory Rosszell ／ Philip White ／ Ian Chun（英語）
李燁／大新書局編集部（中国語）
崔明淑／時事日本語社（韓国語）
編集協力・ＤＴＰ　株式会社明昌堂
装丁　岡崎裕樹
印刷・製本　日経印刷株式会社

「日本語能力試験」対策
日本語総まとめ N2 漢字［増補改訂版］

2010 年　4 月 10 日　初版　第 1 刷発行
2022 年　8 月 25 日　増補改訂版　第 1 刷発行

本体価格　1,200 円
著　者　佐々木仁子・松本紀子
発　行　株式会社アスク
〒 162-8558　東京都新宿区下宮比町 2-6
TEL　03-3267-6864
発行人　天谷修身

　Printed in Japan　ISBN978-4-86639-494-7

アンケートにご協力ください

Smartphone 

増補改訂版「日本語能力試験」対策
日本語総まとめ

N2 漢字

[正解文の読み]

[正解文の読み]

模擬試験 [答え]、[正解文の読み]

解文のルビを隠しながら読む練習もできます。

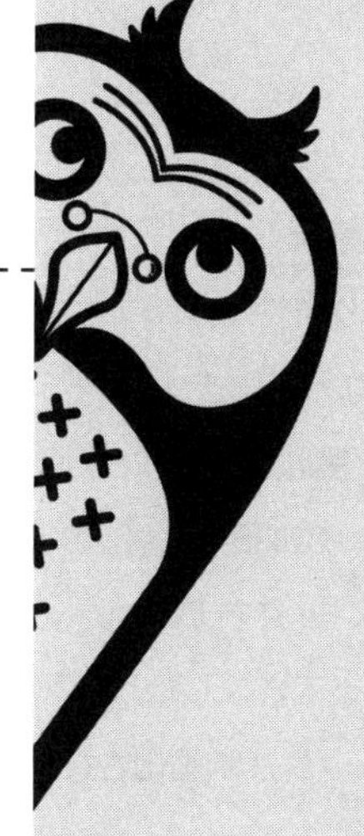

第1週

1日目　練習（p.13）

① **関係者（かんけいしゃ）**以外（いがい）立（た）ち入（い）り禁止（きんし） ＝ 関係者（かんけいしゃ）でない人（ひと）は入（はい）ってはいけない

② お**静（しず）か**に ＝ 静（しず）かにしてください

③ **落石（らくせき）**注意（ちゅうい）＝石（いし）が落（お）ちてくるかもしれない

④ スピード**落（お）とせ**＝ スピードをおそくしろ

⑤ **遊泳禁止（ゆうえいきんし）**＝ここで泳（およ）いではいけない

⑥ **危（あぶ）ない**ですから、下（さ）がってください。

⑦ **駐車禁止（ちゅうしゃきんし）**＝車（くるま）を止（と）めてはいけない

2日目　練習（p.15）

① タバコを吸（す）う所（ところ） ＝ **喫煙所（きつえんじょ）**

② この**付近（ふきん）**に喫茶店（きっさてん）はありませんか。

③ 日本語（にほんご）は、**日常（にちじょう）**会話（かいわ）ならできます。

④ A「すみません、**化粧室（けしょうしつ）**はどこですか。」
B「はい、**お手洗（てあら）い**は、あちらでございます。」

⑤ 会議室（かいぎしつ）は**階段（かいだん）**を上（のぼ）って、すぐ右（みぎ）です。

⑥ このごろ**一段（いちだん）**と寒（さむ）くなってきましたね。

⑦ ベストセラーになった小説（しょうせつ）が**映画化（えいがか）**された。

3日目　練習（p.17）

① あ、**準備中（じゅんびちゅう）**だ、まだ早（はや）いんだね。また後（あと）で来（こ）よう。

② **開放厳禁（かいほうげんきん）** ＝ 開（あ）けておいてはいけない

③ 安（やす）くて早（はや）いから**定食（ていしょく）**を注文（ちゅうもん）する。

④ うちのチームは**準決勝（じゅんけっしょう）**まで勝（か）ち進（すす）んだ。

⑤ **備（そな）え付（つ）け**の紙（かみ）以外（いがい）、流（なが）さないでください。
＝ トイレットペーパーしか使（つか）えない。

⑥ テストをしますから、本（ほん）を**閉（と）じて**ください。

⑦ エレベーターは**点検中（てんけんちゅう）**ですから、階段（かいだん）を使（つか）ってください。

⑧ **閉店（へいてん）**セールを行（おこな）う。

4日目　練習（p.19）

① 足（た）りない料金（りょうきん）を払（はら）うところ＝**精算所（せいさんじょ）**

② この切符（きっぷ）では**自動改札（じどうかいさつ）**は通（とお）れないので、駅員（えきいん）のいるほうへ行（い）く。

③ わからないことは、駅（えき）の**窓口（まどぐち）**で聞（き）いてください。

④ 今度（こんど）の快速（かいそく）は**3番線（ばんせん）**から発車（はっしゃ）します。

⑤ 4月（がつ）から電車（でんしゃ）の時刻（じこく）が**改正（かいせい）**されます。

⑥ **線路内（せんろない）**に物（もの）を落（お）としたときは、駅係員（えきかかりいん）にお知（し）らせください。

⑦ ○○君（くん）は足（あし）が**速（はや）い**。

5日目　練習（p.21）

① バスなどのおりるほう ＝ **降車口（こうしゃぐち）**

② お金（かね）を細（こま）かくしたいときは**両替（りょうがえ）**します。

③ ○町（まち/ちょう）を通（とお）って△駅（えき）へ行（い）く ＝ ○町（まち/ちょう）**経由（けいゆ）**△駅行（えきい）き

④ **深夜（しんや）**バスで田舎（いなか）へ帰（かえ）る。

⑤ ここはお年寄（としよ）りや体（からだ）の不自由（ふじゆう）な方（かた）のための**優先席（ゆうせんせき）**です。

⑥ 深夜（しんや）はタクシーの運賃（うんちん）が**割増（わりまし）**になります。

⑦ **通路側（つうろがわ）**の座席（ざせき）は出（で）たり入（はい）ったりしやすい。

⑧ これは安全性（あんぜんせい）に**優（すぐ）れた**車（くるま）です。

6日目　練習（p.23）

① 急（いそ）ぎの手紙（てがみ）を**速達（そくたつ）**で送（おく）る。

② **国際郵便（こくさいゆうびん）** ＝ 海外（かいがい）へ送（おく）る郵便（ゆうびん）

③ 郵便局（ゆうびんきょく）で**貯金（ちょきん）**の手続（てつづ）きをする。

④ この紙（かみ）を**薬局（やっきょく）**に持（も）って行（い）って、薬（くすり）をもらってください。

⑤ 急病人（きゅうびょうにん）のために、夜（よる）でも開（あ）いている入口（いりぐち）
＝ **夜間救急入口（やかんきゅうきゅういりぐち）**

⑥ 初（はじ）めて診察（しんさつ）を受（う）けに来（き）た人（ひと）は、**初診（しょしん）**受付（うけつけ）へ行（い）く。

⑦ 化学（かがく）は**科学（かがく）**の一（ひと）つです。

⑧ 手術（しゅじゅつ）は**外科（げか）**で行（おこな）います。

7日目　まとめの問題（p.26～28）

1 ここは**駐車禁止**(ちゅうしゃきんし)です。

2 チューインガムは紙(かみ)に**包んで**(つつ)捨(す)てましょう。

3 外国**為替**(がいこくかわせ)の窓口(まどぐち)は２階(かい)です。

4 **喫煙席**(きつえんせき)はあちらです。

5 食堂(しょくどう)はまだ**準備中**(じゅんびちゅう)です。

6 デパートの**閉店**(へいてん)セールに行(い)く。

7 **医療関係**(いりょうかんけい)の仕事(しごと)をする。

8 **救急**車(きゅうきゅうしゃ)をよぶときは119に電話(でんわ)します。

9 富士山(ふじさん)に**初雪**(はつゆき)が降(ふ)りました。

10 機械(きかい)でも**精算**(せいさん)できます。

11 このエレベーターは**定員**(ていいん)９名(めい)です。

12 御手洗(おてあら)いは**清掃中**(せいそうちゅう)です。

13 地(ち)デジ**放送**(ほうそう)というのは何(なん)ですか。

14 この手紙(てがみ)は**速達**(そくたつ)でおねがいします。

15 **空港**(くうこう)までリムジンバスで行(い)きました。

16 A「電車(でんしゃ)の**切符**(きっぷ)を買(か)わないんですか。」
B「ええ、電子(でんし)マネーが使(つか)えますから。」

17 A「トイレを使(つか)ったら、**流して**(なが)くださいね。」
B「あ、すみません、自動(じどう)じゃないんですね。」

18 A「何(なに)をしてるの？　早(はや)く行(い)こうよ。」
B「あ、バスの**時刻表**(じこくひょう)の写真(しゃしん)をとっているの。ちょっと、待(ま)って。」

19 A「８時(じ)５分発(ふんはつ)の快速(かいそく)の**２両目**(りょうめ)に乗(の)ります。」
B「わかりました。」

20 A「風邪(かぜ)を引(ひ)いたんです。」
B「じゃ、**内科**(ないか)ですね。」

21 **一万円札**(いちまんえんさつ)を両替(りょうがえ)してくれませんか。

22 日本(にほん)からの海外旅行(かいがいりょこう)は1964年(ねん)に**自由化**(じゆうか)されました。

23 **再入国**(さいにゅうこく)手続(てつづ)きをする。

24 A「成田空港(なりたくうこう)の**第２ターミナル**(だい)へ行(い)きたいんですが。」
B「じゃ、次(つぎ)の駅(えき)で降(お)りてください。」

25 **１号車**(ごうしゃ)は禁煙車(きんえんしゃ)です。

第２週

１日目　練習（p.31）

① 勉強(べんきょう)したところを、もう一度(いちど)**復習**(ふくしゅう)しましょう。

② 手袋(てぶくろ)が**片方**(かたほう)しかない。どこで落(お)としたのだろう。

③ 飛行機(ひこうき)や電車(でんしゃ)などを**交通機関**(こうつうきかん)という。

④ 私(わたし)は通学(つうがく)に**往復**(おうふく)３時間(じかん)かかります。

⑤ ここでは、係員(かかりいん)の**指示**(しじ)通(どお)りに駐車(ちゅうしゃ)してください。

⑥ この**時刻表**(じこくひょう)に電車(でんしゃ)の発車時刻(はっしゃじこく)が書(か)いてあります。

⑦ 銀行員(ぎんこういん)「**整理券**(せいりけん)をお取(と)りになってお待(ま)ちください。」

⑧ 朝(あさ)からおなかの**調子**(ちょうし)がよくない。

２日目　練習（p.33）

① この店(みせ)は**照明**(しょうめい)が明(あか)るくて気持(きも)ちがいい。

② 私(わたし)は、家族(かぞく)や友人(ゆうじん)に**支え**(ささ)られて生(い)きています。

③ この日本語(にほんご)の**表現**(ひょうげん)は英語(えいご)で何(なん)と言(い)いますか。

④ 銀行(ぎんこう)にお金(かね)を**預ける**(あず)。

⑤ 漢字(かんじ)の**書き取り**(かと)のテストで100点(てん)を取(と)った。

⑥ 五百円**硬貨**(ごひゃくえんこうか)はお使(つか)いになれません。

⑦ **間違い**(まちが)を消(け)しゴムで消(け)して書(か)き直(なお)す。

⑧ 電話番号(でんわばんごう)を**お確かめ**(たし)ください。

３日目　練習（p.35）

① このデザートは**冷やして**(ひ)食(た)べるとおいしい。

② この辺(へん)は、**緑**(みどり)が多(おお)くて静(しず)かできれいですね。

③ キャッシュバックというのは**返金**(へんきん)のことです。

④ この自動販売機(じどうはんばいき)は、硬貨(こうか)だけでなく**千円札**(せんえんさつ)も使(つか)える。

⑤ 18歳**未満**(さいみまん)には18歳(さい)は入(はい)りません。

⑥ **小児科**(しょうにか)の医者(いしゃ)の数(かず)が足(た)りないそうです。

⑦ **団体**旅行(だんたいりょこう)は安(やす)いが、自由(じゆう)に行動(こうどう)できない。

⑧ 冬(ふゆ)の登山(とざん)は危険(きけん)に**満ちている**(み)。

4日目　練習（p.37）

① 梅雨(つゆ)の時期(じき)はエアコンを**除湿**(じょしつ)にすると快適(かいてき)だ。

② 次(つぎ)の駅(えき)で地下鉄(ちかてつ)に**乗(の)り換(か)え**ましょう。

③ 室内(しつない)の温度(おんど)が高(たか)くなりすぎたら、**設定**(せってい)温度(おんど)を下(さ)げましょう。

④ 年中無休(ねんじゅうむきゅう)。ただし、年末年始(ねんまつねんし)を**除(のぞ)く**。

⑤ テレビの音声(おんせい)**切換**(きりかえ)をして英語(えいご)で聞(き)く。

⑥ **標準**(ひょうじゅん)モードで予約録画(よやくろくが)する。

⑦ 聞(き)こえないから、少(すこ)し**音量**(おんりょう)を上(あ)げてください。

⑧ 中国(ちゅうごく)の人口(じんこう)は日本(にほん)の**約**(やく)**10倍**(ばい)です。

5日目　練習（p.39）

① この件(けん)は**保留**(ほりゅう)にしておいて、また後(あと)で考(かん)えます。

② 大事(だいじ)な手紙(てがみ)やお金(かね)を**郵便書留**(ゆうびんかきとめ)で送(おく)る。

③ 家(いえ)を買(か)ったので、毎月(まいつき)のローンの**返済**(へんさい)がたいへんだ。

④ もうすぐ受験(じゅけん)なので、神社(じんじゃ)で**お守(まも)り**を買(か)った。

⑤ 車(くるま)も人(ひと)も、信号(しんごう)を**守(まも)り**ましょう。

⑥ 携帯電話(けいたいでんわ)の電話番号(でんわばんごう)が**変(か)わり**ましたのでお知(し)らせします。

⑦ 選考(せんこう)の結果(けっか)、オリンピックに出場(しゅつじょう)する選手(せんしゅ)が**決(き)まった**。

⑧ メールを**新規**(しんき)作成(さくせい)する。

6日目　練習（p.41）

① このフィルムを**現像**(げんぞう)してください。

② コピー機(き)の調子(ちょうし)が悪(わる)いので、**修理**(しゅうり)に来(き)てください。

③ ここにある書類(しょるい)を**分類**(ぶんるい)してファイルしてください。

④ アドレスを**登録**(とうろく)する。

⑤ ここに受(う)け取(と)りの**認(みと)め印**(いん)をお願(ねが)いします。

⑥ タイトルは**中央**(ちゅうおう)に、日付(ひづけ)と名前(なまえ)は右(みぎ)に書(か)きます。

⑦ この部屋(へや)はエアコン**完備**(かんび)です。

⑧ 作成(さくせい)したファイルを**保存**(ほぞん)する。

7日目　まとめの問題（p.44～46）

1 この天気(てんき)で登山(とざん)は**可能**(かのう)でしょうか。

2 切符(きっぷ)の**払(はら)い戻(もど)し**をする。

3 この**印**(いん)は、取(と)り消(け)しを表(あらわ)しています。

4 部屋(へや)の**中央**(ちゅうおう)にテーブルがあります。

5 このごろ、**幼(おさな)い**子(こ)どもの事故(じこ)が増(ふ)えている。

6 印刷(いんさつ)して**拡大**(かくだい)コピーしてください。

7 文字(もじ)を選択(せんたく)して**変換**(へんかん)する。

8 この時期(じき)は**湿度**(しつど)が高(たか)い。

9 団地(だんち)のベランダに**布団**(ふとん)がほしてある。

10 コピー用紙(ようし)の枚数(まいすう)を**数(かぞ)える**。

11 本日(ほんじつ)の営業(えいぎょう)は**終了**(しゅうりょう)しました。

12 その件(けん)はまだ話(はな)し合(あ)いが済(す)んでいないので**保留**(ほりゅう)です。

13 日本(にほん)では年末(ねんまつ)に**大掃除**(おおそうじ)をします。

14 このへんもずいぶん道路(どうろ)が**整備**(せいび)されてきました。

15 今年(ことし)の**目標**(もくひょう)をたてる。

16 A「このATMは使(つか)えないみたい。」
B「ああ、**調整中**(ちょうせいちゅう)ですね。」

17 A「お二人(ふたり)は顔(かお)がそっくりですね。」
B「ええ、でも、性格(せいかく)は**対照的**(たいしょうてき)なんですよ。」

18 A「それで、お仕事(しごと)の内容(ないよう)は？」
B「**幼児向(ようじむ)け**の商品開発(しょうひんかいはつ)です。」

19 A「**団体**(だんたい)割引(わりびき)は何人(なんにん)からですか。」
B「8名様(めいさま)からです。」

20 A「どうしたの、それ。」
B「川(かわ)にぷかぷか浮(う)いてたから、**拾(ひろ)って**きたの。」

21 カップで米(こめ)の**分量**(ぶんりょう)を量(はか)る。

22 **日本式**(にほんしき)のあいさつやマナーを覚(おぼ)える。

23 メールといっしょに**画像**(がぞう)を送信(そうしん)する。

24 **短編**(たんぺん)小説(しょうせつ)を読(よ)む。

25 今朝(けさ)、地震(じしん)で**停電**(ていでん)になりました。

第3週

1日目　練習（p.49）

① お客様のおかけになった番号は**現在**使われておりません。

② **細かい**お金が要るんですが、両替してくれませんか。

③ **金利**が低いときに、お金を借りたほうがいいですね。

④ 読んだ本の内容を**要約**する。

⑤ 手紙のあて名にはふつう**様**を使います。

⑥ その信号を右に**曲がって**ください。

⑦ コンビニでも**払い込み**ができるので便利だ。

⑧ ごみの**収集**は月・水・金です。

2日目　練習（p.51）

① 5月の**連休**に両親を旅行に連れていく。

② 会議に使いますから、この**書類**をコピーしてください。

③ 教科書や参考書、その**他**必要な本を買う。

④ 品物が入荷しましたら、電話でご**連絡**します。

⑤ 山の**頂上**でお弁当にしましょう。

⑥ 今お配りしたプリントに作業の**分担**が書いてあります。

⑦ アイスクリームは冷蔵庫の**冷凍室**に入れます。

⑧ A = B とは、A は B と**等しい**という意味です。

3日目　練習（p.53）

① この薬は風邪によく**効く**。

② 外国の人たちと**交流**するのは楽しいです。

③ 今までに一度も負けたことのない**相手**に負けてしまった。

④ 卵10個入りパック百円！お一人様1パック**限り**！

⑤ 子どもの勉強のことは**担任**の先生にお任せしています。

⑥ この薬を飲んでください。1週間**経過**をみましょう。

⑦ 仕事の量が多過ぎる。社員の**負担**を軽くしなければならない。

⑧ このカードは全店**共通**でお使いになれます。

4日目　練習（p.55）

① 雪が**積もって**花だんが埋まってしまった。

② 落ち葉や木の枝は**燃やせる**ゴミになります。

③ この洗剤を使うときは必ずゴム**手袋**をしてください。

④ 植物から自動車の**燃料**を作る。

⑤ **器**がきれいだと、料理もおいしく見える。

⑥ この時計は**スイス製**です。

⑦ **雑音**がひどくて電話がよく聞こえません。

⑧ リサイクルのため、古新聞・古雑誌などを**回収**します。

5日目　練習（p.57）

① この**練習**問題は、あまり難しくない。

② 届かないので**延長**コードを持ってきてください。

③ あ！**地震**だ！揺れてる！

④ 材料がやわらかくなったら、さとうを**加えます**。

⑤ **迷惑**メールが何通も届いて困っている。

⑥ **平日**のこの時間は道路が混んでいる。

⑦ 重要な書類を引き出しに**保管**する。

⑧ 大学に入学**願書**を郵送する。

6日目　練習（p.59）

① 手紙に写真を**同封**する。

② 最近、全国**各地**で異常な事件が起こっている。

③ 朝、**果物**を食べると体にいいそうだ。

④ 運動靴のひもがほどけそうですよ。しっかり**結**

んで。

⑤ 会社の経理**事務**（じむ）を担当しています。

⑥ 旅券事務所でパスポートの**更新**（こうしん）をする。

⑦ 女子更衣室は2階に**移り**（うつ）ました。

⑧ 引っ越した家の**周り**（まわ）は緑が多い。

7日目　まとめの問題（p.62～64）

1 **領収書**（りょうしゅうしょ）

2 内田清**殿**（どの）

3 処方せん引換券**番号**（ばんごう）

4 合計**金額**（きんがく）

5 千葉から**お越し**（こ）の田畑様、お連れ様がお待ちです。

6 海を**埋め立てて**（うた）空港を建てる。

7 この資料は**必ず**（かなら）ご持参ください。

8 写真は実物とは少し**異なります**（こと）。

9 男女**平等**（びょうどう）に仕事の機会があたえられる。

10 **迷子**（まいご）のお知らせをいたします。

11 関係者**各位**（かくい）　サーバー停止のお知らせです。

12 アンケートに**ご協力**（きょうりょく）お願いします。

13 正月は多くの人々がお寺や神社に**お参り**（まい）する。

14 このカードの**有効**（ゆうこう）期限は1年です。

15 訓練は雨で来週に**延びた**（の）。

16 A「あ、また新しいコンビニができたね。」
B「そう、これでうちの近くには**4軒**（けん）もあるの。」

17 A「もう届いたの？」
B「うん、注文した**翌日**（よくじつ）には来るね。」

18 A「あの家は、火事で焼けたそうですよ。」
B「お**気の毒**（きどく）に。」

19 A「これ人数分コピーして。」
B「はい、会議で配る**資料**（しりょう）ですね。」

20 A「何のお知らせ？」
B「年末年始のゴミの**収集日**（しゅうしゅうび）よ。」

21 手紙を**開封**（かいふう）する。

22 試験**当日**（とうじつ）は駅が混むので、帰りの切符も買っておいたほうがいい。

23 今朝は寒さで**水道管**（すいどうかん）が凍っている。

24 電話の**受話器**（じゅわき）を取る。

25 お客様のクレジットのご利用**限度額**（げんどがく）は80万円です。

第4週

1日目　練習（p.67）

① 自分の**望み**（のぞ）通りの大学に入学できた。

② 来日する友人を空港の**到着**（とうちゃく）ロビーで待つ。

③ 商品の配送を**依頼**（いらい）する。

④ 市民が駅前に立ち、**署名**（しょめい）を集める活動を始めた。

⑤ 日本では結婚すると夫の**姓**（せい）になる女の人が多い。

⑥ 朝夕の**通勤**（つうきん）ラッシュ時は電車が満員になる。

⑦ お客様に迷子のお知らせを**申し上げます**（もう　あ）。

⑧ パスポートの**申請**（しんせい）をする。

2日目　練習（p.69）

① ゴミの出し方は地方**自治体**（じちたい）によって違う。

② 短所、つまり**欠点**（けってん）はだれにでもあるだろう。

③ **再婚**（さいこん）というのはもう一度結婚することです。

④ 結婚式の**招待状**（しょうたいじょう）に返事を書く。

⑤ 梅雨明けの暑い時に、日本では**暑中見舞い**（しょちゅうみま）を出す。

⑥ 5月5日は「こどもの日」、**祝日**（しゅくじつ）です。

⑦ 明日は北海道へ**出張**（しゅっちょう）だ。

⑧ りんごを送ってもらったので**お礼**（れい）の手紙を出す。

3日目　練習（p.71）

① 久しぶりに会った友達は、ひげを**伸ばして**（の）いた。

② この道路は**追い越し**（お　こ）禁止です。

③ この川は**浅い**（あさ）ので、子どもたちが遊ぶのにちょうどいい。

④ P.S. というのは**追伸**（ついしん）のことです。

⑤ 年(とし)の**暮(く)れ**にお世話(せわ)になった人(ひと)にお礼(れい)をする習慣(しゅうかん)がある。

⑥ **健康(けんこう)**保険証(ほけんしょう)を持(も)ってきてください。

⑦ 私(わたし)はいつも食事(しょくじ)の前(まえ)に**お祈(いの)り**をします。

⑧ **活発(かっぱつ)な**議論(ぎろん)をする。

4日目　練習（p.73）

① ちょっと**お伺(うかが)い**しますが、郵便局(ゆうびんきょく)はどちらでしょうか。

② 君(きみ)には**失望(しつぼう)**したよと部長(ぶちょう)に言(い)われてしまった。

③ ご結婚(けっこん)おめでとう！お**幸(しあわ)せ**に！

④ 雪(ゆき)のため、元日(がんじつ)の**参拝者(さんぱいしゃ)**はやや少(すく)なかった。

⑤ この辺(あた)りも開発(かいはつ)が進(すす)み、**自然(しぜん)**が失(うしな)われつつある。

⑥ 今(いま)の職場(しょくば)は友人(ゆうじん)に**紹介(しょうかい)**してもらった。

⑦ まっすぐ行(い)って、**突(つ)き当(あ)たり**を右(みぎ)に曲(ま)がってください。

⑧ **職業(しょくぎょう)**訓練(くんれん)を受(う)けて仕事(しごと)を見(み)つける。

5日目　練習（p.75）

① その小説(しょうせつ)の最初(さいしょ)の**章(しょう)**を読(よ)み終(お)えたところです。

② 健康(けんこう)のために、**適度(てきど)**な運動(うんどう)をするようにしています。

③ 明日(あした/あす)行(い)くかどうかは天気(てんき)**次第(しだい)**です。

④ **直(ただ)ち**に安全(あんぜん)な場所(ばしょ)に移動(いどう)してください。

⑤ 周囲(しゅうい)の住民(じゅうみん)は、マンションの建設(けんせつ)に**反対(はんたい)**している。

⑥ **形式(けいしき)**も重要(じゅうよう)だが、内容(ないよう)はもっと重要(じゅうよう)だ。

⑦ 副社長(ふくしゃちょう)がよく働(はたら)いてくれるので、社長(しゃちょう)は**助(たす)かっている**。

⑧ 彼女(かのじょ)は花(はな)に**例(たと)えると**、白(しろ)いユリです。

6日目　練習（p.77）

① 弟(おとうと)は野球(やきゅう)に**夢中(むちゅう)**で、将来(しょうらい)はプロの選手(せんしゅ)になりたいと言(い)っている。

② 大学(だいがく)では数学(すうがく)を**専攻(せんこう)**した。

③ この建物(たてもの)のトイレは、洋式(ようしき)と**和式(わしき)**の他(ほか)に車(くるま)いす用(よう)のものもある。

④ この製品(せいひん)は**改良(かいりょう)**を重(かさ)ね、良(よ)い味(あじ)になった。

⑤ あの人(ひと)と私(わたし)は、オリンピックで金(きん)メダルを**争(あらそ)った**仲(なか)だ。

⑥ 姉(あね)から**愛情(あいじょう)**のこもった手紙(てがみ)をもらった。

7日目　まとめの問題（p.80～82）

1 自分(じぶん)は間違(まちが)っていない、と彼(かれ)は**主張(しゅちょう)**した。

2 デパートは、**お歳暮(せいぼ)**の買(か)い物(もの)をする人(ひと)たちで混(こ)んでいた。

3 本日(ほんじつ)は**お招(まね)き**頂(いただ)きまして、ありがとうございます。

4 信用(しんよう)を**失(うしな)って**はビジネスはできない。

5 花(はな)と緑(みどり)に**囲(かこ)まれた**家(いえ)に住(す)みたい。

6 **お互(たが)い**に体(からだ)に気(き)をつけて頑張(がんば)りましょう。

7 子(こ)どもらしく**素直(すなお)**に育(そだ)ってほしい。

8 この歌(うた)には、**争(あらそ)い**をやめようというメッセージが込(こ)められている。

9 結婚(けっこん)して以来(いらい)、私(わたし)はすっかり妻(つま)に**頼(たよ)って**いる。

10 スピーチで漢字(かんじ)を読(よ)み間違(まちが)えて**恥(はじ)**をかいた。

11 国(くに)によって文化(ぶんか)や**習慣(しゅうかん)**は異(こと)なる。

12 **打(う)ち合(あ)わせ**は2時(じ)からです。

13 明日(あした/あす)は**祭日(さいじつ)**でお休(やす)みだ。

14 こちらに勤務先(きんむさき)と**部署(ぶしょ)**名(めい)をお書(か)きください。

15 幼(おさな)い子(こ)にきちんとあいさつをされて**感心(かんしん)**した。

16 A「どうしましたか。」

B「最近(さいきん)、**眠(ねむ)れない**し、食欲(しょくよく)もないんです。」

17 はい、**息(いき)**を吸(す)って、止(と)めてください。はい、いいですよ。

18 A「**血液(けつえき)**検査(けんさ)の結果(けっか)は…異常(いじょう)なしですね。」

B「よかった。」

19 A「ご**専門(せんもん)**は？」

B「美術史(びじゅつし)です。」

20 A「どちらにお**勤(つと)め**ですか。」

B「京都大学です。」
きょうとだいがく

21 この試験に受かった人は**二次試験**が受けられる。
しけん う ひと にじしけん う

22 兄は**消防署**に勤めています。
あに しょうぼうしょ つと

23 **年賀状**を印刷する。
ねんがじょう いんさつ

24 おかげさまで両親は**健在**です。
りょうしん けんざい

25 現代社会の**諸問題**についての講演を聞く。
げんだいしゃかい しょもんだい こうえん き

第5週

1日目　練習（p.85）

① 試験に出される問題の**傾向**を調べて、受験勉強をする。
しけん だ もんだい けいこう しら じゅけんべんきょう

② **恐れ入りますが**、荷物はそちらに置いてください。
おそ い にもつ お

③ アフリカ**原産**のお茶を飲む。
げんさん ちゃ の

④ この車にはABSという安全**装置**がついています。
くるま あんぜんそうち

⑤ 作品には手を**触れないで**ください。
さくひん て ふ

⑥ 今朝は寝坊をして、朝食をとる**余裕**がなかった。
けさ ねぼう ちょうしょく よゆう

⑦ 電灯をつけるのを忘れるぐらい、ゲームに**熱中**した。
でんとう わす ねっちゅう

⑧ **灯台**は、船に位置を教えます。
とうだい ふね いち おし

2日目　練習（p.87）

① スポーツには**柔軟**体操は欠かせない。
じゅうなんたいそう か

② 猫を抱いたら、服に猫の**毛**がたくさんついてしまった。
ねこ だ ふく ねこ け

③ この化粧品は肌の弱い方用で、**香料**は使用しておりません。
けしょうひん はだ よわ かたよう こうりょう しよう

④ 妹は**柔道**の選手です。
いもうと じゅうどう せんしゅ

⑤ その看板は黄色いペンキで**塗って**あってよく目立つ。
かんばん きいろ ぬ め だ

⑥ この風邪薬はお湯に**溶かして**お飲みください。
かぜぐすり ゆ と の

⑦ 子どもたちは**泥**だらけになって遊ぶので、洗濯が大変だ。
こ どろ あそ せんたく たいへん

⑧ **一緒**に映画に行きませんか。
いっしょ えいが い

3日目　練習（p.89）

① いい天気なので**毛布**を洗った。よく乾いた。
てんき もうふ あら かわ

② この花入れは柱にかけたり、**床の間**に置いたりしてください。
はない はしら とこ ま お

③ 家に帰る**途中**、コンビニに寄って、乾電池を買った。
いえ かえ とちゅう よ かんでんち か

④ **床**にカーペットをしく。
ゆか

⑤ 歯医者で歯を**抜いた**ばかりなので具合が悪い。
はいしゃ は ぬ ぐあい わる

⑥ 髪がぬれたままだと風邪を引くから**乾かした**ほうがいいですよ。
かみ かぜ ひ かわ

⑦ 毛糸のセーターを引き出しにしまう際には、**防虫剤**を一緒に入れる。
けいと ひ だ さい ぼうちゅうざい いっしょ い

⑧ 歯周病**予防**によく効く歯磨き粉を買う。
ししゅうびょう よぼう き はみが こ か

4日目　練習（p.91）

① 名刺の**肩書き**によれば、あの人は偉い人のようだ。
めいし かたが ひと えら ひと

② 神社には**神様**が、寺には仏様がいらっしゃいます。
じんじゃ かみさま てら ほとけさま

③ この腰掛けは高さが**調節**できます。
こしか たか ちょうせつ

④ 虫に**刺されて**かゆい。
むし さ

⑤ **汗**をかいたのでシャワーを浴びたい。
あせ あ

⑥ 医師に相談したら**的確な**助言をしてくれた。
いし そうだん てきかく じょげん

⑦ 指を**折って**数を数える。
ゆび お かず かぞ

⑧ この洗濯機には、**乾燥**機能も付いています。
せんたくき かんそう きのう つ

5日目　練習（p.93）

① ○○酒造というのは酒を**製造**している会社です。
しゅぞう さけ せいぞう かいしゃ

② この試合の**賞金**の額は、1位と2位とでは全然違う。
しあい しょうきん がく い い ぜんぜん ちが

③ **身長**と体重をここに記入してください。
しんちょう たいじゅう きにゅう

④ この電車は**車庫**に入りますので、ご乗車になれません。
でんしゃ しゃこ はい じょうしゃ

⑤ 開封後はなるべく早く**お召し上がり**ください。

⑥ この町の発展と繁栄を願って、**乾杯**！

⑦ **年末**年始は休業とさせていただきます。

⑧ 明日は**花粉**が多くなりそうです。ご注意ください。

6日目　練習（p.95）

① 訪問販売の人が何度も**訪ねて**きてチャイムを鳴らす。

② 台風が近づいて雨や風が強くなり、注意報が**警報**に変わった。

③ あの人の言動には**裏表**があって、信用できない。

④ お客様に**お呼び出し**を申し上げます。

⑤ **正面**玄関は閉まっていますから、裏口から入ってください。

⑥ 合格した人は入学**手続き**をしてください。

⑦ 新製品を買いたい人の**列**が店の前から交差点まで続いている。

⑧ 私は課長に**辞表**を出した。

7日目　まとめの問題（p.98 ～ 100）

1 苦労をすると、**白髪**が多くなると言います。

2 **布製**のバッグに本を入れる。

3 地震で家が**傾いた**。

4 日本のお土産に**浴衣**はいかがですか。

5 この虫は、指で**触る**と体を丸くします。

6 **物置**に眠っている不用品を回収いたします。

7 私は5人兄弟の**末っ子**です。

8 木の**実**を拾い集める。

9 お湯が**沸いた**。

10 **悩み**を相談する人がいない。

11 台風が日本に**接近**している。

12 彼女は北海道**出身**です。

13 **家具**を買わずにレンタルする。

14 **壁**にポスターがはってあります。

15 水を**一杯**ください。

16 A「あの優しい先生が怒ったんだって。」
B「**珍しい**ね。」

17 A「**咲いた**と思ったら、もう散っちゃった。」
B「風が強かったからね。」

18 A「結婚式の**司会**を頼みたいんだけど。」
B「私なんかでよければ…。」

19 A「どうしたんですか。」
B「**泥棒**です、あの人！私の自転車…。」

20 A「**昔**通った店を訪ねたら、もうなくなっていたよ。」
B「残念ね。」

21 強いにおいが苦手なので、**無香料**のものを選ぶ。

22 一ヵ月の**食費**はいくらぐらいかかりますか。

23 ここは**追い抜き**禁止区間です。

24 1分は60**秒**だ。

25 日本の**代表的**な祭りに参加する。

第6週

1日目　練習（p.103）

① **税込**価格というのは、消費税が入った値段のことです。

② 広告が事実と異なり、**納得**がいかない場合はこちらにご連絡を。

③ ○○ランドの入場者数がすでに百万人を**超え**ました。

④ 世界で最も**物価**の高い都市はどこでしょう。

⑤ 子供を**対象**としたテレビ番組を制作する。

⑥ コレステロールの**数値**が上がっているので注意してください。

⑦ **雨靴**は無いが、ぬれてもいい靴ならある。

⑧ この番組は○○食品の**提供**でお送りしました。

2日目　練習（p.105）

① 草花や野菜、果物などを箱に**詰めて**（つ）出荷する。
② その作業は**単純**（たんじゅん）だが、ミスをすると危険だ。
③ 商品を使ったり作ったりして見せて売ることを**実演**（じつえん）販売という。
④ 年に2回、住民による地域の**除草**（じょそう）作業が行われる。
⑤ 事故**処理**（しょり）中の道路に、まだ車の破片が散らばっている。
⑥ 贈り物の包装はサービスカウンターで**承ります**（うけたまわ）。
⑦ 省エネというのはエネルギーを**節約**（せつやく）することです。
⑧ 全国の珍しいお菓子を集めた**展示会**（てんじかい）が開かれた。

3日目　練習（p.107）

① 週末は富士山の近くの温泉**宿**（やど）に泊まる予定です。
② 冬季オリンピック選手の帰国を空港で**出迎える**（でむか）。
③ この町は自然に囲まれた緑**豊かな**（ゆた）ところです。
④ 明日から**1泊**（いっぱく）2日の旅行に行きます。
⑤ 様々な**角度**（かくど）からアプローチして問題を解決する。
⑥ 居間と食堂を合わせて12**畳**（じょう）です。
⑦ 私は大学で**建築**（けんちく）の勉強をしています。
⑧ お金が必要になったので、定期預金を**解約**（かいやく）する。

4日目　練習（p.109）

① この**坂**（さか）を上ると美しいお寺がありますよ。
② 市役所は**警察署**（けいさつしょ）の向かいにあります。
③ 日本に科学**技術**（ぎじゅつ）を学ぶために来ました。
④ あのお相撲さんは**現役**（げんえき）を引退して解説者になるそうだ。
⑤ 湖の**岸**（きし）に白鳥がたくさんいるのが見える。
⑥ 日本**列島**（れっとう）を北から南まで旅行してみたい。
⑦ この公園の中に、お**城**（しろ）や植物園があります。
⑧ **海岸**（かいがん）には波で打ち寄せられたごみが落ちていた。

5日目　練習（p.111）

① 仕事ではなく**観光**（かんこう）でパリに行きました。
② この建物は**国宝**（こくほう）に指定されています。
③ 渋谷駅の犬の**銅像**（どうぞう）の前で会いましょう。
④ あの国には3人の**王子**（おうじ）がいます。
⑤ 有名な絵画の**複製**（ふくせい）を部屋にかざる。
⑥ これに関する説明は複雑なため、ここでは**省略**（しょうりゃく）します。
⑦ 出版社の**刊行物**（かんこうぶつ）の案内を見て、注文する。
⑧ 昨日、デパートでテレビによく出ている**芸能人**（げいのうじん）を見かけた。

6日目　練習（p.113）

① バラを花束にすると一層**甘い**（あま）香りがする。
② 肌が弱い人は、**綿**（めん）のシャツを着るとよいでしょう。
③ 当店のスパゲティは**一皿**（ひとさら）が2人前の量です。
④ 今は田中ですが、**旧姓**（きゅうせい）は林です。
⑤ みそ汁、味が**薄い**（うす）から、今度からもう少し濃くして。
⑥ このキャンディーは**一粒**（ひとつぶ）で口の中がスッキリします。
⑦ 教育制度の改革に**積極的**（せっきょくてき）に取り組もう！
⑧ フランス**革命**（かくめい）は1789年に起きた。

7日目　まとめの問題（p.116～118）

1 経験の**有無**（うむ）は問いません。
2 料理の手間を**省く**（はぶ）ために電子レンジを活用する。
3 **入居者**（にゅうきょしゃ）を募集しています。
4 駅から**徒歩**（とほ）3分のところに住んでいます。
5 富を**得る**（え）ことが幸せとは限らない。
6 この**辺り**（あた）に財布が落ちていませんでしたか。

7 **木綿**(もめん)のシャツを着(き)る。

8 長(なが)い髪(かみ)はゴムで**束**(たば)**ねて**ください。

9 放置自転車(ほうちじてんしゃ)は市(し)が**処分**(しょぶん)します。

10 燃(も)えている家(いえ)の中(なか)にいた子供(こども)は、**無事**(ぶじ)助(たす)け出(だ)された。

11 私(わたし)のふるさとは自然(しぜん)が**豊**(ゆた)**か**です。

12 手(て)がすべって、**お皿**(さら)を割(わ)ってしまった。

13 今日(きょう)は牛肉(ぎゅうにく)が**お買い得**(かどく)です。

14 日本(にほん)でいちばん大(おお)きい**湖**(みずうみ)は、どこにありますか。

15 1位(い)の選手(せんしゅ)には賞金(しょうきん)が**贈**(おく)**られ**ます。

16 A「わーすごい！魚(さかな)の**群**(む)**れ**だ！」
B「うん、水族館(すいぞくかん)って楽(たの)しいね。」

17 A「**知識**(ちしき)も必要(ひつよう)だけど…。」
B「ええ、経験(けいけん)も大事(だいじ)ですよね。」

18 A「**偶数**(ぐうすう)って何(なん)ですか。」
B「2で割(わ)り切(き)れる数字(すうじ)ですよ。」

19 A「サンドイッチに何(なに)を**挟**(はさ)**む**？」
B「ハムがいいな。」

20 A「何(なに)を調(しら)べているの？」
B「人類(じんるい)の**祖先**(そせん)についてです。」

21 乾電池(かんでんち)のプラスとマイナスの**極**(きょく)をつなぐと電気(でんき)が流(なが)れます。

22 美術館(びじゅつかん)に**国宝展**(こくほうてん)を見(み)に行(い)ってきました。すばらしかったです。

23 新聞(しんぶん)の**朝刊**(ちょうかん)を読(よ)む。

24 この図書(としょ)は**旧館**(きゅうかん)にあります。

25 **省**(しょう)エネのため、使(つか)わない電気(でんき)のコンセントは抜(ぬ)いてあります。

第7週

1日目　練習（p.121）

① 「アルバイト求(もと)む」という、**求人**(きゅうじん)広告(こうこく)を見(み)た。

② **時給**(じきゅう)1000円(えん)です。

③ ここに駐車(ちゅうしゃ)するには、会社(かいしゃ)の**許可**(きょか)が必要(ひつよう)です。

④ 勤務時間(きんむじかん)は相談(そうだん)に**応**(おう)**じます**。

⑤ 機械(きかい)を**導入**(どうにゅう)して作業(さぎょう)のスピードを上(あ)げる。

⑥ 毎朝(まいあさ)のランニングをするのが、私(わたし)の**日課**(にっか)です。

⑦ **制限**(せいげん)時間内(じかんない)に問題(もんだい)を解(と)く練習(れんしゅう)をする。

⑧ ラジオ**講座**(こうざ)で日本語(にほんご)を勉強(べんきょう)する。

2日目　練習（p.123）

① デパートで気(き)に入(い)った指輪(ゆびわ)を**探**(さが)**す**。

② 地域全体(ちいきぜんたい)で子供(こども)たちを**育**(そだ)**て**ましょう。

③ 多(おお)くの駅(えき)では、禁煙(きんえん)になって**灰皿**(はいざら)がなくなった。

④ 朝早(あさはや)くから**校庭**(こうてい)を走(はし)っているのは運動部(うんどうぶ)の生徒(せいと)です。

⑤ **公共**(こうきょう)の場(ば)では互(たが)いにルールを守(まも)ろう。

⑥ 歩行者(ほこうしゃ)は横断歩道(おうだんほどう)を**渡**(わた)**り**ましょう。

⑦ この店(みせ)ではたくさんの**種類**(しゅるい)の花(はな)の種(たね)を売(う)っている。

⑧ 人気(にんき)のある劇団(げきだん)の**公演**(こうえん)を見(み)に行(い)く。

3日目　練習（p.125）

① 梅雨(つゆ)の時期(じき)は**蒸**(む)**し**暑(あつ)い。

② 猫(ねこ)が家(いえ)の**屋根**(やね)の上(うえ)を歩(ある)いている。

③ **居酒屋**(いざかや)で新入社員(しんにゅうしゃいん)の歓迎会(かんげいかい)をする。

④ 海辺(うみべ)で拾(ひろ)った**貝**(かい)でアクセサリーを作(つく)る。

⑤ この価格(かかく)に消費税(しょうひぜい)は**含**(ふく)**まれて**おりません。

⑥ ガスより**炭**(すみ)で焼(や)いたほうが、肉(にく)も魚(さかな)もおいしい。

⑦ 貝(かい)を濃(こ)い塩水(しおみず)にしばらくつけておいて**砂**(すな)を抜(ぬ)く。

⑧ **植物**(しょくぶつ)を育(そだ)てる。

4日目　練習（p.127）

① 明日(あした/あす)のハイキングには必(かなら)ず**水筒**(すいとう)とお弁当(べんとう)を持参(じさん)すること。

② この試験(しけん)はマークシートではなく、**記述式**(きじゅつしき)です。

③ この論文(ろんぶん)は**構成**(こうせい)が非常(ひじょう)に良(よ)い。

④ 彼(かれ)は**意志**(いし)が弱(よわ)くて、お酒(さけ)がやめられない。

⑤ 夏休(なつやす)みの自由研究(じゆうけんきゅう)で植物(しょくぶつ)**採集**(さいしゅう)をした。

⑥ 前を走っている車には**仮免許**練習中と書いてある。
まえ はし くるま **かりめんきょ**れんしゅうちゅう か

⑦ 兄は新聞**記者**です。
あに しんぶん **きしゃ**

⑧ ノートは**机**の引き出しに入っています。
つくえ ひ だ はい

5日目　練習（p.129）

① たくさんの**風船**が空高く舞い上がる。
ふうせん そらたか ま あ

② 船便は遅いから**航空便**でお願いします。
ふなびん おそ **こうくうびん** ねが

③ **大陸**の気候は降水量が少ない。
たいりく きこう こうすいりょう すく

④ 火事や事故などに備えて**損害**保険に入る。
かじ じこ そな **そんがい**ほけん はい

⑤ 現金**輸送車**が事故を起こした。
げんきん**ゆそうしゃ** じこ お

⑥ **理想**と現実にはギャップがある。
りそう げんじつ

⑦ 人身事故でダイヤが**乱れて**います。
じんしんじこ **みだ**

6日目　練習（p.131）

① **卒業**記念に校庭に木を植える。
そつぎょうきねん こうてい き う

② 今日は、良いお天気に**恵まれて**春のような陽気でした。
きょう よ てんき **めぐ** はる ようき

③ 疲れたときはちょっと休んだほうが**能率**が上がる。
つか やす **のうりつ** あ

④ メガネが湯気で**曇って**何も見えない。
ゆげ **くも** なに み

⑤ 昔の人は、便利な機械がない代わりに**知恵**を使って生活した。
むかし ひと べんり きかい か **ちえ** つか せいかつ

⑥ 都心のマンションから郊外の**一戸建て**に引っ越した。
としん こうがい **いっこだ** ひ こ

7日目　まとめの問題（p.134～136）

1 相手に考える時間を**与える**。
あいて かんが じかん **あた**

2 **濃い目**のコーヒーが好きだ。
こ め す

3 人々を幸せな未来へと**導く**。
ひとびと しあわ みらい **みちび**

4 自らの主張を明確に**述べる**。
みずか しゅちょう めいかく **の**

5 乱筆乱文**お許し**ください。
らんぴつらんぶん **ゆる**

6 **宇宙**旅行が夢ではなくなった。
うちゅうりょこう ゆめ

7 **率直**な意見を聞かせてほしい。
そっちょく いけん き

8 材料をよく**混ぜます**。
ざいりょう **ま**

9 受験の**許可**が出た。
じゅけん **きょか** で

10 今夜は**吹雪**になりそうです。
こんや **ふぶき**

11 手術で**輸血**が必要となる場合があります。
しゅじゅつ **ゆけつ** ひつよう ばあい

12 結果よりも**過程**のほうが大切だということもある。
けっか **かてい** たいせつ

13 第一**志望**の大学に合格してうれしい。
だいいち **しぼう** だいがく ごうかく

14 花の**種**をまく。
はな **たね**

15 かもめ丸は悪天候のため**欠航**となりました。
まる あくてんこう **けっこう**

16 A「深い海の**底**には、おもしろい魚がいるよね。」
ふか うみ **そこ** さかな
B「ああ、深海魚ね。」
しんかいぎょ

17 A「どうして、あの学校は嫌なの？」
がっこう いや
B「**規則**がきびしいんだもん。」
きそく

18 A「授業の予習復習は必ずします。」
じゅぎょう よしゅうふくしゅう かなら
B「**偉い**ですね。」
えら

19 A「どこへ行くの。」
い
B「**お彼岸**の花を買いに…。」
ひがん はな か

20 A「台風が来るって。」
たいふう く
B「じゃ、**雨戸**を閉めよう。」
あまど し

21 雑誌を1**冊**買ってきてくれませんか。
ざっし **さつ**か

22 今から、**口述**試験があります。
いま **こうじゅつ**しけん

23 ここにずっと住むわけではなく、**仮**の住まいです。
す **かり** す

24 仕事で**業績**を上げれば、給料も上がるだろう。
しごと **ぎょうせき** あ きゅうりょう あ

25 **水筒**にお茶を入れて持参する。
すいとう ちゃ い じさん

第8週

1日目　練習（p.139）

① 猫がネズミを**捕る**。
ねこ **と**

② この辺は携帯の**電波**が届かないようだ。
へん けいたい **でんぱ** とど

③ 盗みの**疑い**をかけられる。
ぬす **うたが**

④ 店長は**絶えず**客や店員に気を配らねばならない。
てんちょう **た** きゃく てんいん き くば

⑤ この健康補助食品はカルシウムを**補う**のに最適です。
けんこうほじょしょくひん **おぎな** さいてき

⑥ 男が酒を飲んで居酒屋で**暴れて**います。

⑦ 私には支持**政党**はないが、支持する候補者はいる。

⑧ 昨夜、都心でガス**爆発**がありました。

2日目　練習（p.141）

① 文部科学省の前年度予算は、**6兆円**を超えている。

② あなたの国と日本は、昔から**貿易**をしています。

③ まず、**易しい**問題から解いてみましょう。

④ 私のふるさとは**農業**がさかんです。

⑤ 大型台風により、各地で**水害**などの被害が出ています。

⑥ 被害者の**人権**を守ろう。

⑦ 一度しかない人生、**命**は大切にしましょう。

⑧ 日本の人口は約**1億**3千万人です。

3日目　練習（p.143）

① **巨大魚**がどこかの海岸で捕れたそうだ。

② **勝負**がつかず、試合を延長する。

③ 新聞に意見を**投書**する。

④ **武力**ではなく、話し合いで解決したい。

⑤ 警察は事件の**捜査**を進めている。

⑥ 強風で傘の骨が**折れた**。

⑦ 救急車を**呼んで**ください。

⑧ この魚は頭も**骨**も全部食べられます。

4日目　練習（p.145）

① 国際**親善**を目的とした試合が行われる。

② 多少**条件**が悪くても、雇ってほしいと思っている。

③ あの双子は、兄弟そろって素晴らしい**頭脳**を持っている。

④ 両国はさまざまな問題を**抱えて**いる。

⑤ 犬が庭の土を**掘って**何かを隠した。

⑥ この馬は気が**荒い**。

⑦ 優勝したチームは今回とても**勢い**があった。

⑧ 寮では**規律**正しい生活をしている。

5日目　練習（p.147）

① あの店は、安くておいしいと**評判**だ。

② 人間だから、**賢い**人でも判断を誤ることがある。

③ **敬語**を正しく使うのはなかなか難しい。

④ 大臣の発言を国民は**批判**的に受けとめた。

⑤ その帽子、あなたによく**似合って**いますよ。

⑥ 朝早く目が**覚めた**のに、起きられなかった。

⑦ あの娘さんは、有名な武士の**子孫**だそうです。

⑧ **犯人**の顔や服装を覚えていますか。

6日目　練習（p.149）

① この電車は**環状線**なので乗り越してもまた戻ってきます。

② ボランティア活動に**国境**はない。

③ これはこの町の人口の**増減**を表したグラフです。

④ あの方は気象庁**長官**です。

⑤ 柔道の色々な**技**を習う。

⑥ **不況**に負けずに景気回復に努めよう！

⑦ 相撲は相撲でも指や**腕**でする相撲もあります。

⑧ それは日本**独自**の考え方だと思う。

7日目　まとめの問題（p.152～154）

1 コンサート会場は、**大勢**のファンで超満員になった。

2 母は**典型的**な古い日本の女性です。

3 子供の意志も**尊重**すべきです。

4 現代人は、他人を**敬う**気持ちに欠けているのではないだろうか。

5 **補足**説明をさせて頂きます。

6 兄は**県庁**で職員として働いています。

7 **被告**は無罪を主張している。

8 **犯した**罪をつぐなってほしい。
おか　つみ

9 **環境**問題について考える。
かんきょうもんだい　かんが

10 各国の選手たちは技を**競い**合った。
かっこく　せんしゅ　わざ　きそ　あ

11 会社の信頼を回復するよう**努める**。
かいしゃ　しんらい　かいふく　つと

12 日本チームは決勝で**敗れた**。
にほん　けっしょう　やぶ

13 湯**加減**はいかがですか。
ゆ　かげん

14 不況のため、社員の半数が**解雇**された。
ふきょう　しゃいん　はんすう　かいこ

15 奥さんの料理の**腕前**はすごいですね。
おく　りょうり　うでまえ

16 A「この商品は人気**上昇**中ですね。」
しょうひん　にんき　じょうしょうちゅう

B「CMのおかげかな。」

17 A「今年はずいぶん寒いですね。」
ことし　さむ

B「でも、平年**並**だそうですよ。」
へいねんなみ

18 A「他社の製品と**比べて**、価格はどうですか。」
たしゃ　せいひん　くら　かかく

B「やや高いですね。」
たか

19 A「食費の支出に**占める**割合はどのくらいですか。」
しょくひ　ししゅつ　し　わりあい

B「えーっと…。」

20 A「彼の成績を見てください。」
かれ　せいせき　み

B「ほう、成長**著しい**ですね。」
せいちょういちじる

21 **新型**インフルエンザが流行している。
しんがた　りゅうこう

22 外国人には**選挙権**がありますか。
がいこくじん　せんきょけん

23 大雨のため、各地で**水害**が起きている。
おおあめ　かくち　すいがい　お

24 米国の**カリフォルニア州**から来ました。
べいこく　しゅう　き

25 **野党**から首相の発言に対して批判の声が上がった。
やとう　しゅしょう　はつげん　たい　ひはん　こえ　あ

模擬試験　第1回

答え

問題1	1 3	2 1	3 2	4 2	5 3
	6 4	7 1	8 4	9 3	10 3
問題2	11 2	12 2	13 2	14 4	15 3
	16 4	17 2	18 3	19 4	20 1

正解文

1 わかり**次第**、ご連絡申し上げます。
しだい　れんらくもう　あ

2 夢を**抱いて**留学する。
ゆめ　いだ　りゅうがく

3 責任を**果たして**、安心しました。
せきにん　は　あんしん

4 海外から**天然**ガスを輸入する。
かいがい　てんねん　ゆにゅう

5 **布製**の収納ボックスを買う。
ぬのせい　しゅうのう　か

6 きれいな紙でプレゼントを**包む**。
かみ　つつ

7 しばらく会っていない家族が**恋しい**。
あ　かぞく　こい

8 **超特価**とは非常に安いということです。
ちょうとっか　ひじょう　やす

9 あの**看板**が読めますか。
かんばん　よ

10 会議で**鋭い**質問をされた。
かいぎ　するど　しつもん

11 このバスは、**運賃**を先に払います。
うんちん　さき　はら

12 この本は上中下の**3巻**から成っている。
ほん　じょうちゅうげ　かん　な

13 大雨の音で目が**覚めた**。
おおあめ　おと　め　さ

14 **環境**問題を考える。
かんきょうもんだい　かんが

15 **財布**を忘れて、家にもどった。
さいふ　わす　いえ

16 これは古い新聞などを**再生**した紙です。
ふる　しんぶん　さいせい　かみ

17 もうそんな仕事ができるなんて、**頼もしい**。
しごと　たの

18 うちには、犬が**3匹**います。
いぬ　びき

19 現代日本語の**諸問題**について話し合う。
げんだいにほんご　しょもんだい　はな　あ

20 その花は来月の初めには**咲く**でしょう。
はな　らいげつ　はじ　さ

模擬試験　第2回

答え

問題1	1 3	2 4	3 2	4 3	5 2
	6 3	7 4	8 2	9 1	10 3
問題2	11 3	12 2	13 3	14 4	15 1
	16 3	17 4	18 1	19 3	20 4

正解文

1 **幼い**子供の命を守る。
おさな　こども　いのち　まも

2 **絵画展**を見に行く。
かいがてん　み　い

3 準備は全て**整った**。
じゅんび　すべ　ととの

4 飛行機が**着陸**に失敗した。
ひこうき　ちゃくりく　しっぱい

5 風で髪が**乱れた**。
かぜ　かみ　みだ

6 ここにゴミを**捨てて**はいけません。
す

7 兄は大好きだが、からかわれると**憎らしい**。
あに　だいす　にく

8 アパートから**一戸建て**に引っ越す。

9 係員は親切で**笑顔**がすてきな人だった。

10 レシートではなく、**領収書**を書いてください。

11 こちらは**革製**のバッグです。

12 あの家は**1億円**するそうです。

13 お湯を**沸かして**、お茶を入れる。

14 会社へ行く**途中**、飲み物を買った。

15 これは水をきれいにする**装置**です。

16 リサイクルするように**常に**気をつけている。

17 長時間の使用は、低温やけどの**恐れ**があります。

18 駅の近くにラーメン屋が**2軒**ある。

19 **散らかって**いますが、どうぞお入りください。

20 エアコンの設定を**除湿**にする。

模擬試験　第3回

答え

問題1	1 3	2 3	3 2	4 1	5 2
	6 4	7 2	8 1	9 1	10 3
問題2	11 4	12 3	13 2	14 1	15 4
	16 3	17 1	18 3	19 2	20 3

正解文

1 火を止めてから粉末スープを**加える**。

2 チャンスを**逃して**はいけないと思った。

3 言うのは**容易**だが、実行するのは難しい。

4 新聞や雑誌の**求人**情報を探す。

5 この**筒**の中には設計図が入っています。

6 なぜあんな物が売れるのか、**不思議**だ。

7 このダイヤルで温度**調節**をしてください。

8 総理大臣のことを**首相**とも言う。

9 父は**漁師**です。

10 トイレや浴室の**備品**を点検する。

11 両者とも強く、なかなか**勝負**がつかない。

12 今晩、知人宅に**泊めて**もらいます。

13 引っ越しの荷物を運んで、**腰**が痛くなった。

14 うがいや手洗いで風邪を**予防**する。

15 あの旅館は**評判**がいい。

16 車を持たない若者が**増えて**いるそうだ。

17 ベビーカーを**折り**たたむ。

18 2で割れる数を**偶数**と言う。

19 資料をそこに**並べて**ください。

20 部下に仕事を**任せる**。

模擬試験　第4回

答え

問題1	1 3	2 1	3 4	4 2	5 2
	6 1	7 3	8 4	9 4	10 3
問題2	11 4	12 2	13 1	14 3	15 3
	16 4	17 1	18 3	19 4	20 3

正解文

1 **賞味期限**は少し過ぎていても食べられる。

2 これは書道で使う**筆**です。

3 お土産に魚の**干物**を買いました。

4 …というわけです。以下**省略**します。

5 これは帯、そして、これは**足袋**です。

6 日本にはどこにでも自動**販売機**がある。

7 この**毛布**は手洗いしてください。

8 祖父の家には、馬が**1頭**います。

9 気象庁長官はラニーニャ**現象**について説明した。

10 外は寒くて**凍えそう**だ。

11 取りに来ない忘れ物を**処分**する。

12 これを**速達**で送ってください。

13 その便は、成田空港を**経由**します。

14 両国の**首脳**がオンラインで話し合った。

15 「**壁**に耳あり」とはどういう意味ですか。

16 この**商品券**は現金とは交換できません。

17 かぎはテーブルの上に**置いて**ある。

18 あなたとの約束(やくそく)が**果(は)たせて**、ほっとしました。

19 痛(いた)いところに、これを**塗(ぬ)って**ください。

20 この価格(かかく)に消費税(しょうひぜい)は**含(ふく)まれて**いません。

MEMO

MEMO